エリア・スタディーズ 197

カリブ海の旧イギリス領を知るための60章

川分圭子
堀内真由美〔編著〕

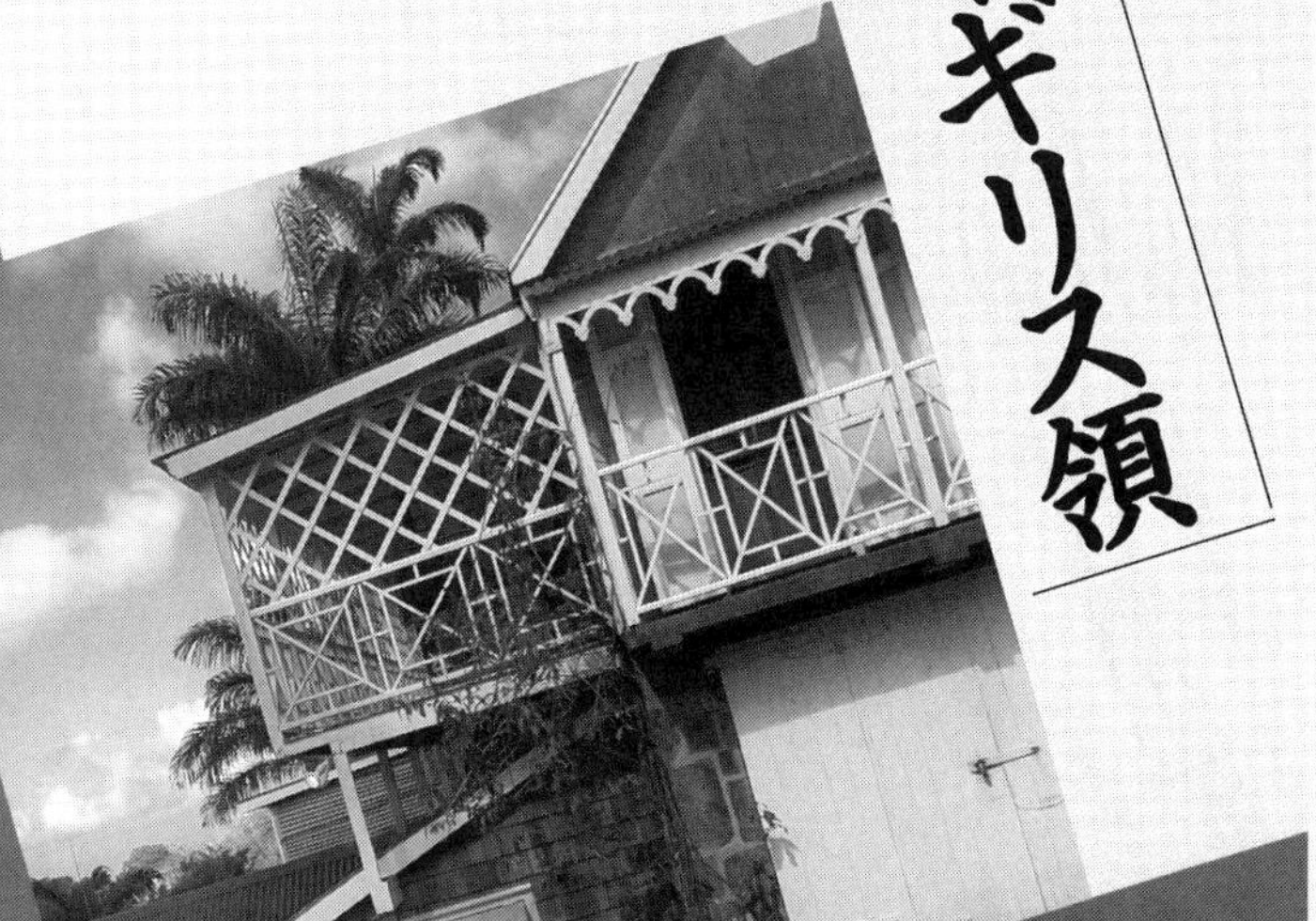

明石書店

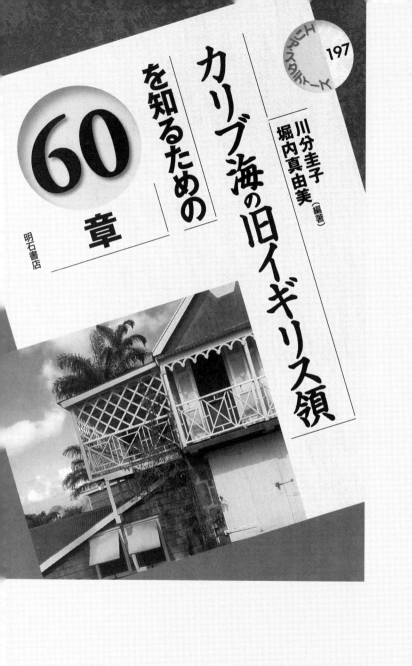

はじめに

イギリス領カリブは、カリブ諸島のいくつかの島々と、中米と南米の大陸部にあるベリーズとガイアナを含む地域で、２０２３年現在12の独立国とイギリス領土内にとどまった6地域からなる。すべてが英連邦加盟国であり、カリコム（カリブ共同体）の構成国ともほぼ重複する。

イギリス人は、１６００年前後からほぼ同時に、北米、中米、南米、カリブ諸島へ探検・植民を開始した。これらのアメリカ世界は、最初にインドと誤認されたことから、スペインからは Las Indias と呼ばれていたが、イギリスはアジアのインドと区別するため The West Indies と呼んだ。複数形であるのは、単一ではなく複数の植民地から形成されていたからである。

征服の動機は、宗教や軍事的な面が強調されるが、実際には経済的な動機が最も強かったと思われる。それは探検や植民に多大な投資が行われていたことから自明である。投資したのは利益が見込めると考えられていたからであり、だからこそ利益は回収されなければならなかった。ただイギリス領となった地域からは貴金属は産出されなかったので、投資の回収は征服地の土地の分与とそれらの土地での商品作物栽培を通して行われる。

開拓と商品作物栽培のために、最初は白人貧民が年季契約労働者として、次にアフリカ人が奴隷として、19世紀の奴隷制廃止後はインド人や中国人が再び年季契約労働者として多数移入された。これら労働者が数十万、数百万人という規模でつれてこられた一方で、土地所有者および農場経営者（プランター）として移民したイギリス人は少なく、また彼らの多くが、経営が安定するとイギリスに帰国して不在地主化した。そのため、これらの地域に在住する者は、農場経営を任された現地管理人の白人や中小規模のプランターのほかは、ほとんどがアフリカ系やインド系、カラード（有色民。白人と黒人の混血はムラートとも呼ばれた）の労働者であった。19世紀の奴隷解放、20世紀の独立以後は、これらの奴隷や労働者の子孫が住民の圧倒的部分を構成する。

現在のカリブ世界は、陽気な熱帯のリゾートやカーニバル、国際的に著名なアスリートやシンガーのイメージも強いが、しかし以上に述べた厳しい歴史こそが現在のカリブを作ってきた。カリブの人々は、欧米人の経済活動のために遠方から強制的・半強制的に連行され何世代にもわたって重労働を担わされてきた人々の子孫であり、この理不尽な過去への悲しみや怒りを容易には忘れないし、むしろ記憶にとどめる努力を払っている。現代のカリブ諸国では、歴史教育や史跡の展示において、回避することなく植民地支配や奴隷制の非道さが語られ、欧米諸国に対する外交や経済交渉の場では過去への言及がしばしば戦略的に活用される。

本書は、カリブ世界の中でもイギリスが支配した地域に焦点を置いたものである。明石書店のエリア・スタディーズ・シリーズでは、すでにカリブ世界全体を扱った既刊があるので、本書は「イギリス性」に焦点を当て、イギリス領カリブだけでなく、イギリスにおけるカリブ——イギリスに在住するカリブ出身者の状況、現代イギリスが過去のカリブ支配とどう向き合っているか、カリブの文化や人々がイギリスに与えた影響——について、多くのページを割くこととした。

本書の構成と内容は、以下の通りである。

第Ⅰ部では、カリブ諸島を地理的構成から整理し、歴史的経緯からカリブ諸島のどの部分がイギリス領となっていくかを解説している。その後、征服と開発の過程や、旧イギリス領カリブ諸国の特徴である小国分立状態の歴史的背景などを述べて、カリブにどのようにイギリス的世界が移設されるかを、概観する。

第Ⅱ部は、イギリス領カリブでの経済活動の中心だった砂糖生産の17世紀から現代までの盛衰を背景に、労働者として、あるいは戦争や迫害で居住地を追われた移住民として、様々な人種がイギリス領カリブに流入するあり様を描いている。また、19世紀後半以降の自由貿易と脱植民地化の影響で植民地体制が崩壊し、あわせて砂糖生産も衰退し、白人支配層も消滅する状況を扱っている。

第Ⅲ部では、英語という観点からイギリス領カリブ世界が分析される。独立後の（旧）イギリス領カリブ諸国は、旧宗主国の言語＝イギリス英語でもなく、現地の多様な日常語＝クレオール語でもない、カリブ標準英語を構築し（旧）英領カリブの共通語としていくが、その一方でのクレオール語の保全運動やそれをもちいた文学活動も行われる。他方、国際的に通用する英語としてのイギリス英語やアメリカ英語を使用する利点は大いに意識されており、英語圏カリブにはこれらの多種多様な英語が併存し、人々は巧みに場面ごとにこれらを使い分ける。

第Ⅳ部は、脱植民地化がテーマである。19世紀後半のイギリス領カリブでは、17世紀以来保有していた代議制議会を、カラードの進出を不安視した白人支配層が廃止するという政治的逆行が起こっていた。20世紀に入ると、砂糖産業などに労働組合が作られ、そのリーダーであるカラードたちが代議制議会の復活と自治を求めて活動するようになり、彼らは新設された議会で政治家になって独立運動を率いる。ここには、旧白人プランターの子孫が伝統的な政治力をふるう余地はほとんどなくなっていた。このようなカリブの新リーダーたちは、同じ脱植民地化運動を率いるほかのイギリス領のリーダーたちとロンドンで出会い、交流し、協力し合う。しかし、第2次世界大戦後のカリブ独立の歩みには、困難が伴い、目指された連邦での独立は破綻し、島ごとの独立という結果に終わる。ただ連邦的枠組みは、(旧)イギリス領カリブ全体にまたがった高等教育機関(西インド諸島大学)のような形で、残っている。

第V部は、第2次世界大戦後にカリブからイギリスにわたった移民たちとそのイギリスでの生活、イギリスの戦後文化への影響についてである。第2次世界大戦後のイギリスは、戦後復興の労働力として植民地の人々を動員するという発想のもと、彼らにイギリス国内での居住権と労働権を付与する1948年国籍法を制定した。このような本国からの招きに応じて、多くのカリブ出身者が夢と希望をもってイギリスにやってきた。彼らは、最初の移民船の名前をとって「ウィンドラッシュ世代」と呼ばれる。彼らは様々な肉体労働や、国民健康サービスの看護師や介護職、ロンドン交通局の駅員や運転士などのエッセンシャル・ワークを担った。ただし彼らの急増に対する一般イギリス人の不安や反発は強く、1958年のロンドン、ノッティングヒル暴動を皮切りに、都市部のカリブ系移民地区——ロンドンのブリクストン、バーミンガムのハンズワース、ノッティンガムなど——を中心に人種暴動が多発する。イギリス政府も方針転換し、移民を抑制する法律や政策を制定するようになった。この部では、カリブ出身者が本国で出会った無理解や差別、その一方でこれらの移民がイギリスの音楽や文学に影響を与える過程が、論じられる。

第VI部は、2020年代に至るまで根深く残るレイシズムの問題と、それに関わる社会現象や文化現象を取り扱っている。中でも、ポピュラー音楽界でのレイシズムとアンチ・レイシズムの関係は、なかなか簡単には理解しがたい。白人歌手には、カリブの歌謡のスタイルを取り入れながらも、その音楽的根源である社会的抵抗の精神に欠けていたり、黒人やアジア人に対する差別的発言を行う者などがいる一方、人種暴動批判やブラック・ライブズ・マター（BLM）運動などを積極的に取り入れて社会問題やそれへのプロテストを前面に出して活動する者など、両極が存在する。他方イギリス政府の反移民的姿勢は強まり、19世紀の法律である浮浪者取締法第4項（SUS法）を活用して「疑わしき人物」とされた黒人の根拠のない逮捕が繰り返された。同法は1981年廃止されるが、しかし2017年になっても、政府の移民政策の恣意性や混乱ぶりが、「ウィンドラッシュ・スキャンダル」により露呈する。これは、主に1948年国籍法と1968年移民法の間に移民してきた移民が、その後に厳格化された移民法や国籍法が要件とする身分証明書を持たないために、突然イギリスから強制退去させられる事例が頻発した一連の事件であり、政府は一応謝罪したが、救済されていない被害者も多数残っている。このようにレイシズムは、文化レベルでも政治レベルでも、現在もまだ続いているのである。

イギリスに居住する移民が言われて最もがっかりする言葉は、「故郷に帰れ」だ。多くの移民は、人生のほぼすべての時間をイギリスで過ごし、カリブのことはほとんど知らない。彼らにとってはイギリスこそが故郷だ。だがこれが、多くのイギリス人、いや時には政府にさえ理解されない。ともすればカリブもイギリスも故郷ではなくなってしまう、このような移民の寄る辺なさを伝えるために、本書では第Ⅶ部「故郷喪失のカリブ」を用意した。ただし、故郷を喪失するのは、アフリカ系やカラードの人々だけではない。数百年前にカリブに移住し暮らしてきた白人プランターの子孫たちは、20世紀の脱植民地化の過程でカリブに身の置き所を失ってしまい、ヨーロッパやアメリカに移住する。しかし彼らもまた、欧米社会で言葉や価値観の違いに悩み、時には植民地での非人道的行為の責任者として批判され、無理解の中で異邦人として生きるしかない。さらに近年は、天災のせいで離郷するカリブの人々も増加している。カリブ諸島は小島嶼であり、火山列島であり、ハリケーン、海面上昇、火山噴火の影響を常に受けている。1995年以降のモントセラト島の噴火、2021年セントヴィンセント島噴火（いずれの島でも噴火した火山の名前はフランス語の硫黄に由来するスフリエールである）、2017年バーブーダ島を襲ったハリケーン・イルマ、同年ドミニカを襲ったハリケーン・マリア、いずれも少なくとも一時期全島民の他島への避難が必要とされ、それを契機に島の人口が減少しているという現実がある。

第Ⅷ部は、このようなカリブ出身者が故郷で集う機会となるカリブ各地での春のカーニバルや、ロンドンで8月に催されるカーニバルについて紹介している。

地名や人名などの表記について　最初に、（旧）イギリス領カリブをどう呼称するかという問題がある。この地域は、20世紀後半になるまでブリティッシュ・ウェスト・インディーズと呼ばれるのが一般的であり、日本でも西インドと呼ばれていた。しかしこの名称は、西洋人がこの地域をインドとして「発見」したという西洋中心主義的な発想に基づくものとして、近年は忌避されるようになり、ブリティッシュ・カリビアン、コモンウェルス・カリビアンといった名称が好まれている。しかしカリブ現地では西インドという呼称は特に拒絶されておらず、機構名などにも残っているので、本書では残してほかの呼称と併用している。また、ほとんどの地域は独立したが、まだイギリス海外領土にとどまっている地域もあるので、旧イギリス領、イギリス領、（旧）イギリス領などの表現が混在している。

各島の名称は、日本の外務省や事典が採用している表記を中心に用いることとした。英語の発音と大きく異なっているものもあるが（アンティグアはアンティーガと発音されるなど）、許容していただきたい。他の地名についても日本の地図帳や事典の標準的表記にしたがった。また外来語のカタカナ表記についても、最も一般的な表記を選択した。

本書は、数回これらの地域に足を運んだ編者が、イギリス領カリブという文化的地域的枠組みを日本社会に認識してほしいという思いを抱き、同じ思いを抱くほかの執筆者とともに、明石書店にお願いして、エリア・スタディーズの1冊にしていただいたものである。編集者の長島遥氏には、コロナの行動規制の続く頃から長らくお世話になり、大変なご面倒をおかけした。刊行まで導いてくださった長島氏への深い感謝を、ここに執筆者を代表して、述べる。

2023年8月

川分圭子

謝　辞

本書の執筆に関しては、以下の文部科学省科学研究費の助成を受けている。

・研究代表者川分圭子　研究課題「カリブ海旧イギリス領諸国における植民地時代の事物の現存と歴史的記憶」（研究課題番号１７ＴＫ２０２６）２０１７～19年度科学研究費補助金基盤研究（Ｃ）

・研究代表者川分圭子　研究課題「19世紀後半から現代までの砂糖貿易体制の変遷——植民地的過去の持続的影響の分析」（研究課題番号２０Ｋ０１８１１）２０２０～23年度（予定）科学研究費補助金基盤研究（Ｃ）

・研究代表者堀内真由美　研究課題「英領西インド諸島・クリオールたちの「植民地責任」」（研究課題番号２６５７００１７）２０１４～16年度科学研究費補助金挑戦的萌芽研究

・研究代表者堀内真由美　研究課題「個々人が担う「植民地責任」——英系クリオール女性を例として」（研究課題番号１７Ｋ０２０７７）２０１７～19年度科学研究費補助金基盤研究（Ｃ）

・研究代表者堀内真由美　研究課題「ホスト国における移民の社会的統合——「ウィンドラッシュの娘たち」の経験から」（研究課題番号２０Ｋ１２４５７）２０２０～22年度科学研究費補助金基盤研究（Ｃ）

・研究代表者　井野瀬久美惠「謝罪のポリティクス——大英帝国における奴隷制度廃止以後を例として」（研究課題番号　２０５２０６５６）２００８～10年度基盤研究（Ｃ）

・研究代表者　窪田幸子「新啓蒙主義（ネオ・エンライトメント）と謝罪の文化——文化人類学と歴史学の共同研究」（研究課題番号２２Ｈ００７７５）２０２２～26年度基盤研究（Ｂ）

・研究代表者　清水和裕「「奴隷」と隷属の世界史——地中海型奴隷制度論を中心として」（研究課題番号２０Ｈ０００２９）２０２０～24年度基盤研究（Ａ）

・研究代表者山口美知代　研究課題「世界諸英語に関する理解を深めるための映画英語教育」（研究課題番号２５３７０６４１）２０１３～16年度基盤研究（Ｃ）

・研究代表者山口美知代「アメリカ英語の普及と英語の多様性の認識に20世紀映像メディアが与えた影響」（研究課題番号１９Ｋ００６８８）２０１９～24年度基盤研究（Ｃ）

カリブ海の旧イギリス領を知るための60章

目次

Ⅱ 複雑な人種構成とその背景

Ⅲ 英語圏としての旧英領カリブ世界

Ⅳ　イギリス領カリブの成立と自立

Ⅵ　レイシズムとアンチ・レイシズムの間

Ⅶ 故郷喪失のカリブ

Ⅷ カリブのカーニバル

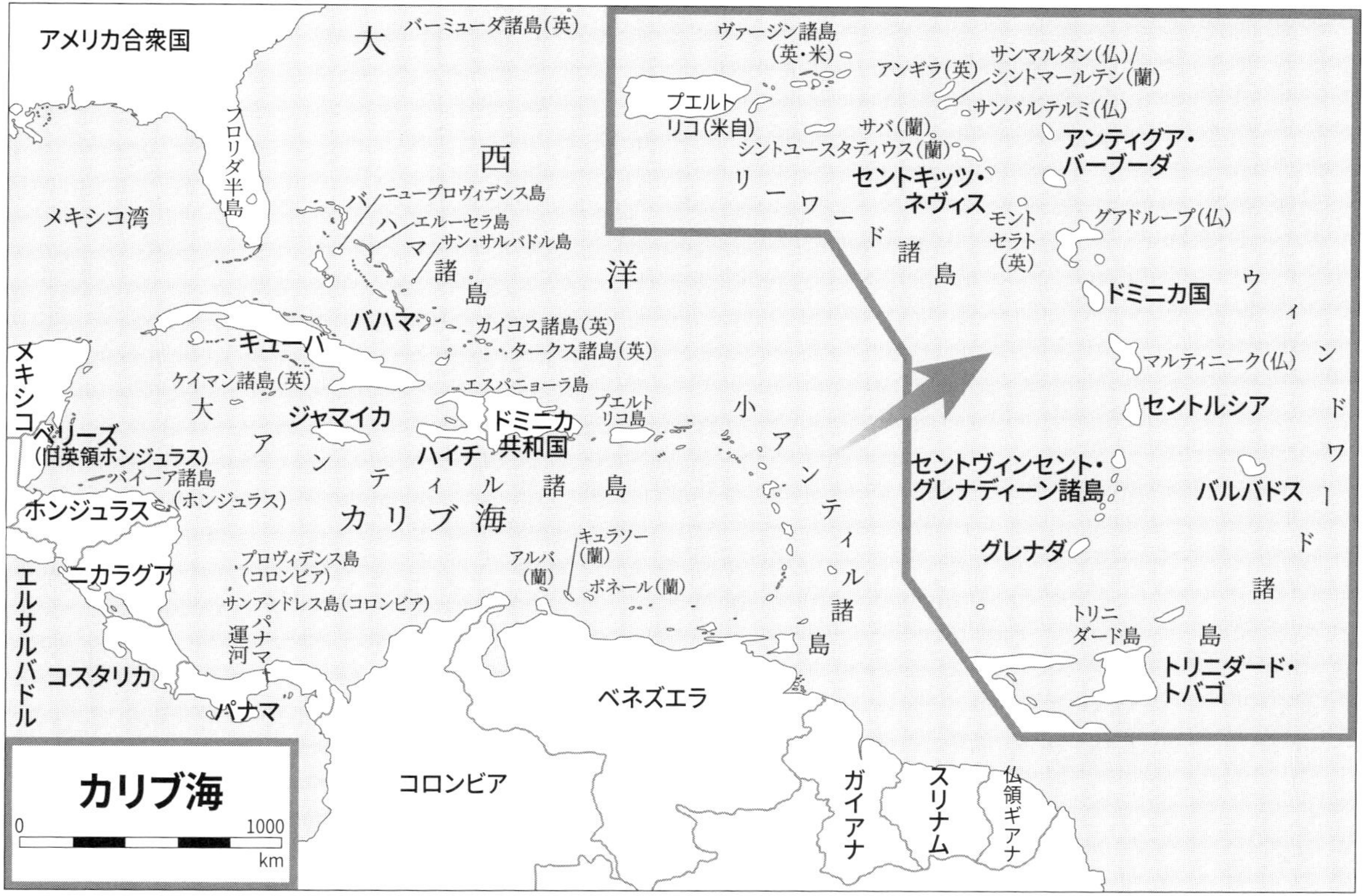
カリブ海
0
1000
km
アメリカ合衆国
バーミューダ諸島(英)
大
西
洋
メキシコ湾
フロリダ半島
バハマ諸島
ニュープロヴィデンス島
エルーセラ島
サン・サルバドル島
バハマ
カイコス諸島(英)
タークス諸島(英)
キューバ
ケイマン諸島(英)
エスパニョーラ島
ジャマイカ
ハイチ
ドミニカ共和国
プエルトリコ島
大アンティル諸島
カリブ海
小アンティル諸島
メキシコ
ベリーズ
(旧英領ホンジュラス)
バイーア諸島
(ホンジュラス)
ホンジュラス
ニカラグア
エルサルバドル
コスタリカ
パナマ
パナマ運河
プロヴィデンス島
(コロンビア)
サンアンドレス島(コロンビア)
アルバ
(蘭)
キュラソー
(蘭)
ボネール(蘭)
ベネズエラ
コロンビア
ガイアナ
スリナム
仏領ギアナ
ヴァージン諸島
(英・米)
プエルト
リコ(米自)
アンギラ(英)
サンマルタン(仏)/
シントマールテン(蘭)
サンバルテルミ(仏)
サバ(蘭)
シントユースタティウス(蘭)
リーワード諸島
セントキッツ・
ネヴィス
アンティグア・
バーブーダ
モント
セラト
(英)
グアドループ(仏)
ドミニカ国
ウィンドワード諸島
マルティニーク(仏)
セントルシア
セントヴィンセント・
グレナディーン諸島
バルバドス
グレナダ
トリニ
ダード島
トリニダード・
トバゴ

I

イギリス領カリブとは?

1

カリブ諸島の覚え方①

★大アンティル諸島と小アンティル諸島★

カリブ諸島は覚えにくいが、それでも、分類すると、比較的容易に覚えられる。

まず、カリブ諸島の本体部分、北西のメキシコ湾から南東のベネズエラに向かって弧を描く島々を覚えよう。この弧の北西側、メキシコ湾からほぼ真東に延びていく部分は、大きな4つの島を中心に構成され、大アンティル諸島と呼ばれている。弧の南東側の残り、ベネズエラに向かってほぼ南に延びていく部分は、小さな島ばかりからなっており、小アンティル諸島と呼ばれる。大アンティル諸島の主要4島は、1つの島が数万キロ平方メートルで、北海道や九州くらいと考えればよいが、小アンティル諸島の島は最大のトリニダード島でも和歌山県くらい、ネヴィス島やモントセラト島は小豆島《しょうど》（香川県）くらいである。

大アンティル諸島は、西から東にほぼ水平に、キューバ、エスパニョーラ島（サント・ドミンゴ島）、プエルトリコが並び、キューバの下に一番小さい島ジャマイカがある。以上はすべて、コロンブスが「発見」し上陸している。コロンブスはまずエスパニョーラ島を植民してサント・ドミンゴという港市を建設し、ここからキューバやプエルトリコへの探検隊を出した。バルボ

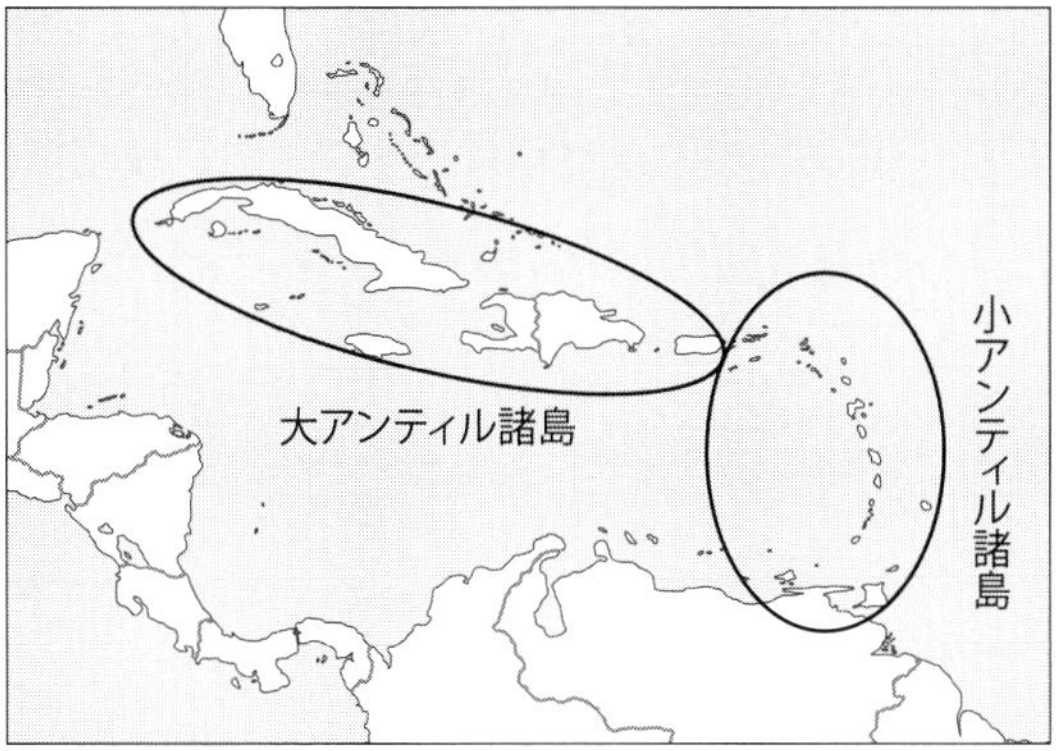

大アンティル諸島と小アンティル諸島（筆者作成）

アのパナマ地峡探検やコルテスのメキシコ征服の遠征隊もここから出発している。サント・ドミンゴは、メキシコ（ヌエバ・エスパーニャ）副王領が設置される１５２０年代まで、スペイン領アメリカ（インディアス）の中心都市となる。

　このように大アンティル諸島は初期のスペイン帝国の中心地だったが、17世紀半ばにはフランスとイギリスの進出を許してしまった。１６２５年小アンティル諸島のセントキッツ島に入植したフランス人は、エスパニョーラ島北西沖合のトルトゥーガ島（ラトーチュ島）に進出し、そこをスペイン領への海賊行為の拠点とする。スペインは何度か反撃するが、世紀半ばには反撃を断念し、海賊を避けるため、エスパニョーラ島の東側に集中して生活することを選んだ。その結果、１６６０年頃にはフランスはエスパニョーラ島の西側を実効支配し、ここは１６９７年ライスワイク条約で正式にフランス領となった。これが現ハイチである。イギリスも同じ頃からこの辺りを荒らしまわっていたが、１６５５年にはジャマイカ島を征服し、１６７０年マドリード条約で正式に領有を認められた。

　ジャマイカは、大アンティル諸島の中では最小だが、英領カリブ諸島の中では最大の島であり、砂糖プランテーションが次々と開発され、18世紀には最も富裕な島となった。また、周囲をスペイン領に囲まれたジャマイカは、自前で奴隷を確保できないスペイン領への奴隷貿易の拠点として、そのほかイギリス製品などスペイン領に様々な物資を非合法に供給する拠点としても繁栄した。

小アンティル諸島は、プエルトリコ東沖のヴァージン諸島から、南東に弧を描いて、ベネズエラ沖のトリニダード島まで続く諸島である。現在小アンティル諸島は、東カリブと呼ばれることの方が一般的になりつつある。東カリブ諸国機構（OECS: Organisation of Eastern Caribbean States）という地域経済連合が1981年にできて、イースト・カリビアン・ドルという共通通貨を発行し関税連合を形成しているからだ。ただ東カリブ諸国機構にはトリニダード・トバゴは入っていない。

小アンティル諸島は、さらに二つに分類される。小アンティル諸島の真ん中にドミニカという島があるが（エスパニョーラ島のドミニカ共和国とは区別されたい）、この島より北側はリーワード（風下）諸島、南側は、ウィンドワード（風上）諸島と名付けられている。これは、東から吹く貿易風に乗ってやってくるヨーロッパの船舶から見た名称である。

実は小アンティル諸島も、コロンブスがほとんどを「発見」している。しかしスペイン人はこれらの小島には関心を持たず放置していたため、1620年代頃からイギリス、フランス、オランダ、さらにはデンマークやスウェーデンまでが進出した。この結果小アンティル諸島は、中南米大陸や大アンティル諸島とは異なり、スペインの影響は薄く、スペインが建てた壮大なバロック建築もないし、言語も英語、フランス語、オランダ語やそれから派生したクレオール言語が用いられている。

小アンティル諸島の中でも、北側のリーワード諸島は特に島が小さく、南側のウィンドワード諸島は比較的島が大きい。しかしイギリス領カリブ植民地の最も古い部分は、バルバドスを除いては、リーワード諸島に集中している。そこでまず、何とかリーワード諸島の島々を覚えてしまおう。

まずプエルトリコの隣のリーワード諸島の起点には、ヴァージン諸島がある。ヴァージン諸島は三つに分かれている。元スペイン領で現在はプエルトリコ自治連邦区に属するスパニッシュ・ヴァージン諸島、元デンマーク領で現在アメリカ領のアメリカ領ヴァージン諸島、そしてイギリス領ヴァージン諸島だ。プエルトリコは1898年よりアメリカ領だから、スパニッシュ・ヴァージン諸島もアメリカ領なのだが、プエルトリコには自治があるため、アメリカ領ヴァージン諸島とは区別がある。

アメリカ領ヴァージン諸島は、1917年まではデンマーク領だった。デンマークは、17世紀には英仏型の重商主義大国を目指しており、1670年代からここに砂糖生産のための植民地を形成した。しかし第1次世界大戦期に、デンマークはこの領域を自力で防衛することが困難だと判断し、合衆国に売却した。一方イギリス領ヴァージン諸島は、最初オランダが進出していた地域であるが、1670年代以降イギリスが奪取する。

ヴァージン諸島から少し海を隔てて東に行くと、アンギラ島、サン・バルテルミ島、シント・マールテン島（サン・マルタン島／セント・マーティン島）、サバ島、シント・ユースタティウス島といった小島が浮かぶ。ここは、各国の領有権が最も錯綜する地域である。理由は明らかで、ここが、大西洋とカリブ海の出入り口となっているからだ。アンギラ島はフランス人が最初に入植したが、1650年からイギリス領で、現在もイギリス領にとどまっている。シント・マールテン島は、北側がフランス領でサン・マルタン島と呼ばれ、南側がオランダ領である。サン・バルテルミ島はフランスが開発したが、1784〜1878年はスウェーデンに売却していた。その後再びフランス領となり現在に至っている。サバ島とシント・ユースタティウス島はオランダ領である。この2島は、シント・マールテン島と合わせてSSS諸島と呼ばれている。

SSS諸島の南方が、イギリス領リーワード諸島——セントキッツ（セントクリストファー）、ネヴィス、アンティグア、バーブーダ、モントセラト——である。ここそが、イギリス領カリブ諸島最古の部分である。この中でもセントキッツ島は、最も古くに植民され、他島への植民の根拠地となった。同島のイギリス人は、セントキッツ島からわずか2キロのところにあるネヴィス島に入植したほか、1632年にはアンティグアとモントセラトに植民した。バーブーダ島のみは珊瑚礁の小島でプランテーションには向かなかったので、のちにアンティグアの地主が食糧生産地として活用する（29章）。

セントキッツ島でイギリス人と共存していたフランス人は、国王からサン・クリストフ会社（1635年以降アメリカ諸島会社）という植民会社の認可を受け、やはり周辺領域の探検と植民に乗り出す。フランス人は南方に進出し、1630年代にはリーワード諸島最南端のグアドループ島、そしてウィンドワード諸島のドミニカ島、マルティニーク島、1640〜50年代にはさらに南のセントルシア島、セントヴィンセント島、グレナダ島に進出した。

これらのフランス領は、グアドループ島とマルティニーク島を除いてすべて、七年戦争後の1763年にイギリスに割譲された。当時のイギリス人は、これらの元フランス領ウィンドワード諸島を割譲諸島と呼び、1620年代からの古い植民地リーワード諸島とは別の世界として認識していた。

だがウィンドワード諸島の中に一つだけ、イギリス人がリーワード諸島と同時期に進出した島がある。それがバルバドス島だ。バルバドス島は、他のウィンドワード諸島の島々より少し東に離れていたためか、コロンブスには発見されず、ポルトガル人がブラジルからの帰路に発見したとされている。ただポルトガル人もこの島に関心を持たず、放置した。その後1624年、その当時ブラジルの一部を占領していたオランダ人との交易を終えて帰還するイギリス船がこの島を再発見する。

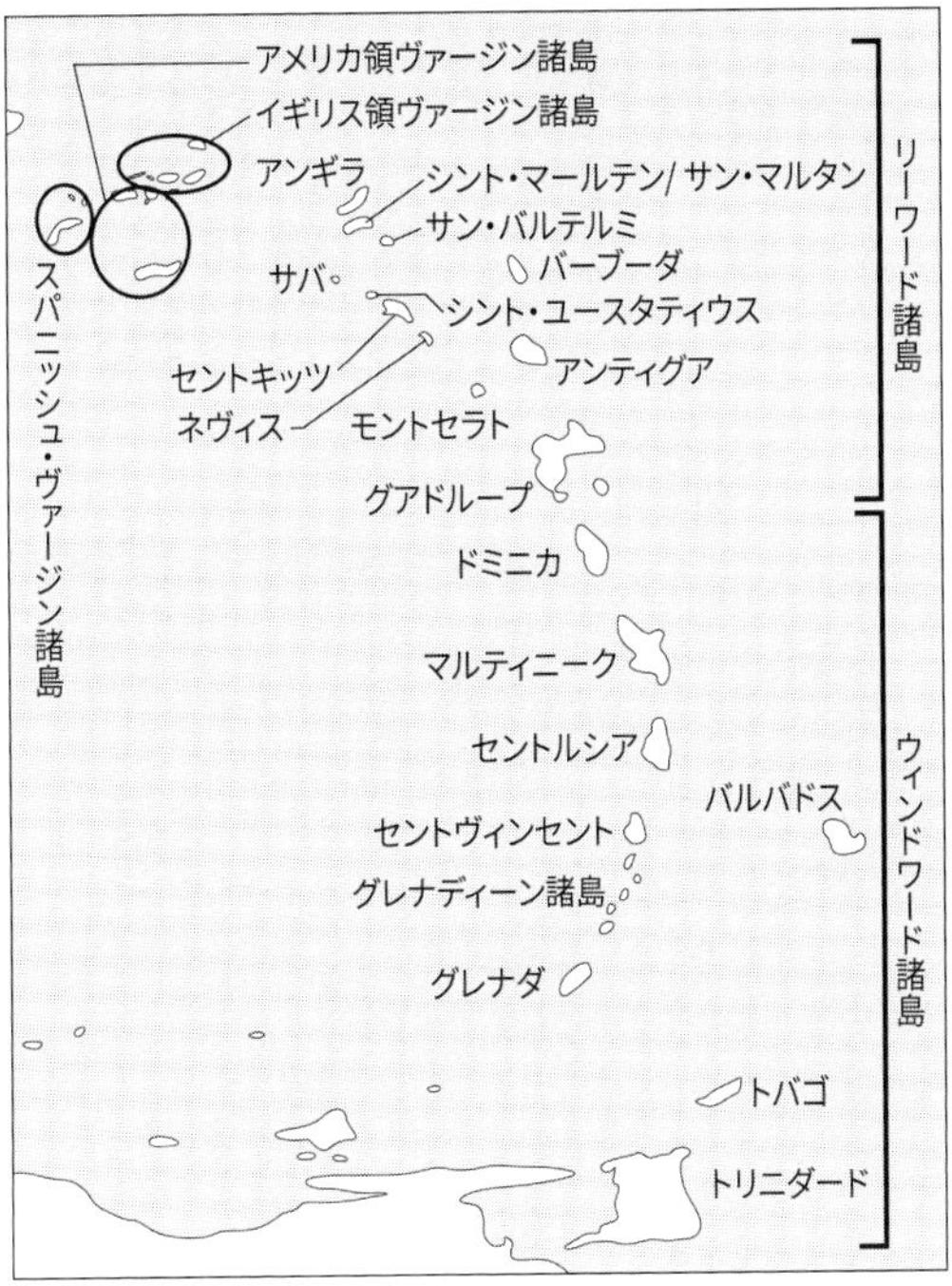

小アンティル諸島（詳細）（筆者作成）

最後に小アンティル諸島最大で最南端の島トリニダードと、その北東に浮かぶトバゴ島について述べておかねばならない。コロンブスは第3回航海で両島を発見している。16世紀を通してスペインはトリニダードを植民しようとするが、原住民の抵抗が激しく、なかなか成功しなかった。しかし17世紀末にはプランテーション開発も一定程度進み、18世紀にはヌエバ・グラナダ副王領の一部としてスペインが安定的に支配していた。一方トバゴ島は、17世紀には、オランダとクールラント公国（ポーランド・リトアニア共和国に服属していた領邦国家）が植民を開始するが、17世紀末にはフランスに奪われた。18世紀には英仏の争奪の対象となり、七年戦争後の1763年イギリス領となり、アメリカ独立戦争後の1781年再びフランス領となる。そして1790〜1800年代のフランス革命戦争期に、イギリスが最終的にトリニダード島とトバゴ島を両方とも奪取することになる。

以上、小アンティル諸島には歴史的に見て、①1620年代からの植民地イギリス領リーワード諸島（アンギラ、セントキッツ、ネヴィス、アンティグア、バーブーダ、モントセラト）、②同じく1620年代からの領土バルバドス島、③元フランス領で1763年以後イギリス領となったウィンドワード諸島（ドミニカ、セントルシア、セントヴィンセント、グレナダ、トバゴなど）、④1800年代以降の植民地トリニダード島、の4種類の（旧）イギリス領がある。

（川分圭子）

2

カリブ諸島の覚え方②

★バハマ諸島、ABC諸島、その他の島々★

大アンティル諸島と小アンティル諸島の他に残っている主なカリブの島々は、バハマ諸島とＡＢＣ諸島である。バハマ諸島は北米に近く、伝統的にイギリス領であり、ＡＢＣ諸島は南米に近く現在もオランダ領である。

バハマ諸島は、キューバ北東沖からフロリダ半島東岸に沿って点在する広大な諸島である。欧米では、先住民の名をとったルカヤ諸島という呼称も使用される。バハマ諸島には、コロンブスがアメリカ世界の中で最初に上陸したとされるサン・サルバドル島がある。ただスペイン人は大アンティル諸島を発見したのちはバハマ諸島に関心を持たず、イギリスの進出を許すことになる。

バハマ諸島に最初にやってきたイギリス人は、もともとはヴァージニア州沖合のバーミューダ諸島に植民しようとしていた人々であった。バーミューダ諸島は地理的にはかなり離れているが、歴史はカリブ諸島、特にバハマ諸島と共通しているので、ここで詳述しておく。バーミューダ諸島は、１５００年代にスペイン人探検家ファン・デ・ベルムデスによって発見され、その名前が付けられた。しかしバーミューダ植民はイギリス人の手によって行われた。1609年イギリスのヴァージニア会社に所属する船団がこの海域で難破し、船団の中心シー・ヴェンチャー号の乗船者だけがバーミューダ島にたどり着き、助かった。彼らは、この島で9か月を過ごし、新しい船を造ってヴァージニア植民地に到着することができた。この事件は、当時のイギリス人の大きな関心を呼び、シェイクスピアの『テンペスト』はこれに着想を得て作られたともいう。その後バーミューダ島はしばらくヴァージニア会社が管理していたが、1615年にはソマーズ島会社（シー・ヴェンチャー号の船長だったジョージ・ソマーズの名前をとっている）が設立され、1684年特許状を返上するまで管理した。バーミューダ島は気候がよく、初期にはタバコの栽培、その後は木材の切り出しなどで繁栄した。

このバーミューダ島に1630年頃から在住していたウィリアム・セイル（Sayle）は、同島で成功した地主となり、バーミューダ植民地の総督となった。しかしピューリタン革命勃発以降は、王党派が優勢だったバーミューダ島では、熱心なピューリタンで革命支持派だったセイルの立場は悪化し、そのためセイルは、バハマ諸島にピューリタンの植民地を作る事業に乗り出した。セイルは、バハマ諸島の一つの島に入植し、ギリシア語の自由を意味する名をつけて、エリューセラ島と呼んだ。エリューセラ島は、その後もバーミューダ島から追放されたピューリタンを受け入れ、またマサチューセッツなど北米のピューリタン植民地からも支援を受けた。しかししばらくするとセイルに対立するグループの勢力が強くなり、セイルとその支持者は、エリューセラ島を後にし、現在バハマの首都ナッソーのあるニュープロヴィデンス島に移った。

セイルが死亡してからバハマ諸島は海賊の根拠地となり、特にスペイン王位継承戦争中にフランスとスペインの襲撃を受けてからは、海賊たちはさらに尖鋭化した。さらに戦後は仕事を失った私掠船船長や周辺地域の海賊が移住してきて、一時は千人以上の海賊が集まり、海賊が事実上の総督を務め、また裁判官など植民地の要職を占めるなど、海賊共和国という異名をとるまでになった。イギリスは、１７１８年にこれらの海賊を制圧し、秩序を回復する。その後、バハマ諸島は、アメリカ独立戦争時に、アメリカの国王忠誠派（独立反対派）とそれが連れてきた黒人奴隷を受け入れ、ようやく繁栄するようになる。

現在バハマ諸島の大半は、独立してバハマという国家になっている。しかし、バハマ諸島の最南端のタークス諸島とカイコス諸島だけはイギリス領に残留している。

次にＡＢＣ諸島である。ＡＢＣ諸島は、ベネズエラ西部の沿岸に浮かぶアルバ島、キュラソー島、ボネール島の３つの島で、頭文字をとってＡＢＣ諸島と呼ばれているが、これらの南米北岸沖合の諸島は全体としてはリーワード・アンティル諸島と呼ばれている。ただ同諸島のＡＢＣ諸島以外の島々は、ベネズエラ領である。

オランダは、スペインからの独立戦争が一段落した１６００年代に、オランダ西インド会社を作り、リーワード諸島や南米北部に盛んに出没した。１６１０年代には現在のガイアナ周辺に進出し、エセキボ川やスリナム川を遡航して探検を行っている。１６２０年代には、スペインとの休戦条約が失効したため、スペイン領（当時はポルトガルと同君連合を結んでいたためポルトガル領も含む）に対して「大計画」と呼ばれる大掛かりな攻撃を仕掛け、トバゴ島の植民を試みるほか、ブラジルの北東部を奪い、砂糖プランテーションを展開した。オランダがＡＢＣ諸島に進出したのもこの頃である。ＡＢＣ諸島

バハマ諸島、バーミューダ諸島、その他（筆者作成）

のうち最も発展したのはキュラソー島であり、スペイン領に対する奴隷貿易や密貿易の基地として繁栄する。

これでカリブ諸島の概観はほぼ終わったが、イギリス領カリブを深く知るためにもう少しがんばって中米東沖合にある3か所の島々を覚えておきたい。一つは、ニカラグアの東沖に浮かぶプロヴィデンス島である。ここは現在コロンビア領で、プロビデンシア島と呼ばれている。この島は1620年代に、スペイン領に対して海賊行為を行った後バーミューダ諸島に戻る途中のイギリス人に発見された。1629年には、ヴァージニア会社やソマーズ島会社の参加者が中心になり、プロヴィデンス島会社という植民会社が国王から特許を得て設立される。その後しばらく数百人のピューリタンがこの島に入植して暮らすが、1641年スペインに奪い返された。

プロヴィデンス島会社は同時期にホンジュラス北岸のバイーア諸島にも入植したが、ここもすぐにスペインに奪い返された。しかしその後も少数のイギリス人は現ベリーズやバイーア諸島に在住しログウッド（染料木）やマホガニーの採取に従事した。イギリスは１７８３年以降はベリーズ（イギリス領ホンジュラス）を領有し、バイーア諸島も１８５２〜59年短期間ではあるが領有した。

もう一つはケイマン諸島である。ケイマン諸島は、大アンティル諸島に含まれる諸島で、ジャマイカの西側に浮かぶ島々である。これらの島々は、伝統的にジャマイカ植民地に含められて統治されてきた。ただ、１９６２年ジャマイカが独立したときに、ケイマン諸島はイギリス領に残留することを選んだ。

現在ケイマン諸島は、やはり英領に残ったバハマ諸島の中のタークス・カイコス諸島や、英領ヴァージン諸島とともに、タックス・ヘイブンとして有名な場所になっている。イギリス領に残留したために、治安や政治の安定に信頼があり、しかもイギリスからは特別な税制度を認められて、イギリス本国よりはるかに安い法人税や簡便な会社設立手続きを提供できているからである。（川分圭子）

ジャマイカ紀行

コラム1 堀内真由美

ジャマイカは広かった。何度か訪れたドミニカと比べて、という意味だ。ただし、どちらも同じくらい遠かった。関西在住の筆者の場合の行程は次のようになる。伊丹空港を午後2時に発って羽田へ。午後6時羽田発エア・カナダに乗り換え、翌朝5時半（現地前日の午後4時半）にカナダ・トロント着。トロントで1泊し、翌日午後1時半エア・ルージュで出発。4時間半でようやくジャマイカ、ノーマン・マンリー空港に着く。

1度目は9月半ば、2度目は2月初旬に訪れたが、日本との気温差が大きかったせいか、後者の方がより暑く感じた。首都キングストンのホテルに宿泊し、2度とも午後3時過ぎの大渋滞を経験した。2度とも目的地を回ってくれたドライバー氏によれば、「学校終わりの子どもを迎えに行く親の車で大渋滞する」という。子どもをバスや徒歩で帰宅させる親は少数派らしい。島の規模が大きくなり、ヒトの動きが活発になればなるほど、あまり好きになれない単語だが、「治安」の問題も出てくる。島内では、徒歩圏でもホテルで車を手配してもらうことが「普通」になっていた。こちらの油断で事件に巻き込まれ「やっぱりジャマイカは危ないんだね」などとしたり顔で言われないようにするためにも、ここは「外国人観光客」らしく配車をお願いするのが賢明だと思った。

1度目の訪問に際しては、駐日ジャマイカ大使（当時）が、訪問先に事前予告してくださっていたことが「安心」の要因だったと思う。だが、限られた時間で最大限に有意義な訪問を果たすことができたのは、ドライバー氏による慎重な運転や行動様式（経路の選択や到着時刻の確認など）のおかげだった。

ジャマイカ紀行

西インド諸島大学モナ校では、歴史・考古学科の若き研究者Z氏と学科長E氏に面談できた。イギリスで中等教育を受けた（白人）アメリカ人であるZ氏が「ここの学生は奴隷制などネガティブな歴史を知りたがらない」と言えば、スペイン生まれのアフリカ系であるE氏の「アフリカ系が多いイギリスが羨ましい」と、「母国」での苦悩を想像させる発言もあった。次の訪問地、北西部モンテゴベイ地区にある「グレート・ハウス」（5章）は、まるで映画『広い藻の海』のロケ地かと思わせるくらいの美しさ。広大な屋敷に美しい調度品。かつての主は「趣味人」であったのだろうが、奴隷主であったことを忘却させるような「記念館」ではZ氏にも叱られるだろう。

訪問の最後はキングストンから北東へ、ブルーマウンテン・コーヒー農園が点在する地域だ。大使が紹介してくださった農園のゲストハウスでブルーマウンテン・コーヒーを目の前で淹れてもらい、豊かな酸味に魅了される。この農園の豆は「レインフォレスト認証」を取得しているため、農園の手入れには手間と重労働が必要になる。薬剤を使用しないので、その分水質の維持が欠かせない。人（労働者）と自然に優しい豆は、当然それなりの値段がする。だが、かつてのプランテーション農業の過酷さに想像が至る、そんな知人や友人には、もってこいの逸品だ。

島の人と自然に対する当たり前の対価を惜しまず、安全で有意義にジャマイカの過去と現在を訪れてほしい。

ブルーマウンテン（川分圭子撮影）

3

すべては征服から始まった

★イギリス領カリブの出発点★

トマス・ワーナーによる、セントクリストファー〈セントキッツ〉、ネヴィス、バルバドス、モントセラトの発見。（中略）これらの島々は野蛮人しか住んでおらず、いかなるキリスト教君主の支配下にもない。以上の島々と住民を国王の保護下におき、トマス・ワーナーに国王の副官として保護監督権をゆだね、命令・条例・布告等を発布し、あらゆる種類の商品を自由に交易し、プランテーションを増強するため人々を送り込む全権を与える。——1625年9月5日国王からトマス・ワーナーへの委任状（V・L・オリヴァー『アンティグア史』第1巻）

近世のヨーロッパでは、「野蛮人しか住んでおらず」「キリスト教君主の支配下にない」地域は、最初に到来したキリスト教国に住民を支配し「保護監督」する権利があると考えられていた。だが右記の引用から読み取れるように、征服の真の目的はプランテーション開発とそこでの商品作物の生産と交易だった。そのため全アメリカの歴史は、先住民からの土地の収奪、そのための先住民の虐殺や追放から始まる。

以下、イギリス領カリブの征服の現場がどのようなものだったか考えてみたい。

征服事業に必要な人的要素は、事業の実施を許可する国王、国王から領有権を付与された領主、資金を提供する資本家、軍事遠征を行う軍人や船長である。リーワード諸島とバルバドス征服の場合、国王はジェームズ1世、領主はカーライル伯、資本家はロンドン商人ラルフ・メリフィールドやモーリス・トンプソン、軍人や船長はトマス・ワーナーやその息子エドワード、ワーナーと同郷のジョン・ジェファーソン、のちにネヴィス島総督になるアンソニー・ヒルトンなどであった。

トマス・ワーナーはサフォークの地主の息子で、ロンドンでメリフィールドが出資するヴァージニア行き航海に陸軍大尉として参加して、1624年1月セントキッツ島に到着した。メリフィールドは同年3月にはさらに一船団を準備し、ジェファーソン大尉がそれを率いて同島に到着する。この間ワーナーは一時帰国し、本章冒頭の国王からの委任状を得た。セントキッツ島にはすでに数名のフランス人がおり、その後もフランス人が入植してきたが、ワーナーは彼らと協定を取り交わして、島の南北両端をフランス人が植民し、中心部にイギリス人が入植することが決まった。

だが白人入植者が増えるにつれ、先住民カリブ人（カリブ族またはカリナゴ族）との関係は悪化した。冒頭引用の歴史家オリヴァーによると、1626年、族長テグレマンは、白人たちが自分たちの住居の周囲に銃眼を備えた柵や堡塁を設置したのを見て疑いを抱き、全白人殺害を決意した。しかしこれは彼らに奴隷にされていた他部族の女性によってワーナーに通報され、ワーナーは先制攻撃により彼らをほぼ全滅に追いやった。2千人ものカリブ人の死体は谷に投げ捨てられ、川の水は何日も血で赤く染まったという。現在この地点はブラッディ・ポイントと呼ばれ、現地の観光ガイドは必ずここを案内する。

ワーナーは国王と領主カーライル伯からセントキッツ島総督の地位を認められ、1629年にはナイト爵を受爵した。またワーナーやその仲間は、セントキッツ島や周辺の島々の土地を分配し、領主から領有権を認められて、初代のプランターとなった。セントキッツ島にあるプランテーションの廃墟ウィングフィールド・エステートは、ジョン・ジェファーソンに付与されたものである。

ウィングフィールド・エステート

征服が一段落すると、必ず起こってくるのが支配者層と一般の入植者の対立である。セントキッツ島では、ワーナーがタバコの価格下落を受けてタバコの作付けを18か月間禁止したことが引き金となった。一部の入植者たちは、領主カーライル伯への貢納（1人当たりタバコ20重量ポンド）を拒絶し、その他15か条の要求を総督と評議会に突きつけ、1642年3月には住民が選出した集会が開催された。これがセントキッツ島の植民地議会（アセンブリ）の起源である。

ワーナーはいったん彼らの要求を呑んだが、彼らがジェファーソンやワーナーの息子などを告訴するため渡英を計画したときに、反撃を再開した。記録の欠如により詳細は不明だが、42年12月には議会は解散され、反乱者は処刑されたり、他島へ逃げて野垂れ死ぬなどして、事態は収拾したようである。

トマス・ワーナーの息子エドワードは、1632年父の命によりアンティグア征服に赴いた。しかし1640年アンティグアは、他島から来たカリブ人に急襲され、入植地は破壊され多くの死者も出た。『アンティグアとアンティグアの人々』(著者匿名1844年)は、この時エドワード・ワーナーの妻子がカリブ人に連れ去られ、またこの後もカリブ人は何度も白人プランターの妻子を連れ去ったと言い伝えられていると記述している。以上の真偽はともかく、アンティグアは1655年には、カリブからの襲撃の被害の大きさと防衛の必要を理由として、オリヴァー・クロムウェルの西方計画(ピューリタン革命期に革命派のリーダー、クロムウェルが共和制を樹立し、その後1654年から大々的なスペイン領アメリカ征服事業を展開した)への参加を断っている。征服軍を率いていたウィリアム・ペン総督(ペンシルヴェニア建設者ウィリアム・ペンの父)とロバート・ヴェナブルズ将軍の艦隊は、2日アンティグアに滞在しただけで出発し、その後エスパニョーラ島で大敗を帰した後、辛くもジャマイカを獲得することができた。

1660年代以降のアンティグアは、英蘭戦争でオランダと結んだフランスによりたびたび襲撃を受け、カリブ人にも襲撃された。74年アンティグアは、リーワード諸島総督に「ドミニカ島在住のインディアンを殺し滅ぼす」ことを願い出ている。この島がカリブ人の拠点であったからである。この願いは許可され、トマス・ワーナーのもう一人の息子で当時アンティグア総督だったフィリップが自ら司令官となって、ドミニカに遠征した。この時敵方を率いていたのは、トマス・ワーナーが先住民女性との間に作った息子トマス(インディアン・ワーナー)であったという。インディアン・ワーナーはこの戦いで死亡したが、その死は異母兄フィリップのだまし討ちであったとの疑いがかかった。フィリップはイギリスに召喚され裁判を受けたが、無罪となり、アンティグア総督の職に復した。この話も真偽のほどは不明だが、1700年代にアンティグアに立ち寄った航海者ウィリアム・ダンピアもその著書『最新世界周航記』第2巻でこの事件について言及している（邦訳〈平野敬一訳、岩波書店〉は、第1巻の訳のためこのエピソードは含まれていない）。

　ドミニカ島や他のウィンドワード諸島では、カリブ人がその後も長く残存し、付近で難破した奴隷船の黒人が逃げ込んで、ブラック・カリブ（ガリフナ）と呼ばれる混血の種族も生じた。1748年オーストリア継承戦争後の和平条約で、イギリスとフランスはドミニカ島とセントヴィンセント島を原住民の居住地用の中立地域とし、両島の不法占拠者には所有権を認めないとしたが、この約束は守られず、その後も数千人のフランス人が入植した。

中米のガリフナ　（出典：ユネスコ無形文化遺産ウェブサイト）

　1763年これらの島がイギリス領になった後、セントヴィンセント島では入植者とブラック・カリブの間に戦争が起きる。この時は、イギリス国王の君主権に服することを条件に、カリブ人の土地の領有権は承認された。しかしナポレオン戦争中の1794年、フランス領グアドループの革命派総督ヴィクトル・ユーグは、セントヴィンセント島のカリブ人と同盟し、イギリスと戦わせた。カリブ人はイギリス軍に山中に追い詰められ、降伏し、97年にはホンジュラス沖のバイーア諸島のロアタン島に追放された。現在も中米にはこのブラック・カリブたちの子孫が暮らしている。

（川分圭子）

4

連邦化失敗の歴史と小国から成り立つ現在

★12独立国・6海外領土★

砂糖植民地の島々は、お互いのことがあまり好きじゃない。――クリストファ・コドリントン（リーワード諸島植民地総督）、1702年

なぜ西インドは、今もまだ百年前と同じように、ばらばらで政治的にも別々なのか？――ヒューム・ウロング（カナダ人歴史家）、1923年

イギリス領カリブは、たくさんの島から成り立っているだけでなく、たくさんの国から構成されている。中南米の大陸部にあるガイアナ、ベリーズを合わせると、現在コモンウェルス・カリビアンと認識されている地域には、12の独立国と6つの未独立地域（イギリス海外領土）がある。未独立地域だけ名前を挙げると、アンギラ、モントセラト、バーミューダ諸島、ヴァージン諸島、ケイマン諸島、タークス・カイコス諸島である。独立国は、ジャマイカやトリニダード・トバゴのように人口が100万～200万人のものもあるが、数万人しかいない国もある。

実はイギリス領カリブの国々は、これほど小単位で独立する

計画だったわけではなく、単一の連邦としての独立が構想されており、実際1958年に西インド連邦が成立した。ただこれは、貧しい小島と同じ国になることを望まなかったジャマイカなど有力地域の意向で、瓦解してしまう。

実は連邦化の失敗は20世紀だけの話ではなく、植民地時代から繰り返されていた。1620年代にバルバドス島とリーワード諸島の島々（セントキッツ、ネヴィス、アンティグア、バーブーダ、モントセラト、アンギラ）が征服されていったとき、イギリス国王ジェームズ1世は、お気に入りの廷臣カーライル伯にこれらカリブ諸島全土の領有権を付与し、バルバドスに総督（ガヴァナー）を派遣した。つまりこの地域は、一つの行政区分としてスタートした。だが、総督府が置かれたバルバドス島はウィンドワード諸島に位置しており、他のリーワード諸島の島々とは500キロ近くも離れていたため、植民地行政の中心になるには無理があった。

国王からカーライル卿への勅許状には、「これらの地域の自由土地保有者の同意・裁可・賛同をもって」地域の法を制定するように書かれていたが、結局バルバドス島にすべての島の代表が集まる立法機関は設置されないままであった。一方で各島々では、島内の紛争などを契機に代議制の植民地議会（アセンブリ）が作られるようになり、そこで各島だけの法律が制定されるようになった。

その後特に軍事防衛をめぐってバルバドスとリーワード諸島の対立は深まる。本国からの軍事支援費用や部隊はバルバドスに送られていたが、イギリス領とフランス領が混在するリーワード諸島の方が常に危険に晒されていた。しかしバルバドスからの部隊派遣は遅れがちだった。リーワード諸島側では、バルバドスは砂糖生産のライバルであるリーワード諸島の破滅を願っているという不信感さえ募った。

1660年代になるとカーライル伯の領主権は廃され、カリブ諸島は王領植民地（ロイヤル・コロニー）となった。王領植民地の政治体制は、国王任命の総督と評議会（カウンシル）、そして代議制の植民地議会（アセンブリ）からなり、白人プランターが評議会評議員と植民地議会議員を独占し、各島で彼らが政治を牛耳った。

イギリスは1671年にはカリブ諸島を、ジャマイカ、バルバドス、リーワード諸島の3つの植民地に分割した。リーワード諸島植民地には、1人の総督が任命され、総督府は最初は英蘭戦争の被害が少なかったネヴィス、1688年以降はアンティグアに置かれた。ただしリーワード諸島総督は、国王から、主だった4島（ネヴィス、アンティグア、

上／バルバドスのガヴァメント・ハウス（元総督府）
下／バルバドス下院（House of Assembly）ほか国会関連施設

モントセラト、セントキッツ）に副総督と評議会を設置する委任も受けていたため、各島はこの後、副総督（事実上各島の総督）・評議会および植民地議会を維持した。

一方でリーワード総督はリーワード諸島植民地全体の議会（ジェネラル・アセンブリ）の招集を何度か試みた。しかしジェネラル・アセンブリでは各島の利害が激しく対立した。さらに1706年、ヴァージニア出身の軍人ダニエル・パークがリーワード総督に就任すると、彼はアンティグアのプランターとことごとく対立し、4年後には彼らに殺されてしまう。事件後、殺人者たちは本国で裁かれるも恩赦を受けて放免され、その後リーワード諸島のジェネラル・アセンブリは開催されなくなった。

七年戦争に勝利した1763年、イギリスはウィンドワード諸島に新領土――ドミニカ、セントヴィンセント、グレナダ、トバゴ――を獲得した。これらの島も最初は一人の総督の下に置かれたが、1770年代には島ごとに個別の総督・評議会・植民地議会を持つようになってしまった。

18世紀末になると、本国で高まる奴隷貿易廃止運動に対抗して協力するため、ジェネラル・アセンブリが開催されるようになる。また1833年奴隷制廃止を契機に、バルバドス、グレナダ、セントヴィンセント、トバゴが、それぞれの法律・立法機関は維持しながらも、ウィンドワード植民地として統一され、リーワード諸島もドミニカを加えた形で単一の植民地とされた。しかしこの時には、各島が独自に作り上げてきた政治制度や法律を単一の憲政にまとめることはもはや不可能な状態であり、共通の植民地議会と評議会を設置する試みは挫折した。

19世紀後半にもう一度転機がやってきた。この時、イギリス領カリブのほとんどの島々が、植民地創設以来守ってきた各島の自治を自ら放棄して、直轄植民地（クラウン・コロニー）となったのである。

その背景には、奴隷解放後に自由黒人やカラード（白人と黒人の混血）の一部が社会的地位を上昇させ、植民地議会に議席を獲得する者も出てきたことがあった（１８５０年代のジャマイカでは議席の３分の１程度に達した）。これは白人プランターに深刻な不安を与え、彼らはこれまで自分たちの至上の権利とみなしてきた代議制議会を、新興階層に台頭の手段を与える危険な制度と考えるようになる。

まずジャマイカは、１８６５年10月勃発したモラントベイ暴動を契機に、直轄植民地になることを選んだ。暴動後、ジャマイカ議会は、「強力な政府の存在以外、この島が第２のハイチ（18世紀末、黒人奴隷が蜂起して黒人国家として独立）の状態に陥るのを防止できない」として、自らの組織を廃止し、代わりに国王任命の立法評議会を受け入れた。この後、バルバドス、バハマ諸島を除くすべての地域が、ジャマイカに追随して代議制議会を放棄

王領植民地（Royal Colony）の政治体制

直轄植民地（Crown Colony）の政治体制

バルバドス、バーミューダ諸島、バハマ諸島は、植民地議会のある旧制度を維持した。その他はほぼすべて1860～70年代に植民地議会を廃止した。出典：Hume Wrong, *Government of the West Indies*, 1923. を基に筆者作成

しクラウン・コロニーとなる。

イギリスはこれを機会に再び連邦制を構想し、1871年リーワード諸島法により、ヴァージン諸島を加えて新リーワード諸島連邦が成立した。一方ウィンドワード諸島では、バルバドスを除いた形で連邦が形成された。リーワード諸島連邦では、連邦の立法評議会が設立され、裁判、警察、刑務所、会計監査、郵便、通貨、検疫などの共通化が進む一方、各島には副総督府（プレジデンシー）が置かれ、また徴税も各島の徴税機構に依存し、独立の連邦財政機構は作られなかった。またウィンドワード諸島連邦では、連邦の立法評議会さえ設置されなかった。

このように19世紀末に成立した両連邦も、連邦としての実を欠いていた上、バルバドス、ジャマイカが別個に存在することを許容してしまった。20世紀の連邦化挫折（25章）は、このような過去によってすでにに準備されていたともいえる。結局ジャマイカとトリニダード・トバゴは他島に先駆けて1962年に独立、バルバドスとガイアナも66年にそれぞれ単独で独立した。残された小さな島々の多くは、隣接する島や諸島と一緒に独立することになった。

これら一国を構成する複数の島々は、シスターアイランズと呼ばれている。

（川分圭子）

5

カントリー・ハウスとグレート・ハウス

★イギリスの地主とカリブのプランターの人的・文化的重複★

イギリスを車で移動するなら、カントリー・ハウス巡りをするといい。カントリー・ハウスとは、イギリスの地主貴族が地方の所領に持つ邸宅のことで、フィールド（耕作地や牧草地）、パーク（園地）、ガーデン（庭園）の3層の広大な領地の中心に建ち、所有者の財力や趣味、建設時期に応じて、質素な荘園屋敷から、宮殿のように巨大で贅を尽くしたものまでいろいろある。英文学ではエミリ・ブロンテの『嵐が丘』やデュ・モーリアの『レベッカ』、推理小説ならコナン・ドイルの『バスカヴィル家の犬』やアガサ・クリスティの様々な作品、そのほかテレビドラマの『ダウントン・アビー』など、みなカントリー・ハウスが舞台である。20世紀初めに相続税ができてから、多くの地主貴族が所領を手放し、カントリー・ハウスも壊されてしまったが、現在もナショナル・トラストやイングリッシュ・ヘリテッジといった組織により維持されて、一般公開されているものもある。屋敷の見学や庭園の散策のほか、併設のティー・ルームでお茶を飲んだりもできる。

このカントリー・ハウスに類したものが、イギリス領カリブにもある。それは、砂糖プランテーションに建てられた所有

者のプランターの屋敷だ。砂糖プランテーションは、サトウキビ農場、粗糖製造工場、奴隷居住区域、食糧栽培農場を併設した数十〜数百ヘクタールの領地で、プランターの屋敷はグレート・ハウスと呼ばれている。グレート・ハウスも今は多くが廃屋になったり取り壊されたりしているが、ゴルフ・クラブやホテルに転用されたり、史跡や観光名所として公開されているものもある。

グレート・ハウス巡りは、カリブに居ながらにしてイギリスを強く感じさせる活動である。建物が木造であっても、庭園の植生がおしなべて熱帯性であっても、全体のプランや内装・調度品が演出するのは、イギリス的世界である。ただグレート・ハウスがイギリス的なのは、単に建物や庭の造作の問題ではなく、この空間の主だったプランターの意識のせいだろう。プランターたちは、自己を、土地を経済基盤と権力基盤とするヨーロッパの伝統的な地主の延長線上にある存在と考えていた。彼らの多くは地主の子孫であり、できればイギリスにも地所を買って、正真正銘のイギリスの地主に戻りたいとも考えていた。そして実際にイギリスに帰り、所領を購入して、その地盤を利用して政治家になったり、貴族になったり、文化人になるなどして、砂糖プランテーションの経営は領地管理人に任せ、次の世代は自分の経済基盤がカリブにあることもあいまいになってしまうのだった。

イギリス領カリブは、このようなイギリス上層中産階級が形成した世界である。現在歴史学では、プランター等カリブに経済的利害を持っていた人々の研究は非常に進んでおり、数千、数万に及ぶこうした家族の歴史が追跡されている。以下では、この中から、カリブ側にグレート・ハウスが残っている家族を取り上げてみる。

ジャマイカの北岸を見下ろすグリーンウッド・グレート・ハウスは、バレット家が18世紀末に建て

た建物である。バレット家はコーンウォールの古い地主で、一族の一人が１６５５年のジャマイカ征服事業に参加した。ジャマイカでは征服後に10歳以上の全入植者に土地が分与されたが、バレット家はその後も地所を拡大し、砂糖生産のほか奴隷貿易にも従事、18世紀末に4代目当主が死亡するときには、1万エーカー（約４０００ヘクタール）以上の領地を持ち、５万ポンドの年収があり、通常のイギリス地主と比べても非常に富裕だった。

バレット家は4代目の死後に不在地主化し、１８００年代にイギリスのダラム州にコクスホー・ホールというカントリー・ハウスを借り、その後ヘレフォードシャー州にホープ・エンドを購入し、トルコ風の奇抜なデザインに改修した。これらのカントリー・ハウスで生まれ育ったのが、高名な女性詩人エリザベス・モールトン・バレット・ブラウニングである。彼女の夫でやはり詩人のロバート・ブラウニングも、セントキッツ島のプランターの息子である。

上／グリーンウッド・グレート・ハウス
中／グリーンウッド・グレート・ハウスのダイニング・ルーム
下／コクスホー・ホール。20世紀半ばに解体されて現存しない。（出典：lostheritage.org.uk）

バレット家が不在地主になるときにジャマイカの領地の管理を託したのは、ロバート・スカー

上／グッド・ホープ・グレート・ハウス
下／チッペナム・パーク、イギリス、ケンブリッジシャー州（出典：Chippenham Park のウェブサイト）

レットというプランター兼商人であるが、彼の息子ジェームズは後にイギリスの法務長官となった。彼もイギリスのサリー州にアビンガー・ホールという邸宅を取得し、法曹界での功績を評価されてアビンガー男爵という世襲爵位を得た。

次に、グリーンウッドより少し内陸に入ったグッド・ホープ・グレート・ハウスは、ジョン・サープ（Tharp）が１７６７年におそらく最初の結婚のために購入したものである。サープ家の来歴は不明だが、18世紀前半にはすでにジャマイカで成功したプランターであり、１８０４年に死亡したジョン・サープは子孫に2万エーカー以上の領地を遺した。サープは、１７９１年には2度目の結婚のために、イギリスのケンブリッジシャー州でチッペナム・パークを購入した。この結婚は妻の浮気で破綻し、失意のサープはジャマイカに戻り、死亡した。チッペナム・パークは現在もサープの子孫が所有し、結婚式場やゲストハウスとして運営している。

以上のような西インド・プランターとイギリス地主層の重複は、19世紀においては非常によく見られた現実であるだけに、小説にもよく取り上げられている。ジェーン・オースティンの『マンスフィールド・パーク』は、イギリスのカントリー・ハウス、マンスフィールド・パークを舞台に繰り

広げられる物語だが、この屋敷の所有者はアンティグアのプランター、トマス・バートラム卿である。つまりバートラム卿は不在地主だが、彼は真摯な経営者であり、アンティグアに長期滞在して経営上の問題解決にあたっている。しかし卿に引き比べて妻や長男、娘たちはだらしなく、イギリスで安易な生活を送っている様が、辛辣に描かれている。

現実に、ジェーン・オースティンの周囲には西インド関係者がいた。彼女の兄の国教会牧師ジェームズの最初の妻アンは、17世紀から代々セントキッツなどの総督を務めたマシュー家の子女と推定されている。マシュー家はアンティグアのバイアム家やセントキッツのデュワー家などリーワード諸島のプランターと密接な親族網を形成しており、もしもこの一族と接点があったなら、オースティンはここから西インドや不在地主について多くの知識を得ていただろう。

シャーロット・ブロンテの『ジェイン・エア』も、近年はよくカリブからの視点で分析される。ここに登場するロチェスター氏はイギリス地主の次男で、父の財産を相続できないため、富裕な西インド・プランターの女相続人と結婚するが、長兄が死亡したため結局イギリスの領地を相続し、一方で妻を通して西インド領地も得ている。このロチェスター氏のように、結婚を通して西インドの不在地主となったイギリスの地主も、現実にとても多かった。

現代の旧イギリス領カリブは、プランテーション労働者として連れてこられたアフリカ系やインド系の子孫が主役だが、脱植民地化以前は、以上のような白人プランターが主導する社会であった。今でもイギリス領カリブの地名は、彼らの姓やプランテーションの名称、彼らの故郷の地名が、彼らが名付けた時のままに残っている。

（川分圭子）

6

地名が語るブリティッシュネス

★地名は歴史の証人★

イギリス領カリブでは、ほとんどの地名が英語である。もちろん、フランスやスペイン、オランダ支配が長かった島では、これらの言語の地名がそのまま残っていたり、英語なまりの発音で残っていたりする。しかし、カリブ人やアラワク人由来の地名はほとんど残っていない。つまり現在の地名の多くは、征服以降に新しく、征服者や入植者が自分たちの好きなようにつけたものである。ジャマイカ史家ヒグマンは、17、18世紀を「大々的な地名創出の時代」と呼んでいるが、確かにこの時期にイギリス領カリブではほぼ完全に新たに地名がつけられたのである。

ここでは、ヒグマンの研究を土台としながら、ジャマイカの地名を中心に見ていく。ジャマイカは、1494〜1655年のスペイン領時代にスペイン人によって地名がつけられているが、その中には原住民タイノ人が使っていた地名を採用したものもわずかにあり、ジャマイカという島名自体や、リガニー（首都キングストンの一地区）、ガナボア（後述のスパニッシュ・タウン西方の山地の内部）はタイノ語由来で現在まで残っている。

ジャマイカでは、スペイン人やポルトガル人がつけた地名も、リオ・ミンホなどの河川名に残っているくらいである。多くはイギリス人が置き換えてしまった。最も代表的なのはスペイン領時代の首都ビジャ・デ・ラ・ベガで、イギリス人はスパニッシュ・タウンと改名してしまった。

イギリスの征服後、ジャマイカは、セントトマス、セントアンドリュー、セントキャサリンといった、英語圏ならどこにでもあるような名前の教区に区分された。18世紀半ばには、ジャマイカはコンウォール、ミドルセックス、サリーの3郡（カウンティ）に分けられたが、これもイギリスの州名をそのまま持ってきただけである。

1660年代に始まった入植者への土地の分配以降、これらの土地は入植者がそこに開発したプランテーションにつけた名称で呼ばれるようになり、それが地名となっていった。つまり、個人の不動産の屋号が地名になったわけである。ヒグマンは、ジャマイカにおいてプランテーション名の地名としての持続力は非常に強く、多くの名称が現在まで残っているとしているが、イギリス領カリブ全域で同様のことがいえる。

プランテーションの屋号には、プランターの姓名や旧世界の地名などがよく用いられる。入植直後は、各領地は所有者の姓をつけて「何某の領地」と呼ばれることが普通であり、それがそのままプランテーションの屋号となっていったケースは多い。このようなもので現在も地名として残っているものは、ドラックス・ホール、バレット・ホール、ロングヴィル、ホートン・コートなどがある。これらは、バルバドスのプランターでジャマイカにも進出したドラックス家（9章）、ジャマイカの大地主バレット家（5章）、やはりジャマイカの大地主ロング家（9章）、バルバドス出身のホー

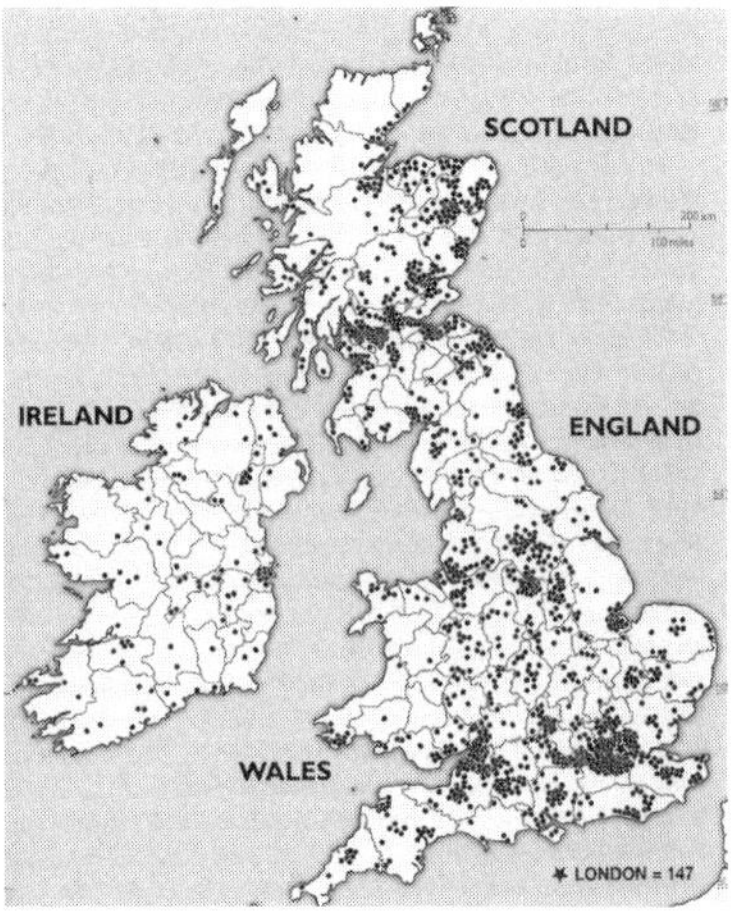

ジャマイカの地名になったイギリスの地名（Higman, *Jamaican Place Names*）

トン（Haughton）家の領地があったところである。バレット家とロング家はジャマイカ征服に関与した家族である。首都キングストン郊外の植物園・動物園などが存在するホープ・パスチャーズも、１６５５年征服軍メンバーのロジャー・ホープ少佐が征服後に分与された土地ホープ・エステートから名称が派生している。

旧世界の地名、特にイギリスの地名は、プランテーションの屋号にも使われたし、初めから地名としても使われた。ヒグマンは、リッチモンド、ウィンザーが最もよく使われた地名で、それぞれ30以上の領地の屋号に使用されているとしている。そのほか、オックスフォードやケンブリッジなどもよく領地の屋号に用いられた。ヒグマンの算出によると、イングランドから９２３、スコットランドから３９０、ウェールズから70、アイルランドから１５８の地名が、ジャマイカに移転された。ヒグマンは、ジャマイカに地名を与えたイギリス各地の分布状態について地図を作成しているが、これを見るとロンドン、ブリストル、リヴァプール、グラスゴーなど西インド貿易を盛んに行っていた港湾都市に分布が多いことに気づく。

しかしプランテーションの屋号に最も多く使われたのは、満足 Content, 期待 Prospect, 友情 Friendship / Fellowship / Amity, 調和 Harmony / Union, 美しい山 Mount Pleasant / Belmont, 美しい眺め Belle View / Belvedere / Belle Vue, 春の庭 Spring Garden, 春の野 Springfield, 隠れ家

元奴隷が形成した村落（ジャマイカ 1843 年）
（J. M. Phillippo, *Jamaica: its past and present state.*）

Retreat / Hermitage などの、肯定的・快適な含意を持つ普通名詞や形容詞を用いたものである。これはジャマイカだけでなくイギリス領カリブ全域で同じことが言えるし、フランス語でも同義の名称がたくさんあり、おそらくはプランテーション社会共通の現象だと考えられる。慣れない土地で商品作物を栽培して利益を上げなければならないプランターたちは、事業の成功と快適な暮らしを願って、このような名前をつけたのだろう。

困るのは、同名や類似した名前のプランテーションがたくさんあったことである。これらが単に個人領地の屋号にとどまっていたのなら問題ないが、それが地名化すると、同名の地名がたくさん存在するという状態が生じる。

コンテントを例に挙げよう。奴隷制時代、ジャマイカにはコンテントを名称とする、あるいは名称の一部に使っている領地は、67か所存在した。一方ヒグマンは、１９５０年のジャマイカの地図では、コンテントが地名となっている地区は28か所あると述べている。ヒグマンによると、コンテントという地名は、奴隷解放後に新しくつけられたものは少なく、多くが奴隷制時代から継承されたものである。奴隷解放後はプランテーションが廃絶されていく一方で元奴隷が居住する村が生じたが、これらの村はもとのプランテーションの名称を継承することが多かった。ヒグマンは、コンテント（満足）の意味が、奴隷解放後の人々の心理状態に合致していたがゆえに、地名としての残存率が高かったのではないかと推測している。

ヒグマンは、コンテントのような感情を表す言葉が、ジャマイカで最も多い地名の上位10位を占めているとも指摘している。もともとは支配者のプランターの願望に根差していたこれらの言葉が、奴隷解放後には元奴隷からも共感を持たれ、地名として持続していくというこの現象は、一種の皮肉ともいえる。しかし一方で、これらの言葉の持つ肯定的で幸福な意味内容は、それほど普遍的なものだったともいえる。ただ、これらの言葉は普通の名詞や形容詞であるため、もともとプランテーションの屋号であったことは、忘却されやすい。歴史の忘却や風化を避けるためにも、地名の由来となったプランテーションについての研究や記録の継続が重要である。

プランターの姓名ではないが、イギリス領カリブの地名として散見される姓名がある。それは、クラークソン、スタージ、バクストン、ウィルバーフォース等であり、いずれも著名な奴隷制廃止運動家たちの姓である。これらの姓は、奴隷解放後成立した解放奴隷の「自由村」につけられることがあった。

以上述べてきたように、イギリス領カリブには、個人名、イギリスの地名、普通の名詞や形容詞をもととした地名があるが、いずれも圧倒的に英語、イギリス起源のものである。しかもこれらのほとんどは、17、18世紀に入植したプランターが名祖であり、多くが彼らのプランテーションの屋号であった。カリブでは、地名は征服と植民の歴史の証人である。

（川分圭子）

7

現代における イギリスとの関係

★歴史的謝罪をめぐる問題★

19世紀までは植民地を政治的に従属し経済的に利用するものとしてしか見ていなかったイギリスも、第1次世界大戦後は、1929年植民地開発法、1940年植民地開発福祉法などの法律を制定して、植民地の交通・通信、公衆衛生、水道・発電、教育、社会福祉、住宅の改善に取り組むようになった。また1930年には、マクドナルド労働党政権の植民地大臣シドニー・ウェッブが、植民地での労働法規の確立や労働組合の合法化の必要性を説き、イギリス労働党と全英労働組合会議（TUC）は植民地の労働組合や労働党の設立を支援するようになった。イギリス領カリブでも、1930年代の大不況と暴動の頻発の時代に、ジャマイカ労働組合（後にバスタマンテ産業労働組合）、セントキッツ・ワーカーズ・リーグ、石油労働者組合（トリニダード）、バルバドス労働者組合、ガイアナ労働者組合等が結成された。またこれら労働組合を基盤に政党が結成され、労働組合幹部は政治家としても活動し始めた。

第2次世界大戦後は、イギリスは、イギリス領カリブにまず自治政府を付与し、その後独立を承認していく。この時イギリスの念頭にあったのは単一の西インド連邦としての独立であり、イギリスは、イギリス領カリブ全域に及ぶ機構として、西インド気象局、西インド諸島大学、連邦最高裁判所、共通通貨（西インドドル）等の設立の支援も行った。西インド連邦は短命に終わったが、これらの機構はそのまま、あるいは形を変えて、現在も残っている。

以上のように、20世紀以降のイギリスは、全体としてはイギリス領カリブの生活水準向上と政治的自立を支援する政策をとり、独立後も友好関係を維持している。独立した12か国はすべて英連邦に加盟している。またドミニカ（1978年共和国として独立）以外の11か国はすべてイギリス国王を国家元首とする立憲君主制国家として独立した。

しかし、旧イギリス領カリブの現在の国民の圧倒的多数は奴隷や契約労働者の子孫であり、奴隷制等によって自分たちが被った損失や、この犯罪行為が過去の問題として看過されてきたことに対しては、激しい不満や怒りがある。それは時には社会主義政権の成立――グレナダのモリス・ビショップ政権（1979〜83年）、ガイアナのフォーブス・バーナム政権（1964〜85年、70年以降社会主義化）――や、産業国有化（15章）のような社会主義的政策の支持につながる。

旧植民地の側から、過去に対する謝罪や賠償を求める動きは始まった。1990年ナイジェリアのラゴスで、同国の実業家で政治家のモシュード・アビオラが、アフリカ債務問題解決への一案として、奴隷貿易・奴隷制などの歴史的犯罪に対するアフリカへの償いを行うことを提唱する。イギリス領カリブでは、ジャマイカの政治家で汎アフリカ主義者のダドリ・トムソンがこの運動に参加し、ジャマイカ黒人への賠償を求めた。イギリスでも、1993年には、ガイアナ出身でトテナム（ロンドン）選出の労働党下院議員バーニー・グラントが、アフリカ賠償運動イギリス支部（Africa Reparations

Movement UK）を設立し、イギリス政府や他の欧米の政府に、アフリカ人の奴隷化に対する謝罪やアフリカ人民の威信を回復するための正確な歴史叙述を求めた。

１９９７年は、ＥＵの「ヨーロッパ人種差別反対年」であった。また同年ユネスコは、８月23日を「奴隷貿易とその廃止を記念する国際デー」と定めた。ユネスコは、すでに１９７８～79年にセネガルのゴレ島とガーナ沿岸の城塞群を奴隷貿易に関わる世界文化遺産に指定していたが、97年にはこれらアフリカ沿岸の奴隷貿易拠点とカリブの砂糖プランテーションおよびヨーロッパの奴隷貿易港をつなぐ「奴隷の道程プロジェクト」も企画し、あわせて「沈黙を破る。大西洋奴隷貿易」と題した教育プロジェクトも行い、世界各地から参加校を募った。これらの動きは、２００７年にイギリス奴隷貿易廃止２００周年を迎えることに対する準備であった。

この頃から、奴隷貿易・奴隷制に関与していた国家の政府や団体、貿易商の後継企業等からの謝罪も活発になる。１９９９年にはリヴァプール市は市庁舎において公式に奴隷貿易関与について謝罪し、以後毎年８月23日に記念式典を開催することを決定した。奴隷貿易商ラセルズ家（ヘアウッド伯爵家）のヨークシャーにあるカントリー・ハウス、ヘアウッド・ハウスを管理する団体も、１９９８年にヨーク大学歴史学教授Ｓ・Ｄ・スミスに、ラセルズ家の事業活動を含む実証研究を依頼した。現在では同家と奴隷貿易の関わりはＢＢＣの番組などで一般に紹介されている。２００軒余りのカントリー・ハウスを管理するナショナル・トラストも、これらのカントリー・ハウスを建設した資本がしばしば奴隷貿易・奴隷制で蓄富されたものであったことを、積極的に認め、展示で解説している。キリスト教会も、奴隷制時代には奴隷制を肯定するだけでなく、奴隷制プランテーションを所有・

投資してきたが、2006年には英独仏蘭、スペイン、ポルトガルのキリスト教会の代表がジンバブエに旅し、ムガベ政権に公的な謝罪を行った。同年2月には、イギリス国内でイギリス国教会が奴隷制から利益を得たことを認め、謝罪した。アメリカの大手保険会社エトナ、J・P・モルガン銀行、イギリスの大手保険会社ロイヤル&サン・アライアンス、ロイヤル・バンク・オブ・スコットランドなども、前身企業の関与について調査し、調査結果の公表や謝罪に踏み切っている。

2007年奴隷貿易廃止200周年記念事業においては、イギリス首相トニー・ブレアは3月25日、ガーナの奴隷貿易拠点エルミナ・キャスルに特に言及した演説を行い、「この非人道的行為へのわが国民の果たした役割への深い悲しみと悔恨」を表明した。

これらの動きの中で、イギリス王室も免罪されなくなりつつある。1999年、エリザベス2世は、南アフリカ共和国訪問中に、白人・黒人両者を含むボーア戦争犠牲者に対する哀悼の意を表明した。この時先住民のコサ族の首長から、南アフリカ征服を謝罪するよう求められたが、女王は謝罪しなかった。イギリス王室は2007年の一連の記念事業の間にも奴隷貿易・奴隷制について謝罪せず、今日に至るまで哀悼の意は表しても、謝罪していない。しかし、2022年にウェセックス伯爵（現ケンブリッジ公爵、エリザベス2世の三男）夫妻がセントルシアを訪問したときや、ウィリアム皇太子（当時はケンブリッジ公爵）夫妻がジャマイカを訪問した際、現地では歓迎の一方で謝罪と賠償を強く求める動きがあった。

このような中、2021年バルバドスが、イギリス国王を国家元首とする君主制を廃止、共和国となったことは、イギリス社会の中で一つのショックとして受け止められている。バルバドスの選択の

2022年ウィリアム王子夫妻のジャマイカ訪問時に謝罪を要求するデモ
（AFP＝時事）

背景には、コロナ禍による不満の蓄積やブラック・ライブズ・マター運動がより直接に関係していると思われるが、しかし奴隷制の過去に関して謝罪を回避し続けるイギリス王室に対する不満も強いという受け止めもある。現在イギリス領カリブで君主制を維持しているのは８か国であるが、このうち６か国が共和国化を計画しているという観測もある。

これらの国々は共和国になっても英連邦を離脱するわけではなく、イギリスとの関係は大きく変化しない。また国民の共和国移行への支持が非常に高いわけではなく、議会では共和国派が多数でも、国民投票では君主制支持派が上回ることも過去にあった（２００９年セントヴィンセント・グレナディーン諸島）。しかし、エリザベス２世崩御とチャールズ３世の即位が、王室離れを加速させることもありうる（「英王室離れ、各地で」朝日新聞２０２３年５月７日、７面）。イギリスと旧イギリス領カリブの関係は、今後も過去の問題についての微妙なバランスの上で、緊張をはらみながら続いていかざるを得ない。（川分圭子）

コラム2

英連邦ドミニカへの行き方

堀内真由美

トリニダード・トバゴは、ニューヨークからの直行便が出ているので少しはラクと言えなくもないが、それでも長旅だ。ドミニカ（日本での呼び名は「ドミニカ国」）に行くのもそう簡単ではない。筆者は２０１４年、15年、16年、17年といずれも2月に訪問した。17年秋に島を襲ったハリケーンからの復興が思うように進まず、宿泊先と資料調査施設の再開を待つ間に、今度はコロナ禍で渡航そのものができなくなっている。

第１回訪問は２０１４年2月11日から21日。往復にまる4日強かかるので、現地には6泊が関の山である。筆者の渡航日誌によれば、大阪伊丹空港を朝10時20分出発。19時10分（降雪のため20時）成田発16時45分ダラス着、18時35分ダラス発マイアミ行、22時15分マイアミ着、空港内ホテルで1泊。翌朝7時25分マイアミ発、10時55分サンファン（プエルトリコ）着、12時20分サンファン発、14時10分ドミニカ、メルヴィルホール空港着。ドミニカとの時差は13時間。目的地到着は日本の2月13日の夜中3時過ぎ。大阪の自宅を出たのが11日の早朝だった。ああ、疲労。

乗り継ぎを1回でも減らしたい。アメリカの空港はもう経由したくない。「テロ警戒」と言われれば致し方ない。それでもあの超厳戒チェックを何度も受けるのは中高年の身での一人旅にはこたえる（今思うと、だからこそ身体チェックも厳しかったのかも。おばちゃんが一人で巨大リュックサックをかつぎ、緊張のため鋭い目つきで列に並んでいたのだから）。それで2回目からルートを変えた。

新ルートはパリ、ド・ゴール空港経由である。夜8時過ぎ伊丹を出発し羽田へ。真夜中の

ホテルから見たカリブ海

便だが毎年通路はほかの欧州線に乗る人々で賑わっていた。チェックイン時に「荷物はパリではなくセント・マーティンまで持っていってくださいよ」と確認することが大事。そう、2回目からはパリ~シント・マールテン（サン・マルタン。現在もオランダ領とフランス領がほぼ島を二分するリゾート島）経由にした。このルートの弱点は、パリでの乗り継ぎ待ち時間が長いこと。ただ、待合エリアのオーガニック・カフェのコーヒーが美味しく、ショートメールで家族や友人とやりとりしたり、訪問までの予習をしておくのに快適な空間だ。待っている間にパリの夜明けも楽しめる。

セント・マーティンに向かう乗客は多い。かなりの大型飛行機で向かう。もっとも、そこからさらに乗り継ぐ人はまばらだ。2回目はドミニカへの乗り継ぎ便に間に合わないスケジュールだったためセント・マーティンで1泊。3回目以降は途中泊なし。4回目はパリ発の便が定刻よりずいぶん遅れての離陸。隣に座ったフランス人男性が「大丈夫、乗り継ぎ便は待ってくれる」とやけに自信ありげに言葉をかけてくれた。乗り継ぎ時間が30分しかなく焦ったが、地上スタッフが筆者の荷物をドミニカ便に載せておいてくれて難を逃れた。こんなときはパスポート・コントロールもごく簡単に。隣席の彼の言葉は正しかった。ドミニカまでは約1時間のフライト。眼下に広がるカリブ海！2日がかりで極東からやってきたおばちゃんを感激させて余りある美しさだ。

コラム3

島へ渡るということ

山口美知代

カリブ海の島嶼間の移動は船か飛行機になる。私がカリブ諸島を調査旅行で訪れたのは合計4回であるが、島から島へ移動するのは常に緊張の連続だった。海を越えて島に渡ること、それ自体が一大事である。そして海を越えなければその島には行けない。旧英領カリブ世界は島嶼の集合体であることは地図の上からも明らかだが、島に渡るということの持つリスクや困難は現地を訪れながら体感することになった。

最初の洗礼を受けたのは、アンティグア島からバーブーダ島へ渡った小型フェリーの中だった。２０１６年夏のことである。約50キロメートル離れた両島の間をバーブーダ・エクスプレスのフェリーが、片道約90分で、1日2便往来している。地元の人たちが使う50席余りの小さな船で、その朝は子どもも20人くらい乗っていた。私たちのほかは白人の男女が1組いて、後は地元の乗客だった。アンティグアはカーニバルの真最中で、華やかな衣裳や羽根飾りを身に着けている人もいた。バーブーダ島からはアンティグア島に定期的に買い出しに来る人も多く、段ボール箱いっぱいのバナナなどを積み込んでいた。

船が海に出た後しばらくは私も写真を撮っていたのだが、段々波が荒くなってきた。遊園地の乗り物のように揺れる。大西洋ではなくカリブ海であるが、その日は明け方から風が強かった。船に波が打ち付け、水しぶきもかかる。最初はおもしろがって叫んでいた子どもたちも時間が経つにつれて無口になる。私は、手すりにつかまって、目をつぶって、落ち着け落ち着けと思っていた。カリブ海に来たことを後悔する気持ちもよぎった。いつの間にか眠ってしまい、「島が見えたよ」と起こされたときには、島に

アンティグア島とバーブーダ島を結ぶフェリー

渡れたこと、再び陸を踏めたことがありがたかった。

バーブーダ島ではコドリントン家の植民地支配事務所が廃墟になったところなどを案内してもらった。奴隷解放後に行われていた綿花栽培も今はなく、漁業と観光業が中心の島である。波止場の反対側、大西洋側まで車で回ってもらった。島の四方を囲む海はたいそう美しいのだが、海を越えないと島から出られない、島に渡れないということを改めて痛感した。

調査を終えて15時過ぎにフェリー波止場に向かう。帰りのフェリーは行きよりは揺れないはずと島のガイドに言われていたが、やはり揺れた。行きよりさらに揺れて吐く人も多く、船もまた大きく傾いた。

バーブーダ島はこの翌年、２０１７年9月に大型ハリケーンのイルマの直撃を受け、空港機能やインフラストラクチャーが一時停止し、島全体が大きな被害を受けた。約１８００人の住人は全員フェリーでアンティグア島に避難した。ハリケーンシーズンの海は、波がさぞ高かったことだろうが、避難するにも海を越えなければならない。

さて、船で島に渡ることのリスクをバーブーダ島で学び、2018年春にモントセラトに渡った時は飛行機を使った。アンティグアの空港から8人乗りのプロペラ機に乗る。機内持ち込みの手荷物が2・5キログラムまでと言われて気にしていたが、搭乗前の測定は体重込みだった。

離陸直後の数分は本当に怖く、来るんじゃなかったという後悔が再び胸をよぎる。前回フェリーを使って怖い思いをしたので飛行機にしたのだが、飛行機も手強い。とにかくカリブ海は大変だと思った。もっとも、高度が上がった後は快適で、着陸時はスマホできれいな動画が撮れたことを喜ぶ。20分間のフライトで、モントセラトに到着した。

空港では、ユニバーシティ・カレッジ・ロンドンの名誉教授である音声学者ジョン・ウェルズ先生が迎えてくださった。数か月前に京都で「カリブ海英語とその起源」という講演をしていただいたときに、カーニバルの時期にモントセラトの別宅にいらっしゃいとお招きいただいたご縁である。先生は数日前にロンドンから着いたとき、アンティグアからモントセラトに渡る船が、悪天候でモントセラトに着岸できず、引き返してアンティグアで宿泊し、翌日飛行機で移動したそうだ。重い荷物の移動が続き背中を痛めたと仰っていた。

モントセラトはスーフリエール・ヒルズ火山の1995年、97年の大噴火により、首都プリマスが火山灰に覆われ、放棄されることとなった。港も使えなくなり、以来、悪天候時にも船が接岸できる港湾が建設されていないのである。この状況は2021年の時点でも変わらない。この島に渡ることも、やはり困難を抱えている。

ウェルズ先生の家のベランダから海の向こうにネヴィス島が見えた。ネヴィス島の向こうに位置するセントキッツ島はちょうどネヴィス島の陰に隠れている。アンティグア、バーブーダ、モントセラト、ネヴィスの4島は台形の四隅のように位置しており、アンティグア島が一番大きい。北米やヨーロッパからもアンティグアまでは直行便があり、大きなジェット機が飛んでいる。アンティグアからセントキッツ島へは小さなジェット機が飛んでいるが、バーブーダやモントセラトなど小さな島へ渡るのはプロペラ機やフェリーの利用になる。

カリブ諸国を訪れるということは、島へ渡るということだ。海はカリブ海域というエリアを設定するが、一方で島々を隔ててもいる。海で隔てられた島々では独自の文化が育つが、海が人や物の移動を難しくもしている。

Ⅱ

複雑な人種構成とその背景

8

イギリスの奴隷貿易

★最も深く関与した国★

日本では、アメリカ合衆国の黒人についてはよく知られているが、カリブ諸島に黒人が多いことは、あまり知られていない。だが実際には、アフリカ黒人が奴隷として最も大量に輸送されたのは、カリブ諸島である。1500年頃から1880年代頃まで続いたアフリカからアメリカ世界への奴隷貿易は、全体で1千万人以上をこの間移送し、そのうち約5百万人がカリブ諸島、4百万人がブラジル、50万人がブラジル以外の南米、20万人が中米、50万人が北米に送られた。現在もイギリス領カリブの多くの地域で、人口の9割以上がアフリカ系である。

では、誰が奴隷を輸送したのか。ドレッシャーとエンガーマンが奴隷貿易の最盛期1660~1810年に関して作った内訳によると、イギリスが約330万人、ポルトガルが220万人、フランスが110万人、オランダが50万人、北米が20万人、デンマークが5万人である。イギリスの奴隷貿易への関与は、非常に大きかったのである。

奴隷貿易はどのように行われたのか。イギリスでは1660年、王立アフリカ会社という国王から法人格と奴隷貿易に関して独占的特許を与えられた株式組織の特許貿易会社が、設立された。奴隷貿易は、アフリカに要塞と奴隷収容施設のついた商館を確立する必要があり、最初は資本力ある独占的な会社形態がふさわしかった。この時はアフリカ沿岸に拠点を維持できず失敗に終わったが、1672年に新王立アフリカ会社が設立され、1752年まで存続した。新会社に対する国王特許状（勅許状）は、1000年間にわたりアフリカ西岸のブランコ（ブラン）岬から喜望峰までの奴隷貿易独占を認めていた。

ただこの新会社も十分な人数の奴隷を供給できず、植民地から不満の声が高まる。その結果、同社は1698年には、アフリカからの輸出額の10％を会社に支払うことを条件に、一般の商人にライセンスを与えて奴隷貿易への参加を認めた。その後1712年には奴隷貿易は完全に自由化された。王立アフリカ会社は、政府からの補助金によりアフリカの要塞や商館を維持する役割を担った。

イギリス人による奴隷貿易が盛んになると、カリブ海のイギリス領から付近のスペイン領に奴隷が輸出されるようになった。この貿易はスペイン領に近いジャマイカやバルバドスで活発化し、スペイン継承戦争中に特に盛んになった。本来は、イギリスもスペインも植民地に外国との直接貿易を禁止していたため、この貿易は密貿易だった。しかしイギリス商務省は1708年、バルバドス総督に「スペイン人との黒人貿易のためにできるすべての奨励を与えるように」との指示を出しており、むしろこの貿易を歓迎していた。奴隷の対価として銀が入手できたからである。

このような貿易が盛んになったのは、スペインがアフリカに領土を持たず、自前で奴隷貿易を行うことができなかったからである。スペインは、公式の奴隷供給方法としては、アシエントと呼ばれる奴隷供給の契約を外国商人と締結する制度をもっていた。イギリスは、スペイン継承戦争後に和平の条件として、30年間で14万4千人の奴隷をスペイン領に供給するアシエントを獲得した。このアシエントでは、奴隷以外にも一定限度内でスペイン領に他の商品を輸出することができたことが、大きなメリットだった。以上の貿易を行う組織として設立されたのが、南海会社である。当時のイギリス人にとってはスペイン領の富は伝説的なものであり、そのためこの会社の株は人気が高く急騰し、最後には南海バブルという株価暴落事件が起きたことは、よく知られている。イギリスのアシエントは、オーストリア継承戦争が始まる直前の1739年まで続き、この間6万5千人の奴隷を運んだ。

奴隷貿易を行ったイギリス人とはどのような人々だったのか。47章で取り上げられているブリストルのエドワード・コルストン（1636〜1721年）を、例に挙げよう。ブリストル史家ケネス・モーガンによると、コルストン家は、紋章院登録の紋章も持つ古いブリストル商人家系で、エドワードの父ウィリアムは市参事会員など市政の高い役職にもついており、市民階級としては最高位と言える家柄だった。王党派だったウィリアムは革命期にはブリストルを去りロンドンに移るが、王政復古後はブリストルにもどりスペイン産ワイン・油、レヴァント（東地中海）の干し果物、西インドの砂糖などを売買した。息子エドワードはロンドン商人の徒弟となったのち、1670年代にはタンジールやリスボン、カナリー諸島、カディス、ロッテルダム、ヴェネツィアなどにイギリス産毛織物を輸出し、ワインなどを輸入する貿易を行っていた。1680年、彼は王立アフリカ会社のメンバーとなり、すぐにその重役（アシスタント）の一人となって、1689〜90年には同社の副総裁になっている。父の死後はブリストルの事業も継承し、同市の救貧団体や病院に寄付し、学校や養老院などを設立して、人々の尊敬を集めた。

コルストンの経歴は、様々な地域と様々な商品を取引してきた中近世の総合商人が、17世紀に新商品として奴隷を取引するようになる過程を示している。これは17世紀後半のブリストルやロンドンの貿易商によくみられた行動であった。彼らは、国家が特許を出した将来性ある新たな貿易分野として、極めて正当な経済活動として奴隷貿易に進出した。奴隷を取引することは、人間を故郷から暴力的に連れ去り遠い異郷で過酷な強制労働につかせることだという認識はなかった。

クンタ・キンテ島（アフリカ、ガンビア）
王立アフリカ会社の奴隷貿易拠点の一つで、ジェームズ島と呼ばれていた。現在は世界遺産。アレックス・ヘイリー『ルーツ』の主人公の名前をとって、近年改名された。(Jose Canedo 撮影、CC BY-SA)

アメリカの歴史家デイヴィッド・ブリオン・デイヴィスは、近代西洋がどのように奴隷制を肯定したのかを考察した研究を1966年に発表し、そこで、社会契約思想で有名な思想家ジョン・ロックが、観念として奴隷制を否定しつつも、17世紀の現実社会で起こっている奴隷制については容認していたことを明らかにしている。ロックは、王立アフリカ会社の出資者でもあった。またロックは、彼のパトロンであったシャフツベリ伯がカロライナ植民地の創立メンバーとなったとき、同植民地の憲法を作成し、「カロライナのすべての自由民は自己の黒人奴隷に対し絶対的権力と権限を持つべし」という条項を書き入れた。

このほかにも、本国においては人権を主張する一方で、植民地では奴隷制を容認した例は多数ある。またピューリタン信仰の自由のためにマサチューセッツ湾植民地を建国したジョン・ウィンスロップの息子サミュエルは、アンティグアとセントキッツの砂糖プランテーションの所有者となっている。自由を愛するニューイングランド人が、イギリス領カリブと交易し、そこでプランターになり奴隷所有者となった例は、ほかにもたくさんある。

18世紀のリヴァプールで奴隷制廃止運動家であった医師ジェームズ・カリー（Currie）は、同市の奴隷船船長は一般に公正な性格の人々で、奴隷貿易商も進歩的な教育と開かれた知性を持つ人々であり、親から商売を受け継いで「その合法性について疑いがもたれていることを聞く前に、深く関与してしまった」と述べている。奴隷貿易と奴隷制は、このような無自覚の中で何百年も持続し、ようやく1807年奴隷貿易が、1833年奴隷制がイギリス領において初めて廃止される。

（川分圭子）

9

砂糖プランテーションはどのように始まったか

★バルバドスとジャマイカ★

1647年9月初めにこの島に上陸したとき、私たちはここで砂糖製造工場が新たに開業されたことを聞いた。一部の最も勤勉な者たちがペルナンブッコから植物を入手して試し、それがここで育つことを知ってもっとたくさん植え、小規模なengenho〔ポルトガル語　機械、製糖所の意〕が操業でき、どんな砂糖がこの土地で作れるか試せるくらいの量を得られるようになった。（中略）ブラジルから新しい情報もくる。外国人がもってくるときもあるが、自分が知りたいことについて知識を増すためには旅もいとわぬバルバドス人自身によっても、もたらされる。　――リチャード・ライゴン『バルバドス島の真の正確な歴史』1657年

イギリス領で最初に砂糖生産を始めたのはバルバドスであり、上記の引用のように、その技術を、当時ペルナンブッコ（現ブラジルのレシフェ）を征服していたオランダ人から学んだとされている。最初にサトウキビを植えたのは、イギリスのバルバドス征服事業を最初に行ったウィリアム・カーティンが派遣したジョン・パウエル船長率いる船団のメンバー、ジェームズ・

上／セントニコラス・アビー　現在公開されているバルバドスの17世紀建造のグレート・ハウス
下／セントニコラス・アビーの砂糖工場跡

ホルディップであり、本格的に栽培に成功したのはやはりこのメンバーの一人ジェームズ・ドラックスであった。カーティンは16世紀後半のスペインの迫害から逃れて渡英してきたオランダ人であり、彼のグループはブラジルのオランダ人と知人だった可能性がある。

章冒頭に引用したライゴンはピューリタン革命期の王党派で、1647年に議会派（革命派）の圧迫を逃れるためバルバドスにやって来た。彼は、バルバドス人はサトウキビの作付け方法、収穫時期、木製の圧搾ローラーに鉄板を巻く方法、搾り汁を濾過する方法、搾り汁を入れた銅鍋を炉に正しく設置する方法など、様々な具体的な知識をブラジルから学んだと述べている。またドラックスは、直径30センチから1・5メートルまで様々な大きさのローラーを試すなど研究熱心で、彼の息子ヘンリは、動物や人間の糞尿による施肥やバガス（サトウキビ搾りかす）の燃料としての利用などをプランテーションの管理人に書き残した。このヘンリ・ドラックスのインストラクションは、手稿のままオックスフォード大学に保管されている。またドラックス家の領地ドラックス・ホール・エステートは、17世紀のグレート・ハウスとともに現存し、現在もドラックス家が所有しているが、一般公開されていない。ドラックス家の現当主はイギリスで保守党の下院議員である。

こうしてバルバドスは、１６４０年代後半から50年代半ばの間に、砂糖プランテーションを急速に発達させ、50年代後半にはイギリスにかなりの砂糖を輸出するようになっていた。その一方で急速な開発により地価は10倍になり、資本のない者はもはやこの土地で砂糖生産を開始することはできなくなった。

ライゴンによるバルバドスの地図（1657年）
（大英図書館オンライン・ギャラリー）

また以上の急激な開発は、バルバドスの自然環境を大きく変えた。ライゴンは１６４７年にバルバドスにやってきたとき「今まで見たこともないような木々、その多くは非常に大きくて美しい」と述べている。しかし１６４９年にバルバドスで未開地を含むプランテーションを購入したトマス・モディフォードは、早くも１６５５年には「木がなくなってしまった」時この島は没落すると警告を発した。そして、71年には、「バルバドスではすべての木が破壊され、砂糖を煮詰めるのに木が不足しているので、イングランドから石炭を輸入するのを強いられている」といった記述も現れた。

この頃始まるのが、バルバドスから他の島への移住である。１６６４年には、トマス・モディフォードが、ジャマイカ総督に就任するとともに、約700人の移住者を伴ってジャマイカに移住した。また、1674年にはやはりバルバドスの大地主クリストファ・コドリントンは、アンティグアに広大なプランテーションを得たほか、バーブーダ島全島を領有して、食料の生産農場とした。そのほか、様々な地域にバルバドスから人々が移住した。1670年バルバドスの総督は、同島では富裕者の大土地所有が進展する一方で、1万2千人もの中小地主が、ニューイングランドやヴァージニア、セントキッツ島、オランダ領ギアナ、その他フランス領などに移住してしまったと述べている。確かに、バルバドスの人口は1680年代からその後百年の間ほとんど増加せず、白人1万8千人、黒人奴隷5～7万人くらいの規模にとどまっており、砂糖の生産量も伸びていない。

一方ジャマイカは、18世紀にはイギリス領で最も繁栄した砂糖植民地となる。ジャマイカでは、最初から極端な大土地所有が進展した。1676年には、すでに全島で耕作面積が21万エーカー（8万4千ヘクタール）にまで広がっていたが、千エーカー以上を所有する者が47人いた。トマス・モディフォードは6千エーカー、彼の弟のジェームズは3500エーカーを所有していた。ジャマイカの大地主として有名になるベックフォード一族も、『ジャマイカ史』（1774年）を著したエドワード・ロングで有名となるロング一族も、すでにそれぞれ2千エーカー以上を持っていた。モディフォードの次の総督トマス・リンチは、1655年ジャマイカ征服に参加した時には少年であったが、彼も17世紀末には2万エーカーを所有していた。

ただこうして得た土地も、開発しなければ何にもならない。しかし、熱帯雨林の繁茂する未開地を開墾し、そこで植え付けや伐採に手のかかるサトウキビを栽培し、その加工をするための工場、水路や道路、要塞や港湾、そして住居も建設し維持していくためには、膨大な人手が必要だった。そこで初期にはアイルランド人などの白人労働者、17世紀後半からはもっぱらアフリカ黒人が奴隷として連れてこられた。

バルバドスでは、1630年頃までは白人地主と白人契約労働者合わせて人口が1500人程度だったと推定されているが、1645年には白人地主が1万1千人、白人契約労働者が数千人、それに対して黒人と少しの先住民からなる奴隷は6千人近くにまで急増した。その後黒人奴隷の数は急速に増え、1683年には白人地主1万7千人、白人労働者2300人、黒人奴隷は4万6千人くらいになる。白人労働者の中には、クロムウェルのアイルランド反乱鎮圧時の捕虜が多数含まれており、1655年までに1万2千人がカリブに送られたともいわれる。アイルランドは16世紀以降イングランドの植民地と化しており、イングランドがアメリカ世界を植民地化した後は、黒人奴隷制が定着するまでアイルランド人が重要な労働力となっていた。本書では詳述できなかったが、今でもイギリス領カリブ世界にはアイルランド人の子孫や文化が残存する。またアイルランド人とカリブの人々には共有された帝国批判の心情がある（41章、42章に出てくる歌手オコナーなど）。

バルバドス以外のイギリス領に黒人奴隷が送られるようになるのは、1650年代以降である。奴隷貿易の研究者フィリップ・カーティンの計算によると、1651〜75年に、ジャマイカには1万2500人、バルバドスには4万8千人、リーワード諸島には1万2千人近くのアフリカ黒人が送られた。その後イギリス領に送られる黒人は年々増加し、18世紀初頭には毎年1万人、18世紀後半には毎年2万人以上の黒人奴隷が送られた。

（川分圭子）

10

イギリス領カリブのフランス人

★真に歴史に翻弄された人々★

イギリス領カリブの白人は、全員がイギリス系というわけではなく、歴史的経緯から様々な地域出身者がいる。以下ではトリニダード島の例を挙げよう。

この島は18世紀末までスペイン領であり、その後イギリス領となったが、フランス系が白人人口の多数を占めていた。スペイン領時代に、フランス人がたくさん入植したからである。

トリニダード・トバゴの初代首相で歴史家のエリック・ウィリアムズは、スペイン領時代のトリニダードを次のように描いている。17世紀末にカプチン会やフランシスコ会などの修道会がこの島の開発や布教を試みるが、修道士が原住民に殺害されて失敗に終わった。1733年のトリニダードの成人男性人口は162人のみ、そのうち白人はわずか28人だった。首府サン・ホセに植民地議会が置かれたが、1750年代においても市庁舎は建設中途で放棄され、道路もでこぼこで草木が生え、本国から修復を命じられても、議会は、住民不足と税収不足でとうてい不可能と拒絶するほどであった。1777年になっても、同島人口は3433人、そのうち1825人が原住民、有色自由民が939人、奴隷が225人で、白人は444人にとどまっていた。

だがアメリカ独立戦争が起こると、スペインは、トリニダードの防衛を強化する必要を痛感した。一方で、トリニダードに最も近いグレナダ島のフランス系プランター、フィリップ・ルーム・ド＝サン・ローランは、トリニダードを管轄するカラカス総督府への交渉を始めていた。グレナダ島は17世紀以来のフランス領だったが、七年戦争後は、周辺のドミニカ、セントルシア、セントヴィンセント、トバゴ島とともにイギリス領となっていた。ルーム・ド＝サン・ローランは、イギリス支配に不満を持つこれらの島々のフランス系プランターや、フランス領グアドループやマルティニークでハリケーンや虫害被害に遭い困窮しているプランターを、トリニダードに移住させる計画を立てていた。

スペイン側はルーム・ド＝サン・ローランの案に賛同し、１７７６年からフランス人の受け入れを始め、83年11月には、入植者に有利な条件を提示した植民勅令 la cédula de población を発布する。この勅令は、カトリック教徒であることを移住の第1条件とし、移住者1人当たりに約30エーカーの土地を付与、開拓期間の免税、奴隷貿易の自由と免税、中

ミシェル・ジャン・カザボン（1813–88）作「ポート・オブ・スペイン」

カザボンは、1783年植民勅令において入植したマルティニークのカラードの一族の息子。イギリスで教育を受けた後、画家となり、多くのトリニダードの風景画を残している。

カザボン作「校庭から臨むセントジェームズ兵舎」

立国との交易の自由、帰化と公職就任権などを認めた。また、自由黒人やカラードにも、白人の半分の土地を付与することを認めた。スペイン政府は、この後も、免税期間の延長や外国からの借り入れの許可などで、移住者への支援を強化した。総督チャコンは、宗教教育や適切な衣食住、休日や病休の提供などを義務化した寛大な奴隷法を制定するなど、善政をしいた。

フランス革命が始まると、本国の革命政権は、1792年には有色民に市民権を付与、94年には奴隷制廃止を宣言し、その実施をフランス領カリブに強制したため、これに抵抗するフランス系プランターはスペイン領トリニダードやベネズエラに移住した。グアドループでは革命派のヴィクトル・ユーグが総督となり、島内の王党派を処刑し、黒人を解放して兵士として使用し、王党派の島々やイギリス領となっていた元フランス領の島々を攻撃した。またハイチで革命を支持するカラードや黒人の反乱が始まると、それはウィンドワード諸島にも飛び火し、グレナダでもフェドン革命と呼ばれる暴動が起こった。このような革命派や黒人暴動から逃れて、多くのフランス系の白人やカラード、彼らの奴隷がトリニダードにやってきたが、イギリスが革命派のフランス領の島々を占領すると、今度は革命派のフランス人もトリニダードに逃避した。

この時期トリニダードに来た人々として、地中海のコルシカ島出身者も重要である。コルシカはイタリアの都市国家ジェノヴァ共和国の領土だったが、18世紀には抵抗運動が始まり、手を焼いたジェノヴァが1769年にフランスに譲渡した。1780年代以降40~60人程度のコルシカ人がトリニダードにわたった。コルシカ人はイタリア語話者であり、フランス人とは文化的に隔たりがあったが、トリニダードではフランス系とコルシカ系入植者は第1世代から通婚し、密接なつながりを形成した。

1783年のスペインの植民勅令は入植者をカトリックに限定していたが、実際にはユグノー（フランス新教徒）もトリニダードに入植している。ユグノーたちもまた、第1世代からカトリックのフランス系入植者と盛んに通婚した。しかし一部のユグノーは新教信仰を守り、イギリス国教会に改宗して、イギリス人社会に融合した。

以上のフランス系の流入の結果、1797年にはトリニダードの人口は1万7643人になり、白人は2000人余り、カラード自由民は4500人、先住民は1000人、黒人奴隷は1万人まで増加した。砂糖、コーヒー、ココア、綿花の生産も増加した。ただ同島には、十分な兵士や軍艦、要塞もなく、住民たちは文化・言語・人種・階層が異なり、団結力を欠いていた。このような中で、1797年イギリスとスペインが戦争を開始すると、イギリスの司令官アバークロンビーは、数倍の兵力を率いてトリニダードに到着し、一戦も交えることなく征服した。このイギリス軍には、王党派のフランス人士官も従軍しており、彼らもまたこの島に入植する（11章）。

イギリスが征服時に示した降伏条項では、旧住民の財産権は保証され、スペイン法の維持、カトリック信仰の自由、フランス語の使用が認められていた。また、当時のフランスは革命政府の下にあり、フランス領カリブも革命派の支配下かイギリスの占領下にあり、黒人暴動も勃発していたため、トリニダードのフランス人入植者の多くはこの島にとどまった。

イギリス領となったトリニダードの初代総督トマス・ピクトンは、フランス系住民を重用し、1800年同島に任命制議会を設立したときには、2人のフランス系を議員に任命し、そのほか重要な役職をフランス人に任せた。次の総督ウッドフォードも同様の政策をとった。ただイギリス系入植者が増加すると、行政・法律のイギリス化や、イギリス系移民の優遇を求める声が高まる。

それでも19世紀前半までは、フランス系人口はイギリス系を上回っており、フランス語新聞も英語新聞よりも多数発刊されていた。しかし次第に、フランス系住民の勢力は弱体化した。19世紀半ばには、トリニダード政府は、クレオール（現地生まれの白人）よりもイギリス本国出身者を優先して雇用し、トリニダードの官僚173人中27人のみがクレオールであった。だがその後も20世紀初頭までは、議員や官僚の中に、フレンチ・クレオールの名門出身者の姓名を見出すことができる。

第2次世界大戦後エリック・ウィリアムズが人民国家運動（PNM）党首として政権を握って以降、フレンチ・クレオールは他の白人たちとともに、トリニダードの政治行政から排除されていった。このような黒人・カラード台頭の時代、多くのイギリス系白人がイギリスに帰ったが、18世紀のアメリカのフランス領土消滅と革命の時代にカリブの島々を転々としてトリニダードに行きついたフレンチ・クレオールにとっては、フランスへの帰還は難しかった。彼らの多くはすでにフランス語を話さなくなっており、フランスに親族もいない。そうした彼らにとってはトリニダードだけが故郷である。カリブ世界には、このようにカリブを真の故郷とする白人のコミュニティも存在する。　（川分圭子）

11

トリニダードのフレンチ・クレオール詳伝

★エリック・ウィリアムズも遠縁だった★

トリニダードのフレンチ・クレオールの間では家族史研究が盛んで、本もたくさん出版されている。そこで、以下ではいくつかの家系を紹介したい。

フィリップ・ルーム・ド＝サン・ローランの植民事業の時に、彼とともにグレナダから移民したことが分かっている家系は多い。その一つが、ブソンBesson家である。サントンジュ地方の公証人の息子エリ・フランソワ・ザビエル・ブソンは、1750年代にマルセイユからハイチにやってきて、その後マルティニーク島に移り、1762年にはグレナダに在住しており、そこの植民地議会のメンバーとなっている。彼は63年に、グアドループの上級司法官の娘を2度目の妻として迎えている。同年グレナダはイギリス領になるが、ブソンはグレナダに居住し続ける。彼の親族も、マルティニークやセントルシアなど近隣のフランス領、元フランス領に居住している。

ブソンはルーム・ド＝サン・ローランの知人であり、多大な借財を抱えていたルーム家のプランテーションを購入するなど支援も行っていた。またブソンの息子はルーム家の一員と結婚しており、姻戚関係もあった。

グレナダは、アメリカ独立戦争中の1779年にフランスによって一時回復されるが、83年にイギリス領に復した。同年スペイン政府はトリニダードの植民勅令を発布しており、ブソンは、ルーム・ド＝サン・ローランやその母方のド＝ガンヌ家などと一緒に、トリニダードへ移住し、かなりの領地を獲得した。彼らの子孫は、フランス系やコルシカ系、カトリック・アイルランド系とも通婚しながら、砂糖やココア、綿花などの栽培を行い、植民地司法官や議会の議員などを務めた。奴隷解放後も、ココアの栽培やコロニアル・バンク（トリニダード最初の商業銀行）の職員となって、トリニダードでの生活を継続した。

現在のブソン家のメンバーは、中国系との結婚、オーストラリアやスコットランドへの移住もしている。また現在トリニダードに在住しているジェラード・ブソンは、パリラ・パブリッシングという出版社を経営し、フレンチ・クレオールの家族史やカリブ諸国の歴史に関する書籍を多数出版している。

次に、ド＝ヴェルトゥイユ De Verteuil 家は、14世紀以来のボルドー商人の家系で、ボルドー市長も出している。また宗教改革時には一時的に新教徒となり、アンリ4世から男爵に取り立てられたが、アンリ4世のカトリック復帰に伴って同家もカトリックに戻った。18世紀には、ジャック・アレクシス・ド＝ヴェルトゥイユは、オーストリア継承戦争時にカナダで戦い、ルイブール（現ルイスバーグ）の女性と結婚する。その後彼は七年戦争にも従軍し、イギリス軍の捕虜になったのち解放されて、妻とともにフランスにもどり、ヴァンデ県沖のユー島知事となっている。しかしフランス革命が勃発すると、ジャック・アレクシスはヴァンデ県の王党派反乱に加わり、共和派につかまって1793年に処刑された。

彼の息子の一人ミシェル・ジュリアンは、王党派軍やオランダ軍に合流したのち、1797年にはイギリスの将軍アバークロンビーの配下についてトリニダード征服に参加し、入植した。彼は、マルティニークに母方の親戚がおり、マルティニークからの移住者も多いトリニダードのフランス人社会に温かく受け入れられた。ド＝ヴェルトゥイユ家は、ド＝ガンヌ家やブソン家とも通婚し、トリニダードのフランス系名門一族となった。19世紀半ばには、医師として功績のあったルイ・ド＝ヴェルトゥイユは、ナイト爵を得て、立法議会議員や首府ポート・オブ・スペインの市長も務めた。ド＝ヴェルトゥイユの姓は1930年頃までは議会議員や公務員の中に散見される。

ボルドー出身の王党派家系としては、マンゴット（マンゴ）Maingot家がある。同家は、13世紀頃のシュジェールの騎士の家系とも推測されるが、確実ではない。確かなのは、1775年に、ボルドー市民であった38歳のルイと8歳のジョセフ・エティエンヌ父子がマルティニークに向かって出発したことである。この11年後の1786年、ジョセフ・エティエンヌは、トリニダードに移住する。

ジョセフ・エティエンヌはコーヒーや砂糖のプランテーションを経営したほか、測量官、入植監督官などの役職につき、イギリス領になった後もピクトン総督やウッドフォード総督に信頼されて、これらの役職を継続した。イギリスの総督たちは彼の仕事ぶりを評価し、イギリス植民地省にたびたび彼の昇給を願い出ているが、これについては許可は出なかった。ジョセフ・エティエンヌは、1818年にはフランスにもどり、娘の嫁いだリヨンで死亡した。しかし彼の末息子とその子孫はトリニダードに残り、ココア等を栽培する一方で、聖職者やジャーナリスト、軍人として活動した。

革命派でトリニダードに来た者としては、ボワシエール Boissiere 家がある。フランス、ドルドーニュ県ベルジュラックの革命派で新教徒の医師ジャン・ヴァレトンの長男ジャン・ルイ・フランソワ・ボワシエールは、1790年代にトリニダードに移住し、多くのプランテーションを所有する一方、奴隷貿易に従事した。このジャン・ルイの息子は、カラードの女性との間に、婚外子ジョン・ニコラス・ボワシエールをもうける。このジョン・ニコラスもまた、カラードの女性との間に、婚外子ジュールズ・アーノルド・ボワシエールをもうけるが、この人物は、トリニダード・トバゴの初代首相エリック・ウィリアムズの母方の祖父にあたる。前述のジェラード・ブソンによると、ジョン・ニコラスはボワシエール家から遺産をもらい裕福であったが、ジュールズ・アーノルドにも彼の娘や孫のエリック・ウィリアムズにもボワシエール家の遺産は譲られなかった。

アーサー・アンドリュー・シプリアーニ

コルシカ系トリニダード人の中では、シプリアーニ（チプリアーニ Cipriani）家が重要である。シプリアーニ家は、18世紀末にトリニダードに移民したと推測されている。同家はプランターや商人として成功し、コルシカ系のジュセッピ家や、ブソン家とも通婚関係があった。同家の子孫のアーサー・アンドリュー・シプリアーニ（1875〜1945年）は、第1次世界大戦に従軍し帰国したのち、立法議会議員を務め、ポート・オブ・スペイン市長にもなっている。またトリニダード労働者連盟を結成し、労働者の生活水準改善や自治運動を主導した。同連盟はトリニダード最初の政党であるトリニダード労働党となり、シプリアーニは初代党首となっている。

（川分圭子）

12

イギリス領カリブのインド人契約労働者

★奴隷制廃止とクーリーの導入★

クーリーという言葉をご存じだろうか。漢字では苦力という字をあてる。これは、19世紀から20世紀初頭にかけて海外にわたって労働した主にインド人と中国人の肉体労働者を指す言葉である。語源ははっきりしていないが、『日本大百科全書ニッポニカ』では、「タミル語で雇うということばを英語でCooly/coolieと表記し、それを中国で苦力と表記した」と説明されている。

クーリーの発生は、カリブにおける黒人奴隷制度の廃止と直接的な因果関係を持っている。黒人奴隷制が廃止されても、プランテーション労働の必要性は消滅しなかった。1833年、世界最初に奴隷制を廃止したイギリス政府や資本家たちは、まだ奴隷制を廃止していない国々と対等に経済競争を戦っていくため、大量の安定した労働力が必要だった。そこで注目されたのが、当時イギリス領のインドの下層労働者だった。

こうして、同じイギリス領の東インドからイギリス領の西インドへ、たくさんのインド人が運ばれてくることになった。彼らは、自由意志で、仕事の内容や行き先を理解したうえで、雇用側と契約を交わし、契約条件に基づいて一定期間（年季）の労働に従事する前提となっていたので、契約労働者 Indentured laborer または年季労働者と呼ばれている。また徒弟 Apprentice とか奉公人 Servant といった呼称も使用される。彼らが総称してクーリーと呼ばれるようになったのだ。

インド人契約労働者のイギリス領カリブへの輸送は、1838年、つまり奴隷制の後続制度である徒弟制（奴隷制廃止後の移行措置。4年間もとのプランテーションで労働を行い、衣食住の提供を受けながら労働量の4分の1に相当する給与をもらった）が終了する年から、批判が高まりイギリス領インド帝国政府が廃止する1917年まで、継続した。その間表1、表3に示すように、全体で140万人以上、イギリス領カリブには43万人のインド人が送り込まれた。契約労働者には、表2に見るように、インド人のほか、中国人やアフリカ人（黒人）、多くがポルトガル人からなるヨーロッパ人もいたが、インド人が最も多数であった。

1838年に最初のインド人労働者を運搬した航海は、「グラッドストンの実験」と呼ばれている。このグラッドストンとは、19世紀イギリスを代表する自由党政治家で首相を4回務めたウィリアム・エワート・グラッドストンの父ジョン・グラッドストンのことである。グラッドストン家はリヴァプールの貿易商で、1800年代から急速にガイアナとジャマイカに砂糖プランテーションを取得した。つまり同家は、古くからのプランターではなく、奴隷貿易が廃止される頃に参入してきた新しいプランターであったが、1820年代には、イギリスの西インド利害関係者の中でも最有力者になっていた。ジョン・グラッドストンは、奴隷制廃止においては、イギリス政府と粘り強く交渉を進めて、奴隷の市場価値の半分近くの損害賠償を奴隷所有者に支払わせている。

表 1　英領カリブの各地域へのインド人契約労働者の流入

年	ガイアナ	トリニダード	ジャマイカ	セントルシア	グレナダ	セントヴィンセント	セントキッツ	総計
1838	396							396
1845～ 50	12,374	5,568	4,551					22,493
1851～ 55	9,981	5,054						15,035
1856～ 60	16,206	11,208	2,121	1,215	944	260		31,954
1861～ 65	15,654	7,474	2,524	320	1,357	521	337	28,187
1866～ 70	22,436	11,836	5,279		269	1,145		40,965
1871～ 75	24,355	11,868	6,079			333		42,635
1876～ 80	27,374	12,763	2,313	1,184	458	213		44,305
1881～ 85	20,500	11,551	966	925	172			34,114
1886～ 90	20,471	13,988	2,135	554				37,148
1891～ 95	21,397	13,565	1,651	156				36,769
1896～1900	14,780	7,414	1,276					23,470
1901～ 05	13,177	12,433	1,471					27,081
1906～ 10	10,592	12,547	2,955					26,094
1911～ 15	7,304	4,051	3,091					14,446
1916～ 18	1,912	2,619						4,531
総計	238,909	143,939	36,412	4,354	3,200	2,472	337	429,623

表 2　1834～1918 年の英領カリブへの移民　総計 536310 人

インド人（1838～1918）	マデイラ島人（1835～81）	中国人（1852～84）	アフリカ人（1834～67）	ヨーロッパ人（1834～45）	その他（1835～67）
429,623	40,971	17,904	39,332	4,582	3,898

表 1・2 出典：Roberts & Byrne, "Summary Statistics on Indenture and Associated Migration Affecting the West Indies 1834–1918", *Population Studies* 20(1), 1966, pp. 129–131.

表 3　そのほかのイギリス領へのインド人契約労働者移民

フィジー（1879～1916）	マレー半島（1844～1910）	東アフリカ（1896～1921）	モーリシャス諸島（1834～1900）	レユニオン島 *（1861～83）	ナタール（1860～1911）
60,965	250,000	39,282	453,063	26,507	152,184

* レユニオン島はフランス領だが、1860 年イギリスと契約し、イギリス領インドから移民を確保していた。　出典：Brij V. Lal et al. eds., *The Encyclopedia of the Indian Diaspora*, Singapore, Editions Didier Millet, 2006, pp.46, 274.

彼は、奴隷制廃止後の労働者問題についても、早期に行動を開始する。彼は、1836年1月、カルカッタの船会社ジランダー&アーバスノット社に、同社がモーリシャス諸島（カリブを凌ぐ砂糖生産地として急成長していた）にベンガル人を労働者として輸送していることについて問い合わせ、同様のことをカリブに対してもできないか、相談している。この後グラッドストンは、自分が所有するヘスペラス号をカルカッタに送り、1838年1月には同船ともう1隻が437人のインド人契約労働者を載せて、ガイアナに向かって出港した。これが、カリブに送り込まれた最初のインド人労働者であり、彼らはグラッドストンのプランテーションを含む砂糖農地に送られた。

ただしこのグラッドストンの行動には、黒人奴隷制廃止を達成したばかりの奴隷制廃止運動家たちが、一斉に懸念や非難を示し始めた。早くも1837年7月10日には、イギリス議会で奴隷制廃止運動のリーダーだったトマス・ファウエル・バクストンがインド人契約労働者の待遇について質問を行い、1838年7月にはブルーム卿が禁止を求めている。また奴隷制廃止運動家の一人ジョン・スコーブルは『ヒル・クーリー』を著して、カルカッタ北方の丘陵地域の人々が貧困や社会的差別の重圧から契約労働者とならざるを得ない状況を描き、グラッドストンに対しても攻撃を行った。この結果、イギリス政府は1840年いったんインド人契約移民を停止する。

しかし、インドでは、1842年にモーリシャス諸島への移民を再開する法律が制定され、インド各港にモーリシャス移民代理業者が設置され、政府の監督下に労働移民が行われることになった。モーリシャスでの砂糖生産が拡大する一方でカリブでの砂糖生産が弱体化することを危惧したイギリス政府は、カリブへの労働移民も再開することを決定し、カルカッタとマドラスにイギリス領カリブ向けの移民代理業者を設置した。

1857年にはインド大反乱が起こるが、これによって多くのインド人が難民となり、労働移民になる人々も増加した。こうして1850年代後半から60年代にかけてインド契約移民は増加した。

トリニダードに到着したばかりのヒル・クーリー

インド政府は1871年、それまでのクーリー諸法を統合し、クーリーの制度を完全な国家の監視下に改めた。まずクーリーの代理業者は、すべてインド帝国政府の許可制とし、またカルカッタ、ボンベイ、マドラス3港のみに置き、出港前に移民を出身地ごとに登録し、移民船も免許制とした。またインド政府は、この3港に移民保護官を置き、代理業者に、移民の確実な同意を得ること、旅程や職務内容・待遇の周知徹底、適切な衣服や食料、給与の提供などを義務付け、保護官に監督させた。さらに移民のリクルーターも免許制とし、目的地ごとに免許を発行した。そのほか、全移民は医師による診断を受け、移民に適さない移民については故郷への帰還費用を代理業者に負担させるなどした。

インド人契約労働者は、19世紀後半に砂糖生産を本格化した南アフリカのナタールにも送られた。ガンディーがここでインド人労働者の悲惨な状況を目の当たりにし、弁護士とし

クーリーについての挿絵（Edward Jenkins, *The Coolie. His Rights and Wrongs*, 1871.）

て彼らを救済するため雇用主と法廷闘争を行ったことや、この体験をもとにインド独立運動につながるサティヤーグラハ運動を開始したことは、ガンディーが自伝に書いている。その後インド国民会議派を中心にクーリー制度廃止の要求は高まり、1912年にはゴーパール・クリシュナ・ゴーカレーがインド立法評議会に契約移民廃止動議を提出し、1917年インド帝国政府は契約移民の停止を決定する。

インド人契約労働者は、砂糖生産地として遅く開発されたトリニダードとガイアナに特にたくさん送り込まれ、現在も両地域の人口の3割程度を占める。トリニダードのノーベル賞小説家ナイポール（53章）や、2010～2015年トリニダードで初の女性首相となったカムラ・パサード＝ビセッサー、そしてガイアナの主任大臣（独立前）や大統領であったチェディ・ジェイガンなどは、こうしたインド人移民の子孫であり、モーリシャス共和国の初代首相シウサガル・ラングーラムも、インド人労働者の子孫である。

（川分圭子）

13

イギリス領カリブのユダヤ人

★アメリカ世界のユダヤ人ネットワークの一環★

現カリブ海地域やアメリカ世界にはユダヤ人が多い。その原因は、レコンキスタ終了後の１４９０年代、スペインとポルトガルがユダヤ人追放令を発布し、その後両国で厳格な異端審問が開始されたため、多くのユダヤ人がアメリカに移住してきたことにある。しかし16世紀後半にはスペイン領やポルトガル領アメリカでも異端審問が厳格化し、多くのユダヤ人が信仰の自由があったオランダ領やイギリス領に移動した。

ただ旧イギリス領アメリカの中でも、カリブにはユダヤ人はそれほどいない。一番多いジャマイカでも２００～４００人ぐらいである（『世界ユダヤ人人口２０１９』ユダヤ・データバンク）。しかし、イギリス領アメリカでユダヤ人が最も古くに入植したのは、カリブであった。ユダヤ人の多くは、イベリア半島から追放された後、ポルトガル沖合のマデイラ諸島に居住してそこで砂糖生産技術を身につけ、16世紀末から17世紀前半にブラジルで砂糖生産に従事した。これらのユダヤ人は、１６２０年代にオランダがブラジル北部を占領すると、そこやオランダ領ギアナ（スリナム）に在住し、さらにそこから英・仏・蘭領のカリブ諸島に移住した。

1620年代にイギリスの植民地化が始まったバルバドスでは、この時期からユダヤ人が入植したと考えられている。1629年にユダヤ人と推定されるアブラハム・ヤコブなる人物が、領主カーライル伯に宛ててバルバドス島のビジネスはもうからないと不平を書いた手紙がイギリス国家文書摘要Calendar of State Papersに残っているからである。ただ、バルバドスに本格的にユダヤ人が来るのは、オランダ人がブラジルから駆逐される1650年代である。この時期イギリスではピューリタン革命で革命派（議会派）が勝利し共和制政権が確立し、護国卿オリヴァー・クロムウェルは、西方計画と称するスペイン領アメリカ征服計画を企て、カリブ海へイギリス軍を差し向けていた。結局この時イギリスが奪取できたスペイン領はジャマイカ島だけだったが、このような政治的背景から、イギリスはブラジルから逃げてきたユダヤ人を積極的に自領に受け入れた。ブラジルからだけでなく、スリナムやフランス領ギアナ、フランス領のグアドループ島やマルティニーク島からも、そしてヨーロッパのハンブルクなどからも、ユダヤ人が、バルバドス、そしてイギリス領となったジャマイカに移住した。

17世紀末には、バルバドスには白人人口の2・5％にあたる約300人のユダヤ人が在住していた。ただ、イギリス人入植者の敵意や、ユダヤ人への特別課税、ユダヤ人によるキリスト教徒契約労働者の雇用禁止など、様々な不自由のせいで、バルバドスのユダヤ人は、イギリス領北アメリカやロンドンに出ていき、バルバドスのユダヤ人人口は18世紀以降は減少してしまった。

時代からユダヤ人が入植しており、1655年イギリスがジャマ
こ、スペイン語に堪能なことや家族的ネッ

トワークを生かして、近隣のスペイン領やヨーロッパとの貿易（植民地に本国との貿易しか認めない重商主義のルールからいえば非合法貿易であった）に従事した。18世紀初めにはジャマイカでは、ユダヤ人は白人人口の6％弱の約400人を占め、首府キングストンでは白人人口の18％がユダヤ人だった。

ジャマイカでも、ユダヤ人は、特別課税の対象であり、植民地議会での投票権や被選挙権はないなど様々な不自由があったが、その後もユダヤ人口は増加し、1880年代には2500人ほどになっている。しかしそれがピークであり、20世紀は脱植民地化のうねりの中で、白人人口全体とともに、ユダヤ人人口も減少した。

日本では、ニューヨークにユダヤ人が多いことがよく知られているかもしれない。ニューヨークのユダヤ人の歴史は、英領カリブのユダヤ人の歴史と重複する。ニューヨークでも最初のユダヤ人は、1650年代に元オランダ領ブラジルから駆逐されたユダヤ人である。ニューヨークは1664年までオランダ領であり、イギリス領になった後もユダヤ人はこの都市に残った。ニューヨークは、イギリス領カリブを離れたユダヤ人の多くが向かった先でもある。

以上のユダヤ人の物語は、イベリア半島出身のユダヤ人、つまりセファルディに関するものである。ドイツ・東欧・ロシアなどの出身のユダヤ人アシュケナジが、アメリカ世界に向かうようになるのは、1790年代のナポレオン戦争期、1880年代以降のロシアのテロリズムの時代、そして1930年代後半からのナチス・ドイツのユダヤ人迫害の時代である。

アシュケナジがアメリカ世界に大量にやってくる時期には、イギリス領カリブのユダヤ人コミュニティは衰退期に入っていたため、アシュケナジはあまりこの地域を目指さなかった。しかし、ナチ

ハンツ・ベイ墓地（ユダヤ人墓地、ジャマイカ）
(Jamaica Jewish Cemeteries Preservation Fund)

ス・ドイツの時代には、イギリス政府は、数千人のユダヤ人をジャマイカ、バルバドス、トリニダードなどへ移送している。これは、1938年のエヴィアン会議でナチスに迫害されるユダヤ人受け入れ問題を各国が議論した際に、ほとんどの国が受け入れを拒否したためであった。イギリスは、本国に受け入れない代わり、カリブの植民地を受け入れ先として活用したのである。このような背景から、イギリス領カリブの人々のユダヤ人に対する感情は好意的ではなく、これらのユダヤ人は、戦後はほとんどがアメリカやカナダ、イスラエルに向かい、カリブにはあまり残らなかった。

以上、イギリス領カリブではユダヤ人の勢力は必ずしも強くない。しかし、ニューヨークを例に挙げたように、英語圏のアメリカ世界全体で見るとユダヤ人の存在は一定の重要性を占め、こうしたアメリカのユダヤ人がイギリス領カリブに関わることも多い。

ポール・マーシャルの小説『選ばれし土地、時なき人々』（1969年）には、ニューヨーク出身のソール・アーモンというユダヤ人文化人類学者が、カリブのある島をフィールド調査と開発計画のために訪問するというストーリーが描かれている。彼の母方はカリブ諸島から南米を経て北米に来たセファルディ系ユダヤ人であり、ジャマイカに先祖の墓があるとされている。創作上の人物ではあるが、このアーモン一族の歴史——南米↓ジャマイカ↓ニューヨーク——は、以上に述べたイギリス領アメリカのユダヤ人の経験と一致する。著者のマーシャルは、バルバドス出身の父をもつニューヨーカーということだが、この作家がこのような人物設定をしたのは偶然ではないだろう。それほど数は多くないが、近世から現代にわたってイギリス領カリブと合衆国にまたがるネットワークを形成してきたユダヤ人が確かに存在することを、彼女のような社会的背景を持つ人々は、実体験を通して知っているのだと感じられる。

（川分圭子）

14

奴隷制廃止後の砂糖生産

★自由貿易主義と奴隷解放の美名のもとでの経済悪化★

イギリスによる１８３３年奴隷制廃止は学校でも習う重要な歴史的事件だが、奴隷を労働力としていたイギリス領カリブの砂糖生産がその後どうなるかについては、ほとんど説明されることがない。しかしこれは、イギリス領カリブの国家と国民形成の歴史において、非常に重要な意味を持っている問題である。奴隷制廃止によって将来の国民の基盤が形成される一方で、経済基盤は確実に動揺していくという矛盾が起こるからである。そもそも19世紀は、世界各地で砂糖生産が拡大し、競争が激化し、砂糖価格が下落し続け、砂糖産業の利潤も下落し続ける時代であった。奴隷解放後のイギリス領カリブは、このような厳しい環境の中で、砂糖生産を続けていかなければならなかった。以下では、この苦しい時代のイギリス領カリブの砂糖生産史を、転機となる第1次世界大戦まで、たどってみたい。

イギリス領カリブの砂糖生産は、１８００年頃までは世界的に見ても大きなプレゼンスを持っていた（表1）。また当時のイギリスは、ほぼイギリス領カリブ産砂糖のみを輸入していた（表2）。これは当然で、イギリスは17世紀以来航海法と呼ばれる法律により、植民地に外国との直接貿易を禁じる一方で、植民地の生産する作物を本国市場で特恵的に扱うことを約束していたからである。このような植民地の貿易体制は重商主義の一環であり、近世ヨーロッパにおいて一般的なものだった。

しかし19世紀に入ると、イギリスでは自由貿易主義が高まり、植民地生産物の本国における特恵的扱いについても批判が高まった。その結果まず1825年から、イギリス領カリブ産砂糖とそのほかのイギリス領（モーリシャス諸島など）産砂糖の関税が同率化され、さらに1846〜54年には外国産砂糖とイギリス領産砂糖の関税が同率化された。こうしてイギリス領カリブ産砂糖は、イギリス市場で他地域の砂糖と対等に競争しなければならなくなった。

一方で世界的に砂糖の生産拡大が進み、1850年代には熱帯・亜熱帯のキューバやブラジル、ジャワで甘蔗《かんしょ》糖（サトウキビを原料とする砂糖）生産が増大、寒冷地のヨーロッパでも甜菜《てんさい》（サトウダイコン）糖生産が急激に伸長する（表1）。表1に掲載していない他の中南米諸国やフィリピン、ハワイなどでも、19世紀後半に甘蔗糖生産が拡大する。19世紀のうちに、世界の砂糖生産量は10倍にも増加し、砂糖価格は4分の1以下に下落した（表3）。

イギリス領カリブの砂糖は、本国市場での特恵的扱いを失った後、合衆国市場やカナダ市場に活路を求めるが、合衆国はハワイやキューバで砂糖生産を行っている合衆国企業の利害を優先するようになり、カナダは市場規模が小さかった。その結果19世紀末には、イギリス領カリブでは砂糖生産を断念する島も現れ、淘汰と集中の時代を迎える。

表4を見ると、1900年頃を境にモントセラト、ドミニカ、セントヴィンセント、グレナダで砂糖生産がストップしたことが解る。この直接的原因は、1896年にイギリス政府が設置した「英

表１　世界の砂糖生産　単位：千メトリックトン

時期	イギリス領カリブ	キューバ	ブラジル	ヨーロッパ（甜菜糖）	オーストラリア、フィジー	ジャワ	南アフリカ	世界
1800	145	33	15	—	—	—	—	1,100
1850	167	367	99	159	—	116	—	1,375
1900	247	1,005	260	6,258	207	1,078	31	11,746
1940	593	3,409	1,232	7,554	783	1,169	491	30,499

表２　イギリスの砂糖輸入におけるイギリス領カリブ産砂糖の占める割合
輸入量：千メトリックトン

時期	イギリス領カリブ産輸入量	総輸入量に占める割合 %	イギリスの総輸入量
1771-75	87	97	90
1821-30	189 *	85	222
1836-45	147 **	60	245
1850	137	38	359
1880	174	16	1,116
1900	47	3	1,640

*　1820年代の総生産量
**　1845年のみの輸入量

表３　砂糖（粗糖）価格

時期	シリング／cwt
1800年代	46
1850年代	24
1880年代	16
1900年代	10

1cwtは約50.8kg。
表1〜3出典：川分（2020）科研報告書2017–19の図表を基に作成。

表4　イギリス領カリブの砂糖生産量

	ジャマイカ	セントキッツ・ネヴィス	アンティグア	モントセラト	ドミニカ	セントヴィンセント	グレナダ	バルバドス	トリニダード	ガイアナ
1800s	84	8	6	1	2	9	6	7	7	1
1850s	25	6	10	0.1	3	7	5	31	24	45
1880s	20	18	12	2	2	7	0.7	52	56	109
1900s	17	13	11	0.4	0.2	0.5	—	40	43	113
1940s	161	33	22	—	—	—	—	102	95	163

出典：川分圭子（2020）科研報告書 2017–19。

領西インド砂糖生産の苦境を調査する政府委員会」（ノーマン委員会）の勧告である。同委員会は97年前半に現地調査を行い、8月に報告書を出したが、そこでジャマイカ、セントキッツ、アンティグア、バルバドス、トリニダード、ガイアナでの砂糖生産の継続とそれへの支援を勧告する一方、それ以外の島での砂糖生産の停止と他作物への転換を推奨した。この時期の砂糖生産は、蒸気動力による圧搾ローラー、搾汁濃縮のための真空多重効用缶、結晶とモラセス（糖蜜。糖汁の中の結晶しない成分）分離のための遠心分離機、機械・化学的知識を持つ高給取りの技術者を備えた中央製糖所で、集中的に大量のサトウキビを加工するようになっており、中央製糖所を建設するに足るだけのサトウキビの生産量がない島は、砂糖生産を断念するほかなかった。

表4に見られる各島の生産の動きをもう少し補足説明する。ジャマイカは、19世紀を通して生産

表５　ガイアナの砂糖領地数

年	領地数
1829	230
1838	308
1853	173
1871	136
1885	105
1890	84
1895	64
1900–1901	56
1904	46
1909	44
1922	39
1959	17
1975–76	11
1976 以降	6
2022	5

出典：川分（2022）

量が下落するが、これは、ジャマイカは広くて未開墾地が多かったため、奴隷解放後に元奴隷が自給自足を始め、砂糖プランテーションで労働しなくなったためである。一方最も古い植民地バルバドスでは、奴隷解放前には砂糖生産は衰退していたが、奴隷解放後は元奴隷がプランテーションに定住して労働力を提供し、また現地資本も比較的豊富で複数の機械化工場が設立され、むしろ生産力を回復した。アンティグアやセントキッツには、１９００年代にイギリス政府からの財政支援で、中央製糖所が設立された。

しかし19世紀以降イギリス領カリブの砂糖生産の真の中心となるのは、トリニダードとガイアナである。ナポレオン戦争後にイギリス領となった両地域は、それ以前は綿花やココア、コーヒーなども育てていたが、イギリス領になってから砂糖モノカルチャーが進展した。

トリニダードとガイアナにおいても、奴隷制廃止・イギリス自由貿易・国際競争激化の時代に砂糖生産を拡大させていくことには、大変な努力が伴った。表5は、ガイアナの砂糖プランテーションの数の推移であるが、徒弟制（12章）の終了後インド人契約労働者の本格的な導入が始まる１８５０年代までに半減し、また１８７０年代の砂糖関税廃止以後にも淘汰と集中が進む。トリニダードも、１８８０年には１０１領地が存在し約50家族または企業が経営していたが、92年には砂糖生産企業は29

社になり、1901年には20社、1917年には13社、1930年には11社にまで減少する。

一方イギリスは、この間、もっぱらヨーロッパの甜菜糖を輸入するようになっていた。表1に見るように19世紀後半に甜菜糖生産は40倍にも増加するが、これには人為的背景があった。甜菜糖生産国では、国内で販売する甜菜糖には物品税が課税されていたが、輸出する際にこの物品税を割り増して払い戻しており、この多額の戻し税（バウンティ）が生産効率の向上や輸出の追い風になっていた。戻し税のおかげで生産コストを下回る価格で輸出されたヨーロッパの甜菜糖は、自由貿易のイギリス市場を席巻し、そこからほぼ完全にイギリス領カリブ産砂糖を駆逐してしまった。

甜菜糖の戻し税については当時から事実上輸出補助金だという批判があり、合衆国は1890年に相殺関税を課してヨーロッパ産甜菜糖を締め出している。イギリスでもこれを求める声は高かったが、1902年ブリュッセル協定が締結されるまでは相殺関税は容認されず、その後も結局この協定から脱退して、第1次世界大戦開始まで問題は放置された。

大戦前夜のイギリスは、砂糖をドイツとオーストリアから54％、ベルギー、オランダ、フランスから16％輸入しており、イギリス領カリブからは2％しか輸入していなかった。しかしイギリスは、開戦後ドイツ・オーストリアと敵国になり、またフランス等が戦場となって甜菜糖の輸入が途絶し、苦境に立たされる。この後イギリスは一転して、イギリス帝国産の砂糖に依存するようになった。戦後も帝国特恵を継続し、イギリス領カリブの砂糖生産は再生していく。

（川分圭子）

コラム4

「ブラック」への留意点

堀内真由美

スパイク・リー監督の映画『マルコムX』（1992年）の中で印象的なシーンはいくつもあるが、刑務所での「英単語学習」の場面もその一つだ。マルコムXが辞書で'black'という形容詞を引く。汚れている、邪悪な、不吉な……。一方、'white'はというと、汚れのない、悪意のない、純粋な……。このネガティブな意味を持たされた「ブラック」を肯定的に捉えようとする人々が現れるのは1960年代後半のことだ。66年結成の「ブラック・パンサー」のスローガン'Black is beautiful'（筆者が訳すとすれば「黒（人）こそ美しい」）は多くの若者をひきつけた。彼らは、自らの存在を肌の色ごと肯定的に認識し直し、白人社会への抵抗も込めて「ブラック」と自称するようになる。この合衆国発の自称「ブラック」は、50年代に「宗主国」に渡った「ウィンドラッシュ世代」の子どもたちも積極的に使った（ウィンドラッシュ世代については31章）。

ウィンドラッシュ号入港70周年の2018年に、設立40周年を迎えたウィンドラッシュの娘たち世代による初の女性運動全国組織OWAAD（the Organisation of Women of African and Asian Descent, 1978～83年）は、「ブラック」を理由とした排除と抑圧の経験がどのような歴史的背景から生じたものなのか、自分たちはなぜカリブ海域に生まれ今ここに居るのか、イギリスの学校では決して教えてくれない歴史を自分たちで学び始めた。その学びの過程で、「ブラック」の範囲を設定し、その中での共闘を試みた。

OWAADによれば、イギリスにやってきた「ブラック」には二つのグループがある。一つはアフリカ大陸出身者とアフリカ経由のアフリカ系西インド人、もう一つはインド亜大陸から東アフリカやカリブ海を経由してやってきたアジア系の人々。前者は、イギリスをはじめヨーロッパが行った奴隷貿易に起因するアフリカからの「人の移動」の結果、現在「本国」に住まう人々。後者は、当時最大の植民地だったインドから、東アフリカの植民地とカリブ海植民地に、それぞれ「中間支配層」や「年季契約労働者」としてやってきた。アフリカ系の被支配者たちとしばしば対峙させられてきた、現在でいうところのインド、パキスタン、バングラデシュからやって来た人々が該当する。

ＯＷＡＡＤの女たちは、「これらの2大主要グループを不必要に分けることを拒否する」。「我々の権利、地位、福祉に対する国家的攻撃に直面してバラバラでいることは、すべてのブラックの利害に反するものになるだろうし、我々を抑圧し搾取する者たちに分割統治策を行わせるだけだ」と主張し、集合的に「ブラック」という単語を「誇らしく意識的に使用する理由」を明らかにした。

さて日本では、「ブラック企業」や「ブラック校則」など、依然「ブラック」をネガティブな意味でカタカナ表記する事例が目立つ。だが、「我々はブラックだ」と誇り高く宣言し、その延長線上にＢＬＭ（Black Lives Matter）のスローガンが成立することを知ったからには、「ブラック」なる、ネガティブな意味を持たせるためのカタカナ表記に代わる何かを工夫することが必要な時期に来ているだろう。

15

脱植民地化と砂糖生産の停止

★産業国有化の理想と現実★

第1次世界大戦後のイギリスは、特に世界恐慌以後、イギリス領内での貿易活動を強化する方針を固め、1932年帝国関税法でイギリス連邦諸国内の取引の関税を必要最低限とした。砂糖については輸出割当制度が導入されただけでなく、イギリス領カリブを主とする直轄植民地の砂糖には自治領産砂糖よりも安い関税が適用されて、特に優遇された。第2次世界大戦後もイギリスは、英連邦砂糖協定という制度を作り、旧植民地の砂糖生産国に輸出割当を行い、世界価格より有利な価格で買い取った。1973年のイギリスのEC（ヨーロッパ共同体）加盟後も、ロメ協定により同様の制度が維持された。

このように20世紀のイギリスは、19世紀の自由貿易時代とは大きく変わり、旧植民地の生産する砂糖を優先して輸入するようになり、そのおかげでイギリス領カリブは1960〜70年代までは安定した生産活動を続けることができた。しかしこの頃からイギリス領カリブの砂糖生産力は衰退し、現在はガイアナ以外のほとんどの地域で砂糖生産は停止している。この間どのようなことが起こったのか、以下では、戦間期から現代までのイギリス領カリブの砂糖生産をたどり、脱植民地化時代にも旧宗主国と植民地の伝統的経済構造が続いたにもかかわらず、人々の意識や国際環境の変化の中でこの経済関係の存続が困難になっていくことを、考察したい。

第1次世界大戦下の国家統制と戦間期の輸出割当制度により、イギリス領カリブの生産者は砂糖を生産・輸出すれば必ず購入される安定した立場に置かれたが、彼らの生産する原料糖をイギリスに輸入・精製・販売する本国の砂糖商社もまた非常に安定した立場に置かれることとなった。このような本国の砂糖商社の代表は、テイト&ライル社とブッカー社である。テイト&ライル社は、18世紀に起源をもつ精糖業者テイト社とライル社が、第1次世界大戦後に合併して成立した会社である。イギリスの精糖業は、19世紀後半に精糖する必要のない甜菜糖の輸入が急増するにつれて衰退したが、20世紀まで生き延びたテイト社とライル社は、第1次世界大戦下の国家の全砂糖買取・配給制とそれによる全面的な利潤の保証によって力を回復し、戦後の合併により、独占的な地位を確立した。テイト&ライル社は、1930年代にはジャマイカとトリニダードでほぼすべての砂糖農地を買収し、原料糖の生産に進出した。

一方ブッカー社は、19世紀のガイアナのプランターを起源とし、20世紀初頭にはガイアナの砂糖農地の大半を取得する。ブッカー社は早くから船舶業にも深く関与し、ガイアナ〜イギリス間の輸送、ガイアナ沿岸輸送のほか、イギリス領カリブの各地やアメリカ、カナダを結ぶ航路を運航した。

1930年代以降のテイト&ライル社とブッカー社は、イギリス領カリブの最大の生産地域ジャマイカ、トリニダード、ガイアナのほとんどの砂糖農地を領有し、それらの統合と最新技術の大工場の建設を推し進めた。両会社は、道路や鉄道、労働者の住居や学校、病院の建設も行い、地域の発展に貢献した。伝統的な古いタイプのプランターは、領地を売却して廃業するか、領地内の古い工場を閉鎖し、サトウキビ栽培に特化して、大工場に納品するようになった。元奴隷や元契約労働者からなる小農は、自己の小農地でサトウキビを栽培し大工場に納めるほか、大工場が持つ農地でも労働者としてサトウキビ栽培に従事した。

以上のような耕作と加工業が分離した20世紀の砂糖の生産構造は、一つの領地内でサトウキビ栽培から粗糖製造まで行っていた古いプランテーション体制とは異なるが、モノカルチャー、本国資本の支配、白人の支配という点では共通していた。効率的な大規模生産体制のもとでほとんどの優良な農地がサトウキビ耕作に使用され、モノカルチャーはむしろ深化した。イギリスの商社が生産手段や社会インフラのすべてを所有し、経営陣・技術者はほぼ全員がイギリス人であり、イギリス資本・技術への依存度も高まった。砂糖生産の利益の多くが給与や配当、本国で行われる精糖業などの形で本国に吸収される一方、現地の労働者は低賃金で不安定な雇用状態に置かれた。

このような状況に不満を感じて、1930年代半ば以降、ガイアナ、セントキッツ、トリニダード、バルバドス、ジャマイカでは、労働者による暴動やストライキが頻発する。また砂糖生産従事者を中心に労働組合が作られるようになり、それを基盤に政党が形成され、労働条件改善のほか普通選挙や自治政府といった政治的要求を突き付けた。

ジャマイカでは、1938年バスタマンテが産業労働組合を設立して、工場の操業停止などを繰り返して闘い、1945年にはジャマイカ砂糖製造者連盟（テイト&ライル社などを含む糖業企業のカルテル）から唯一の労使交渉の相手として承認される。その後1952年まで砂糖労働者は毎年の昇給を確保し、その後も63年までは何らかの譲歩を会社から引き出し続けた。

ただこうした労組の勝ち取った昇給の対象は、全労働者の2割程度に過ぎない常雇用の労働者でしかなかった。企業は、昇給の一方で労働者削減を進めたため、失業者が増加し、労働者間の格差が広がった。さらに昇給の結果、ジャマイカの砂糖産業は世界でも最も生産コストの高いものになった。

1960年代半ば以降、ジャマイカの砂糖生産は衰退に向かう。テイト&ライル社の子会社西インド砂糖会社（WISCo）や砂糖製造者連盟は、政府が労働者を過度に保護していると批判し、収穫機械や港湾積載設備への政府支援や、ボーナス支払いを義務化する協定の放棄などを求めた。政府は以上の要求をほぼ受け入れるが、野党や大学知識人は反発し、砂糖産業からの外資排除と農民と労働者による経営を提案する。

外資排除の世論の高まりを受けて、WISCoは1970年に操業停止を宣言し、翌年ジャマイカ政府はWISCoの農地を買い上げ、この農地の所有権を小農に分配した後にそれをWISCoに10年間貸与し、経営を継続させた。しかし1974年のオイルショックを背景とした砂糖価格上昇、世界銀行からの融資獲得などを追い風に、ジャマイカ政府は76年にはWISCoの全株式を買収して、国有化した。

だが、国有化以後のジャマイカ砂糖産業は、政府の補助金なしでは経営できず、生産量も減少の一途をたどった。1994年には民営化が試みられたが、それもうまくいかず98年には再び国営に戻った。2000年には7700万米ドルの負債を抱え、国内の砂糖消費価格もカリブの他の地域と比べても2倍近くするようになり、工場の売却や閉鎖に追い込まれた。

１９７６年にはトリニダードでもガイアナでも砂糖産業の国有化が行われており、いずれも国有化後経営は悪化し、トリニダードでは現在砂糖生産は停止している。英連邦の市場が保証されていたにもかかわらず、独立後十数年のうちに、イギリス領カリブの砂糖産業は、ほぼ消滅してしまった。砂糖産業に関して言えば、脱植民地化は、経済的従属からの解放ではなく、産業そのものの破壊に終わってしまったのだ。しかし現在も、雇用確保やローカル・ブランドのラム酒製造といった観点から、砂糖生産再開の動きも続いていて、先行きは不透明である。

（川分圭子）

上／ガンスロープ製糖所の廃屋（アンティグア）
中／セントキッツ中央製糖所の廃屋（セントキッツ）ノーマン委員会の勧告に基づいて、イギリス政府の財政支援で1900年代に建設され、独立頃まで操業していた。
下／セントマドリン／カローニ製糖所の廃屋（トリニダード）1937年にテイト＆ライル社が取得し、同社の子会社カローニが1975年まで操業、国有化後も2010年代初頭まで操業していた。

16

グレート・ハウスと白人プランターの終焉

★歴史の舞台から姿を消す旧支配層★

第14、15章で見たように、19世紀以降は、奴隷制廃止、技術革新と生産の大規模化、世界規模での生産量と消費量の増大、価格の下落が進展して、個人が所有する農場と加工工場が併設されたプランテーションは、経営が成り立たなくなった。プランテーションの淘汰と集中が19世紀後半から進み、1930年代にはテイト&ライル社やブッカー社などのイギリスの大会社が大規模な中央製糖所を建設し、農地の大半も所有するようになる。このような砂糖生産体制の変化の中で、古いプランター層は没落し、彼らが持っていたプランテーションは、優良な砂糖農地は大会社に吸収され、それ以外は個人や政府に売却されて、小農の住宅や菜園、公共施設や飛行場、工場や店舗・倉庫、ホテル、ゴルフ場となったり、あるいは買い手もないまま単に放置された。

以上のようなプランテーションの統廃合と旧プランター層の消滅は、各プランテーションに建てられていたグレート・ハウス（5章）や加工工場を不要のものとし、これらの建物も、解体されるか、放置され、荒れるにまかされた。ごく一部だけが、ホテルやゴルフ・クラブに改修されたり、史跡として整備されたり、あるいは個人の住宅として使用され続けている。

約200年にもわたって奴隷として支配され重労働に縛り付けられてきた現地の人々からは、白人プランターの没落やグレート・ハウスの荒廃はどのように見えていたのだろうか。政府の報告書や新聞などの史料の中には、そのような人々の肉声を見出すことは難しい。そこで実際にこの時代を生きた作家が回想的に書いた作品から、当時の状況を推察することとしたい。

ジョージ・ラミング『私の肌の砦のなかで』（1953年、邦訳：吉田裕、月曜社、2019年）は、バルバドスの村を舞台に、1927年生まれの作者の幼少期が描かれている。村を見下ろす丘の上に、クレイトンという白人の一族が住むグレート・ハウスがある。村の名前もクレイトンで、村の全土地はクレイトン家が所有し、村人は同家に地代を払っている。この状況から、クレイトン村はもともとクレイトン家のプランテーションであり、村人は元奴隷で、元プランテーションの土地を住居と小農地として借り受けて、代々暮らしてきたと推定される。

物語は、主人公が9歳になった年、村を大洪水が襲うところから始まる。地主のクレイトンは村の道路の修理などを行うが、これは彼にとって大きな負担であり、彼が「バケツ一杯分ぐらい泣いた」というのが村のうわさになっている。ここから、地主が経済的に行き詰まっていることが予感される。

翌年村は、全島的に起こっているストライキの波に巻き込まれる。確かに1937年に、バルバドスは全土で大規模なストライキと暴動を経験している。作中では、村のストライキの指導者は元小学校教師のスライム氏である。スライム氏は、校長の妻との不倫で小学校を辞めた後、バルバドス議会の議員になり、また村人のささやかな貯蓄を対象とした預金銀行のペニー銀行や共済組合を設立したやり手である。彼は、地主が経営する船舶会社の賃金引き上げや、村人への土地の無償分配・地代支払いの停止などを、地主に要求する。この後ストライキは暴動化し、イギリス軍艦が鎮圧のため砲弾を打つと、暴徒は村に逃げ込み、地主を襲撃し、地主は命からがら逃げる。

第2次世界大戦が始まると、村近くを通っていた鉄道の線路がはがされスクラップ鉄として売却され、またグレート・ハウスと村を隔てていた森も伐採され売却されるが、これは植民地政府と地主の経済状態の悪化を示している。一方スライム氏はますます成功し、地主の船舶会社の共同経営者となり、また彼のペニー銀行や共済組合も大きくなり、外部の資本家を迎える。最後にスライム氏は、地主から村の土地を買い取り、代理人を村に送り込んで、村人に土地の購入か、3週間以内の立ち退きを要求する。村人た

上／1935年セントキッツの暴動　1934–39年はイギリス領カリブ全域で、労働者のストライキと暴動が発生した。出典：Caribbean Labour Solidarity and Socialist History Society.
下／バルバドスの鉄道　1880年代に建設されたが、1937年に廃線とされ、現在は存在しない。

ちに土地を買うお金があるはずもなく、こうしてクレイトン村は、地主の没落と同時に消滅してしまう。

以上のように、この小説は、旧プランターの支配権の最終的消滅が、元奴隷の村人たちの生活基盤の消滅となり、彼らを不幸にしたことを描き出している。歴史学では、プランターの没落は元奴隷にとっては自由や解放を意味したと解釈されがちだが、現実はそんなに単純ではなかったかもしれないことを、この小説は示唆している。

またこの小説の中では、村人からは、地主とグレート・ハウスは「偉大なるもの」であり、庇護者として見えていたように描かれる。そもそもこの小説では奴隷制時代のことは言及されないため、村人たちは自分たちが奴隷であったことを忘却しており、地主と自分たちの関係を地主と小作人のような関係として考えているように見える。彼らにとっては、地主の退場は、圧制者からの解放ではなく、伝統的な社会構造の消滅であり、生活基盤の喪失であり、純然たる悲劇だった。

地主クレイトンは、この後も、森が伐採されてむき出しになった丘の上のグレート・ハウスで妻と暮らし続ける。小説では、「彼は別の時代の遺物として現存し」「とても孤独に違いない」が、「彼らはそこを出ていくことができなかった」「彼らは土壌に根を張っていた」と語られている。ただ、次世代である彼の娘は、イギリスへ去る。

1930年代の白人プランターの没落については、フィリス・バイアム＝シャンド・オーフリーの自伝的小説『オーキッド・ハウス』（1953年）にも描かれている。オーフリーは脱植民地時代の女性政治家兼小説家で、彼女については50章、52章に詳しい記述がある。オーフリーの実家バイアム＝

シャンド家は17世紀以来のアンティグアのプランターを先祖に持つドミニカ島の名家である。母方の祖父は、サー・ヘンリ・アルフレッド・アルフォード・ニコルズというナイト爵を持つ医師兼博物学者、母方の祖母はフランス領マルティニークのプランターの子孫であった。

この小説では、戦間期のドミニカの白人プランターが経済的にも肉体的にも退廃している状態が描かれている。一家は、祖父ニコルズの屋敷ラロマティークに住み、長年一家に仕えてきた数人の忠実な黒人使用人に囲まれて、何とか体面を保って暮らしているが、これは富裕な男性と結婚した末娘がこの家を買い戻してくれたおかげである。一家の主人は第1次世界大戦からの復員後、砲弾ショックから回復せず、麻薬依存症となっている。母の弟（ラルフ・ニコルズがモデル）は、白人プランターが越えてはならなかったカラー・ボーダーを越えて、カラードの女性と結婚する。カラードや黒人の知識人・富裕層が台頭する中、一家は孤立していくが、娘たちは現実を肯定的に受け入れ、労働運動に身を投じていく。

1930年代の白人プランターがみんな、以上の二つの小説に描き出されるような状態だったのかどうかは、歴史的な史料での裏付けが必要であり、ここで結論を出せることではない。しかし、この時期、白人プランターという社会的グループ全体が、政治的にも経済的にも追い詰められ、消滅に向かっていたことは事実であり、このうち最も弱い層がこれらの小説に出てくるような経験をしたことは疑いないことだろう。

（川分圭子）

III

英語圏としての旧英領カリブ世界

17

カリブ標準英語を求めて

★文化的架け橋としての辞書編纂★

外務省基礎データに基づいて記すと、旧英領カリブ諸国（独立国）の言語使用状況は表1のようになっていて、すべての国で英語が使用されている。この他にもカリブ海域の英語圏には、イギリスの海外領土となっているアンギラ、英領ヴァージン諸島、ケイマン諸島、モントセラト、タークス・カイコス諸島があり、自治領バーミューダもある。

カリブ海の英語とはどういう英語であろうか。発音や語彙には、それぞれの国、地域の特徴があるが、カリブ海域全体としては「カリブ標準英語」が意識されている。英語教育における習得目標もこのカリブ標準英語である。

カリブ標準英語は自明に存在するものではなく、旧英領カリブ海域の英語を包括するための概念として、辞書編纂等によりその輪郭が描き出されたものである。歴史的に植民地宗主国であったイギリスの英語ではなく、また、地理的に近く20世紀後半以降メディアからの影響も大きいアメリカ英語でもない。カリブ標準英語の実態を明らかにする過程は、言語の標準化、コード化の過程が常にそうであるように、極めて政治的な営みでもあった。

表1　旧英領カリブ諸国の言語

ジャマイカ	英語（公用語）、ジャマイカ・クレオール語（いわゆる「パトワ語」を含む）
トリニダード・トバゴ	英語（公用語）、ヒンディー語、フランス語、スペイン語、トリニダード・クレオール語等
バルバドス	英語（公用語）
ガイアナ	英語（公用語）、ガイアナ・クレオール語等
バハマ	英語（公用語）
グレナダ	英語（公用語）、グレナダ・クレオール語
ドミニカ国	英語（公用語）、フランス語系パトワ語
セントルシア	英語（公用語）、セントルシア・クレオール語
セントヴィンセント・グレナディーン諸島	英語（公用語）、セントヴィンセント・クレオール語
アンティグア・バーブーダ	英語（公用語）、アンティグア・クレオール語
ベリーズ	英語（公用語）、スペイン語、ベリーズ・クレオール語、モパン語等
セントキッツ・ネヴィス	英語（公用語）

出典：外務省基礎データ

1967年に提唱され、1996年に完成した『カリブ英語語法辞典』の編者リチャード・オルソップ（1923〜2009年）は、カリブ標準英語を「カリブ海地域の高等教育を受けた人々の書き言葉、およびそのような話者のフォーマルで社会的な状況で自然だとみなされる話し言葉」の総体だと述べる。語彙的には、カリブの英語圏各国で話されている英語の語彙をまとめたものであり、文法的には、国際的に認められた英語と共通であるが、発音の上でいくつかの特徴を持つと述べる。カリブ標準英語のこの定義は後続のカリブ英語の研究でも頻繁に参照されている。本章ではこの辞書の編纂の経緯を振り返り、「カリブ標準英語」の持つ意味を考える。

『カリブ英語語法辞典』はカリブ英語についての最初の本格的辞典である。編纂の

オルソップ編『カリブ英語語法辞典』

きっかけは、1967年春にトリニダードで開かれたカリブ学校長連盟で出された決議であった。「西インド諸島大学のしかるべき学科で、カリブ海の各地域の語彙リストを編纂し、教員の指導のために学校に回覧すること」を望むという決議である。これがジャマイカ、モナ校の西インド諸島大学事務局長に送られ、後にこの辞典の編纂者となったリチャード・オルソップのもとに送られてきた。辞書編纂の拠点は、西インド諸島大学ケイブヒル校（バルバドス）に置かれ、ガイアナ政府、バルバドス政府等の経済的支援を受けて、西インド諸島大学出版局から刊行された。

編者オルソップは英領ギアナ（現ガイアナ）出身で、イギリスのユニバーシティ・カレッジ・ロンドンで博士号を取得した。ガイアナのクイーンズ・カレッジ勤務を経て、バルバドスの西インド諸島大学ケイブヒル校で教鞭を執った。のちに『オックスフォード英語辞典』電子化プロジェクト（1984年〜）にも初のカリブ海域出身者として参加した、旧英領カリブ域を代表する辞書編纂者・言語学者の一人である。

1971年に始まった『カリブ英語語法辞典』の編纂時期は、イギリス、アメリカ以外の英語圏の英語辞書編纂と比較して、特に遅いわけではない。英語の大型辞典として最初に出版されたのは、1755年、イギリスのサミュエル・ジョンソンの『英語辞典』である。アメリカではノア・ウェブスターが1828年に『アメリカ英語辞典』を出版したが、それ以外の英語母語話者の国での辞書編纂は20世紀後半であった。カナダで『カナダ英語辞典』が出版されたのは1967年、オーストラリアの『マッコーリー英語辞典』は1981年、『オーストラリアナショナル辞典』は1988年の出版である。南アフリカ英語については、オックスフォード大学出版局が『歴史的原理に基づく南アフリカ英語辞典』を1996年に出版した。

『カリブ英語語法辞典』の編纂者はこの辞書が、カリブ海英語話者の島嶼間の障壁を壊し、文化的架け橋となることを目指していると序文で述べている。「地域内統合を内的にまた精神的に果たす役割を担い、国旗よりも力のある統合の象徴となるべきだ」というのである。領域内の学校に教材を提供する教育的ニーズ、言語情報を提供する学術的ニーズ、そして地域内諸国の相互理解の行政的ニーズを満たすことを目指しているとも述べる。

「国旗よりも力のある統合の象徴となるべき」というオルソップの言葉の意味は、辞書編纂の時期を政治的状況と重ね合わせてみると明らかになる。カリブ海域英国植民地の独立は、1940年代から検討され、1947年に最初の本格的会議が開かれた。最初は1958年に西インド連邦が成立し、将来的な独立が目指される。しかし1961年にジャマイカ、1962年にトリニダード・トバゴが連邦を離脱しての独立を決定し、連邦としての独立は困難になった。バルバドスも1966年に離脱して独立した。一方で、1973年にはカリブ共同体が発足した。

こうした政治状況の中で1967年にカリブ学校長連盟が、上記の「カリブ海の各地域の語彙リストを編纂し、教員の指導のために学校に回覧すること」を希望する決議を行ったのである。辞書編纂は1971年に始まり、1996年に完成した。旧英領カリブ諸国は、国旗を一つにする国にはならなかったが、カリブ標準英語を共有して結ばれているというメッセージが辞書序文に込められている。

カリブ標準英語の存在と特徴を、語法辞典によって明らかにしようとしたオルソップの試みには批判の声もある。つまり、植民地宗主国のイギリス人とその言語であるイギリス英語に代わって、独立後のカリブ海域の支配者階級が自分たちの言語として「標準英語」を記述しただけではないか、という批判である。この批判は主として、それぞれの国で話されているクレオール語を英語と並ぶ公用語として認めようと主張する立場からなされる。英語圏カリブ海域の中には、クレオール語を公用語にしている国はない。フランス語と並んでハイチ・クレオール語が公用語となっているハイチや、オランダ語と並んでクレオール語であるパピアメント語が公用語となっているオランダの自治領であるアルバとキュラソーの例があるのと異なる。

例えばジャマイカにおいて、ジャマイカ・クレオール語（パトワ語）がカリブ標準英語と並ぶ公用語の一つとして認められるようになれば、カリブ海域独自の言語的、文化的アイデンティティはより高まるであろう。一方で、グローバルなレベルで事実上の共通語となっている英語を公用語としていることの恩恵も、カリブ海域旧英領諸国は享受することができる。両者をにらみながらどう展開するか、今後の言語政策に注目したい。

（山口美知代）

18

母語でもなければ外国語でもない英語の教え方

★クレオール語との違いの認識から★

英語系クレオール語を家庭や友人と話して育った子どもたちにとって英語は、意識的に学ばなければならない言語である。しかし英語は、一から学ばなければならない第2言語でも外国語でもない。英語系クレオール語の語彙には英語の語彙と重なる部分が多いため、第2言語、外国語よりも身近に感じられるのだ。話し言葉としての英語と日常的に話し言葉として使っているクレオール語の差異を明確に意識することは、容易ではない。こうした言語環境の中で、英語はどのように教授されているだろうか。ジャマイカを中心に考える。

ジャマイカの小学校は1年生から6年生（グレード1からグレード6）までであり、6歳で入学する。教育を管轄する教育・青年省の指導要領（2020年）を見ると、「言語」（ランゲージアーツ）のグレード1の導入において、標準ジャマイカ英語とジャマイカ・クレオール語の違いを認識することが、スピーキングとリスニングの達成目標に挙げられている。クレオール語は「家庭の言語」（ホームランゲージ）とも言及される。ライティングでは「標準ジャマイカ英語とジャマイカ・クレオール語を適切に使って物語や意見等を伝えるために書くこと」が目標の一つである。標準英語とクレオール語を区別すること、また、それぞれを状況に応じて適切に使い分けることの必要性が繰り返し説かれる。

しかしながら、標準英語とクレオール語を併記してはいるものの、標準英語を学ぶことが優先されていることは文法の記述を見れば明らかである。ここでも「標準ジャマイカ英語とジャマイカ・クレオール語を区別しながら」「標準ジャマイカ英語とジャマイカ・クレオール語を適切に用いて」という但し書きは付いている。しかし具体的には、名詞の単数形に -s をつけて複数形を作ること、do の現在形 does, do を適切に使うこと、一人称単数代名詞を適切に使うことなどが目的として挙げられている。いずれもクレオール語とは異なる標準英語の文法規則である。

中等教育用の英語についての学習指導要領では、冒頭で学習者主体の学習を進めることの重要性が説かれる。家庭言語と呼ばれるジャマイカ・クレオール語が重視されているのも、その姿勢を反映している。ジャマイカ標準英語およびジャマイカ・クレオール語を区別してそれぞれの特徴を認識することの重要性が説かれており、言語のクリエイティブな使用と関連して、ジャマイカ標準英語とジャマイカ・クレオール語を効果的に使うことや、両方を使用しているラジオ番組を録音して、それぞれの特徴と効果を論じる、といった課題も提案されている。

ジャマイカの外にも目を転じるため、カリブ共同体（CARICOM）の中で共通試験（CCSLC）を実施するカリブ試験理事会（CXC）出版の教材『CCSLC英語』を見てみよう。CCSLCは、「個々人が社会の生産的な構成員として十全に参加する準備をすること」を目的として、各国政府が中等教育修了時に期待する水準を定めるものである。

『ＣＣＳＬＣ英語』では、「カリブ標準英語」は、「カリブ全域で話し言葉、書き言葉として用いられる英語」だと説明される。一方クレオール語は「カリブ海の国で、最も広く話されている言語」で、発音、語彙、文法について独自の規則を持っていると説明される。「教育を受けた大半のカリブの人々は、規則を学びさえすれば、クレオール語と標準英語の間を簡単に移動できる」とも説明される。

ジャマイカ・クレオール語で書かれたヴァレリー・ブルームの詩「机」の一部が紹介され、標準英語で書くとどうなるかも示されている。ブルームは１９５６年にジャマイカで生まれ、１９７９年からイギリスで暮らす詩人である。どうしてこの詩がクレオール語で書かれたか考えようという問いも設定されている。

『CCSLC 英語』

全２巻からなる『ＣＣＳＬＣ英語』では、クレオール語ではなく標準英語を使うべき場を理解すること、例えば就職のための面接などでは標準英語を使うことなどが繰り返し強調される。中等教育前半の英語教育の大きな課題として、標準英語の習得と標準英語使用が必要な場の理解が重要視されている。

高等教育でも英語力低下問題は顕在化している。西インド諸島大学モナ校で英語によるアカデミックライティング指導にあたったヴィヴェット・ミルソン・ワイトは『クレオールの影響を受けた学生たちのためのアカデミックライティング指導』(2015年)の中で、英語教育が必要なのは初等教育、中等教育だけではなく、高等教育においても英語のライティングを指導する必要があることを論じている。

21世紀の西インド諸島大学の戦略計画では、より多くの学生、より多様なバックグラウンドを持つ学生を受け入れるようになった。従来は、標準英語の4技能の力が確かな層の学生のみを受け入れてきていたが、高等教育を受けるのに必要な英語力を持たない学生も受け入れるようになったのである。

大学教育の大衆化は20世紀後半から21世紀に世界中の多くの国で起こった。大学進学率が上がる一方で、高等教育のレベルの低下も免れない。西インド諸島大学の場合は、こうした大学大衆化による問題点が、英語力の低下、とりわけライティング力の低下として顕在化した。1948年にジャマイカのモナ校に33人の医学部生を受け入れる高等教育機関として始まった大学は、今日では3か国の主要キャンパスと、多数の公開講座の分校を持ち5万人近い学生を擁する、英語圏カリブ海域最大の大学に発展した。その中で、母語でもなければ第2言語でも外国語でもない英語という課題が改めて浮上したのである。

(山口美知代)

19

ジャマイカの詩人ルイーズ・ベネット

★クレオール語の地位向上に貢献★

２０１９年は、ジャマイカの詩人ルイーズ・ベネット（１９１９〜２００６年）の生誕１００周年だった。親しみと敬意を込めて「ミス・ルー」と呼ばれるルイーズ・ベネットは、ラジオ、テレビ、新聞などパブリックな場でのクレオール語使用の容認度を高めた存在でもある。ジャマイカ国外でのパフォーマンスを通じても、ジャマイカ・クレオールの国際的認知度を高めることに貢献した。

ベネットの生誕１００周年には、ジャマイカ・クレオール語を英語と並ぶ国の公用語にしようという政府への請願に対する賛同の署名が募られた。集まった署名は必要な１万５０００筆の３分の１弱にあたる４８８０にとどまり、首相府で検討されることはなかったが、ベネットがクレオールの地位向上に果たした役割を示す出来事である。

１９１９年９月７日、ルイーズ・ベネットはキングストンで生まれた。ジャマイカの奴隷制が廃止されたときに11歳だった祖母の膝の上で、ジャマイカの歌や民話を聞きながら育っている。洋裁師として家計を支える母のもと、キングストンでセントサイモンズ中学校、エクセルシオール高校へと進む。在学中に標準英語を用いて詩作を始めたルイーズは、ある時、市場で働く女性たちのおしゃべりを耳にしたままの形で詩に綴ったところ、クラスメートに好評であったため、その後もクレオール語を使って詩作を続けることになったという。

1943年ベネットは『グリーナー』紙に連載を始め、毎週日曜日「ジャマイカ・イン・ダイアレクト（方言で綴るジャマイカ）」の欄に詩を書くことになった。この頃から愛読者から「ミス・ルル」「ミス・ルー」と呼ばれるようになる。クレオール語で書かれた作品が掲載されることに批判的な意見もあったが、読者には好評で、新聞も売れ行き好調だった。

新聞にクレオール語の詩が掲載されることは、クレオール語の口誦文芸としての機能にかなうものであった。新聞は、個人が黙読するだけではなく、掲載された記事や詩を家族や友人のために音読して集団で楽しむ習慣があったからである。

ベネットは1945年に、イギリスの国際交流機関ブリティッシュ・カウンシルの奨学金を得てロンドンの王立演劇学校に留学した。このことで、国際的な活動の道が拓かれた。ウィンドラッシュ号での移民が奨励されていた時代であり、奨学金を得て王立演劇学校に留学するのは極めてエリート的な待遇であった。

留学中にベネットは、BBCラジオ海外放送局のクリスマス企画でクレオール詩によるメッセージを披露して、才能を認められる。そして、30分のラジオ番組「カリビアン・カーニバル」を任されることになった。イギリスを代表する名門演劇学校でベネットは、「私は訛りを失くすために来たわけではなく、演劇について技術的な知識を得るために来た。これまで文化的に獲得してきたものを手放すつもりはない」と明言し、卒業時に『ロミオとジュリエット』の乳母の役をジャマイカ・クレオール語で演じて好評を博す。

『ジャマイカ・ラブリッシュ』(1966年)は、エンターテイナーとして、文学者として、また、ジャマイカの生活、思想、感覚の記録者としてのベネットの多方面の活躍を示す作品集として出版された。「ラブリッシュ」はジャマイカ英語の語彙で、「噂話、おしゃべり」を意味する。128編の詩が「町の生活」「戦時」「政治」「ジャマイカ今昔」の4部に分けられている。これらの詩は1940年代から1970年代までの出来事の歴史を記録すると同時に、一般のジャマイカ人のものの見方を描いてもいる。『セレクティドポエムズ』(1982年)は『ラブリッシュ』に含まれた47編も採録し、こちらは、ジャマイカの記録という観点からだけではなく、詩としての完成度が高いものを選んだと、編集のマーヴィン・モリスは記している。

ルイーズ・ベネット著『ジャマイカ・ラブリッシュ』

1944年のイギリス留学時に作られた詩「バンズ・ア・キリン」はクレオール語を擁護する力強い詩である。「バンズ・ア」は「たくさんの」を意味するジャマイカ・クレオール語の表現である。「キリン」は「キリング」、つまり「殺すこと」のクレオール語の発音を反映している。

あんたなんだね／噂はきいているよ／方言を皆殺してしまうと誓っているそうだね／
はっきりさせておきたいんだ、チャーリーさん／だって何のことだかよくわからないからね／
あんたは英語の方言を全部殺してしまうのかい／それともジャマイカ方言だけかい？／
英語の基準に合うなら／どうして方言だけを／下に見るのかい？（略）
あんたの自慢の言語だって／誇りに思い大事にしている言語だって／
かわいそうなチャーリーさん！　知らないんだね／あれももともと方言だったんだよ！／
言語にしようとして／14世紀からずっとそうしてきて／500年もかかってそれでも／
私たちより多くの方言があるんだよ／ランカシャー方言も殺さなくちゃいけない／
ヨークシャー方言も、コックニーも／スコットランド訛りもアイルランド訛りも／
そうしてから私を殺しにおいで／オックスフォードの英詩集から破り取らなきゃいけないね／
チョーサーもバーンズもレディ・グリゼルも／シェイクスピアだってたくさん！／
「ウィット」と「ユーモア」を殺してしまったら、「多様性」も殺してしまったら、次は独創性を殺す方法をみつけないといけないね！（略）

ベネットはジャマイカ・クレオール語をテレビやラジオで使用することによって、その認知度、社会的容認度を高めることに大きく貢献した。

例えば1966年から82年までラジオ・ジャマイカの番組で担当した長寿番組「ミス・ルーの見方」では、ジャマイカ・クレオール語でのコメントや、ことわざ、民謡の紹介、ミス・ルーの詩の朗読などを1回4分間の番組に盛り込んで紹介した。その中の50回分は『アンティ・ローチー・セー』(ローチーおばさんが言うことには)(1993年)として出版されており、巻末には用語解説もある。クレオール語での生き生きとした語りを読むことができる。

クレオール語を用いて詩を読み、話をするベネットは、大衆的な人気を得ると同時に、大衆にメッセージを伝えられる人材として当時の権力者から重用された面もある。1962年ジャマイカ独立以降、政治家はクレオール英語を使う大衆文化で人気のある人材を重用していた。1972年の国政選挙において人民国家党を支持し、1976年の暗殺未遂に遭ったレゲエの大スター、ボブ・マーリーがその顕著な例である。ルイーズ・ベネットもまた、人民国家党政権のもとで重用された。1982年、ルイーズ・ベネットのラジオ番組「スマイル・ジャマイカ」とテレビ番組「リング・ディング」は打ち切りとなったがこれは、1980年に政権交代があり、人民国家党に代わってジャマイカ労働党が政権をとったことが遠因とも考えられている。

2006年7月26日、ベネットはカナダのトロントで亡くなった。享年86歳であった。(山口美知代)

20

英語史とカリブ海域

★シェイクスピアからレゲエまで★

カリブ海域に英語がもたらされたのは、イギリス人が進出してきたときなので、16世紀後半ということになる。英語史的にはその時期の英語は初期近代英語と呼ばれる。シェイクスピアの時代の英語である。

初期近代英語期にイギリスのカリブ進出が始まったことを示す墓碑銘がセントキッツ・ネヴィスに残っている。ネヴィス島西部にあるセントトマス・アングリカン・チャーチは、1643年、カリブ海域最初の英国国教会の教会として建てられた。現在も教区民たちに使用されているこの教会の中には、エリザベス・レイクという女性の墓碑銘がある（写真）。ネヴィス島の総督であった故ジェイコブ・レイク氏の娘であり、1664年6月に14歳で亡くなったと記されている。教会の建物は1772年のハリケーンで被害を受けたのち、1860年に再建、2000年に大規模な修復がなされたものであるが、この碑文は残った。

この碑文の英語は、初期近代の英語の特徴を備えている。現在の英語ならばLIES（横たわる）となるところがLYESと綴られ、YEARS（歳）となるところがYEARESと綴られている。

Jの代わりにI、Uの代わりにVが用いられている。THの代わりにYを用いて、Yの上に小文字のeを書いてTHEを表すところも2か所ある。今日THの2文字で表す音は、中世初期にはソーンと呼ばれるルーン文字1字で表されており、その文字の形がYと似ていたためである。ソーンが使われなくなってからも、スペースの調整や擬古的効果のためにTHの代わりにYが用いられることがあった。

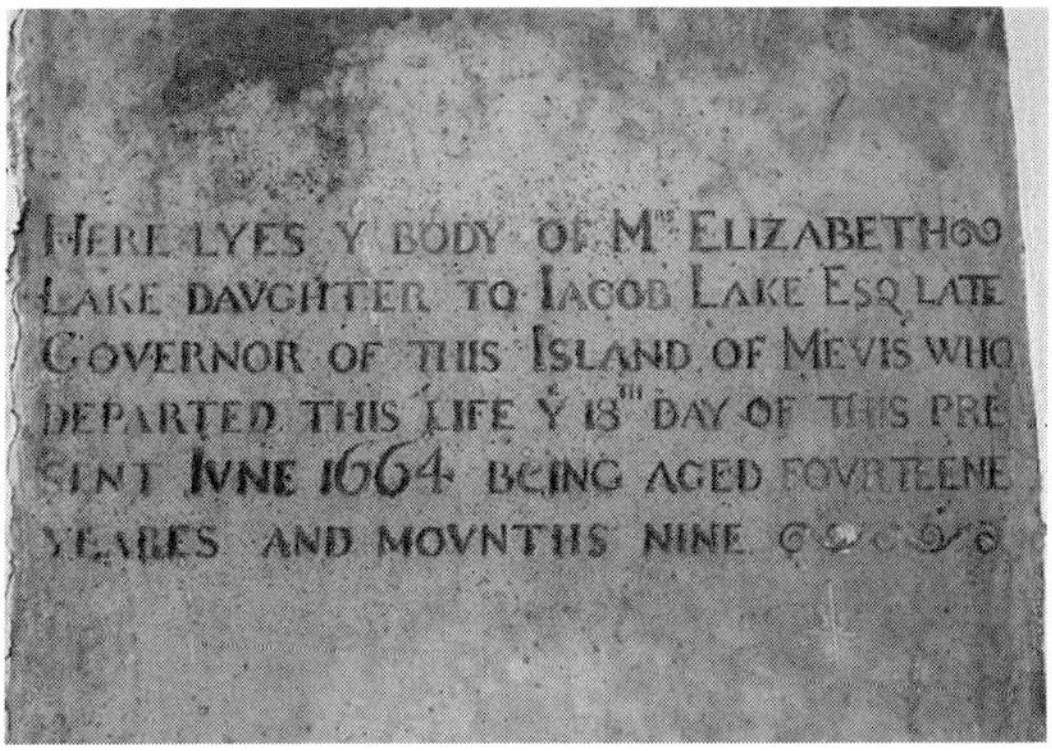

ネヴィス島セントトマス・アングリカン・チャーチの墓碑銘

5世紀のゲルマン民族のブリテン島への移動から始まる英語史の中で、17世紀というのはかなり時代の下ったところであるが、シェイクスピアの英語に近い英語であり、現代英語とは異なる特徴が残っていた。初期近代英語で記された墓碑銘は、こうした英語が使われていたときからイギリス人がカリブ海に進出していたことを示している。

英語は他言語からの借用語を多く取り入れて語彙を拡張してきた言語である。カリブ海域へのイギリス人進出時期から、カリブ海域の言語、カリブ語、アラワク語、タイノ語等からの借用が始まる。直接英語に入った語もあれば、先に進出していたスペイン人のスペイン語を経て英語に入った語もある。いくつか例を見てみよう。

アラワク語でCaribは元来「勇敢な人々」を意味したが、

後に「カリブ族」「カリブ語」を意味するようになった。コロンブスがハイチやキューバでこの語を記録したときに、カリブ人が食人種であるという誤解から「食人の」という意味を与えた。英語の「人を食う人間」を表すcannibalや、「食人風習」「カニバリズム」を表すcannibalismという語は、それに由来している。

シェイクスピアはローマ史劇『コリオレイナス』（1607〜08年）でcannibally「食人種のやり方で」という語を用いている。残虐であり獰猛であることから食人種という誤解が生まれたというが、先住民に対するヨーロッパ人の仕打ちこそが残虐であり獰猛であったわけで、これらの単語は支配国の偏見や価値観を今に伝えている。同じくシェイクスピアの『テンペスト』（1611年）に出てくる、主人公プロスペローの下男の半獣人キャリバンCalibanの命名においてもcannibalの語は意識されている。ポストコロニアル批評では『テンペスト』のキャリバンの視点からの読み替えがなされる。

英語のhurricane「ハリケーン」は、タイノ語の「風」「吹き飛ばす」を表す語hurdに由来する。カリブ海域や熱帯大西洋で起こる暴風を指すが、一般的に旋風性の大暴風を指すこともある。hammock「ハンモック」もアラワク語の「魚網」を表す語に由来するといわれる。canoe「カヌー」は、コロンブスが記録したカリブ語の中にあるkanoaが変化した。イギリスで「トウモロコシ」を意味するmaize（アメリカ英語のcorn）やpotato「じゃがいも」もタイノ語源である。barbecue「バーベキュー」は、西インド諸島で魚や肉をあぶるのに用いた木製の棚から来たと言われ、タイノ語またはアラワク語起源と考えられる。英語には、「燻製のための木製架、焼き網」の意味が最初に取り入れられ、そこから、野外パーティーや、今でいうバーベキューの意味へと広がった。なお、サトウキビを原料とする蒸留酒で、カリブ海特産とされるrum「ラム酒」は既存の語源不明の英語の語の短縮形と考えられている。

イギリスの海外進出に伴い、英語は進出先の先住民の言語から語を借用してきた。北米植民地、オーストラリア、インド、マレーシア、シンガポール、アフリカから多くの語が英語の語彙に入った。カリブ海域も侵略された地として語彙を提供したのである。

ここまでで紹介した単語はカリブ海の言語起源とは意識されないくらい英語の語彙として定着している。一方で、20世紀後半以降には、カリブ海発信の文化、とりわけジャマイカのラスタファリ運動（アフリカ回帰主義を奨励する思想運動）の言葉が国外の若者の英語の中に取り入れられたものもある。dreadlock「ドレッドロック」はラスタファリアンやレゲエミュージシャンが始めた、縮れ毛を細かく編んだ髪型である。単にdread「ドレッド」と呼ばれることもある。

英語のdub「ダブ」はdoubleから派生した「（映像に）音声を入れる」「（映像を）他の言語に吹き替える」「（テープ・ビデオを）複製する」などの意味を持つ語であった。日本語の「ダビング」は3つ目の意味で使われている。その英単語に新たな意味の「レゲエで用いられる録音制作様式、ある楽器演奏部分の削除誇張、エコーの強調などを行う」「レゲエのリズムに乗せて語られる西インド諸島の詩、ダブポエトリー」（『ジーニアス英和大辞典』）が加わった。日本語ではカタカナで「ダブ」と呼ばれる。

dance hall「ダンスホール」は、元来は文字通りのダンスをするホールのことであったが、ジャマイカで生まれた「ダンスホールレゲエ」つまりラガとも呼ばれる「DJが録音された伴奏に即興で歌詞をつけるレゲエとヒップホップの融合したダンス音楽の一種」（『リーダーズ英和辞典』第3版）のことを指すようにもなった。

sound system（サウンドシステム）は、従来「音声体系」「音響システム」を意味したが、ジャマイカで生まれた「サウンドシステム」と呼ばれる「車に装置を積み、街頭でレコードをかけたりＤＪをすること」（『ランダムハウス英和大辞典』第２版）の意味を持つようになった。

なおこの章で語義を引用するために参照したのはいずれも収録語彙数の多い代表的な英和辞書であるが、辞書によってジャマイカ英語と関連する語義の載っているものとそうでないものが分かれている。新しい意味の英語圏での定着と日本での認知の度合いに差があることがわかる。

（山口美知代）

21

レゲエと英語とクレオール語

★無形文化遺産となったジャマイカの国民的文化★

「ジャマイカといえばレゲエ」という連想は強い。サッカーの男子日本代表チームがサムライブルーと呼ばれるように、ジャマイカの代表チームはレゲエボーイズと呼ばれるほどである。レゲエは今日ではジャマイカを代表する音楽という枠を超えて、国際的にもよく知られたジャマイカの代名詞となっている。

レゲエは1960年代、首都キングストンの貧困地域で生まれ、貧困に苦しむ黒人たちの不満とメッセージ、特にアフリカ回帰のラスタファリの思想と強く結びついて広まった。偶数拍を強調する、いわゆる裏打ちのリズムが特徴的である。レゲエのリズムは「リディム」と呼ばれる。これは標準英語の「リズム」rhythm のTHの音をDで置き換えるジャマイカ英語の発音である。

1970年代は、レゲエが海外に広まった時代であった。特に、イギリス、アメリカ、アフリカなどで広く知られるようになる。1972年のレゲエ映画「ハーダー・ゼイ・カム」のジャマイカ国外での成功も、レゲエを広めるのに貢献した（この映画のサウンド・トラック・アルバムは「ザ・ハーダー・ゼイ・カム」と英語原題をカタカナ表記しているが映画邦題はザをとった形が定訳である）。

ジャマイカで製作された初の長編映画「ハーダー・ゼイ・カム」の成功を受けて、その後、国内外でレゲエ映画が製作されるようになった。また、ジャマイカにおける長編映画の製作も緒に就いた。21世紀初めにはレゲエはジャマイカの国民的文化としてすっかり定着していた。２００８年には、ジャマイカ・レゲエ映画祭が始まったが、このときにジャマイカでの映画製作振興を支援するためのジャマイカ映画アカデミーも設立された。レゲエ映画祭は、ジャマイカ政府および産業界からの経済的支援を受け、イギリスのレゲエ映画団体からの支援も受けた。

レゲエの国際的な認知を確固たるものにしたのが、２０１８年の国連教育科学文化機関（ユネスコ）の無形文化遺産への登録といえるだろう。ユネスコは「不平等、抵抗、愛、人間性といった国際的な問題の表現に対するレゲエの貢献は、知的、社会政治的、感覚的、精神的な要素の具現化といえる」と登録の理由を述べている。

レゲエがイギリスで広く受け入れられイギリスのポピュラー音楽に大きな影響を与えたことの背景には、カリブ海からの移民推進政策によりカリブ系住民が多かったことがある。そして、そうした社会的背景とともにごくシンプルな事実として、レゲエの歌詞が英語であったことも、レゲエの国際的な人気獲得に大きな意味を持った。

ジャマイカがイギリスの植民地支配を受けていたことを考えると、これは当然のことに思われるかもしれないが、そうではない。レゲエの言語が英語であったことは、初期のレゲエの社会的背景およびメッセージ性を考慮するならば、立ち止まって考えるべき事柄なのだ。なぜならば、英語は大多数

第21章

レゲエと英語とクレオール語

のジャマイカ国民にとって母語ではないからである（18章）。

大多数のジャマイカ人は英語とジャマイカ・クレオール語の違いを明確に意識していない。しかし、多くの家庭の言語はジャマイカ・クレオール語であり、特に初期のレゲエが強く結びついていた社会的不平等に苦しむ階層の人々にとってはそうだった。

それにもかかわらず、ボブ・マーリーがいたザ・ウェイラーズの曲やマーリーの曲の歌詞のほとんどは、ジャマイカ・クレオール語ではなく英語であった。レゲエの歌詞が英語であったのはなぜだろうか？

確かにジャマイカには口誦文芸としてクレオール語を使った朗読やパフォーマンスの伝統はあった。しかし、レゲエはそうしたローカルなクレオール文化とは異なる伝統の中に位置付けられる音楽だった。むしろ、アメリカのリズム・アンド・ブルースからの影響を受けている。英語圏の音楽からの影響を受け、また、英語圏への発信も意識された楽曲づくりの中で、ジャマイカ・クレオール語ではなく英語が用いられたといえる。

そして結果的にジャマイカ・クレオール語ではなく英語で歌われていることにより、レゲエは英語圏で受け入れられただけでなく、英語圏以外の英語を公用語とする地域や、英語圏文化への親和性が高い地域でも受け入れられることとなった。

ボブ・マーリーなどのレゲエがルーツ・ロック・レゲエと呼ばれるのに対して、時代を下る中で生まれた、テンポが速くドラムマシンなどの打ち込みによって製作されるレゲエはダンスホール・レゲエ、またはダンスホールと呼ばれる。1980年代以降、存在感を強めたダンスホール・レゲエは、

DJスタイルで歌われ、また内容も性的で下世話なものが多い。そして、ここで使われる言語は、英語ではなくジャマイカ・クレオール語であった。

ダンスホール・レゲエで英語ではなくジャマイカ・クレオール語が使われるのは、クレオール語の持っている社会的地位の低さ、それゆえに与える反権力的、反体制的なイメージが、ダンスホール・レゲエの文化に適しているからである。社会的には低くみられる言葉こそが望ましいというのは、社会言語学的には潜在的威信と呼ばれる概念である。非標準語や方言が、男性らしさと結びついて積極的に評価される場合があるのは、ジャマイカに限らない。ジャマイカのダンスホールでは、社会的規範を逸脱していること、「バッドネス」、「スラックネス」（性的で下品であること）が重視されたが、それは英語によってよりも、ジャマイカ・クレオール語によってこそより効果的に伝えられるものと考えられた。

とりわけサウンド・クラッシュと呼ばれる言語バトルでは、相手を負かすために相手を罵倒するような言語が使われ、それにはジャマイカ・クレオール語が適している。バトルの勝敗は観客が決めるが、観客の共感を勝ち得るのは英語ではなく、ジャマイカ・クレオール語でなければならないのである。

この一方で、ダンスホールで有名になったDJやシンガーがより広い世界、つまり国際的な販路を求めて活動を広げるときには、ジャマイカ・クレオール語ではなく英語を用いるという選択肢もある。国内の観客の支持を集めるジャマイカ・クレオール語と、国際的な市場で通用する英語の両方を使うミュージシャンは常に存在したが、これからも増えていくことだろう。

（山口美知代）

22

歴史を映す各地のクレオール語

★言語接触により生まれた言語★

現・旧英領カリブ海域の公用語は英語であるが、住民の大多数にとって英語は母語ではない。英語が話せない、または英語の読み書きができない人もいる。彼らが日常的に用いる言語は、それぞれの地域のクレオール語だからである。

カリブ海域では植民地時代に、支配者であるヨーロッパ人の言語（英語、フランス語、スペイン語、オランダ語等）と黒人奴隷の言語が接触して、ピジンと呼ばれる混淆言語が生まれた。語彙、文法において単純化された言語である。この混淆言語を使う奴隷たちに子どもが生まれたとき、彼らはその混淆言語を母語として習得した。語彙、文法においてもピジンより複雑になった第2世代の言語をクレオール語と呼ぶ。

本章ではカリブ海の現・旧イギリス領における英語系クレオール語と、英語圏外で用いられる英語系クレオール語について整理する。なお本書では、「クレオール」という語が人や料理を指して用いられる場合と区別するために、言語については「クレオール語」と記す。

カリブ海の英語系クレオール語は東カリブ海と西カリブ海に分類できる。また、英語との文法的、音声的な乖離の度合いに

西カリブ海 下層語	西カリブ海 中層語	東カリブ海 下層語	東カリブ海 中層語
ベーリーズ	バハマ	アンティグア・バーブーダ	バルバドス
ジャマイカ	バイーア諸島	グレナダ	ドミニカ
ミスキトコースト	ケイマン諸島	ガイアナ	セントルシア
プロヴィデンシア		モントセラト	トリニダード
サンアンドレ		セントキッツ・ネヴィス	
		セントヴィンセント	
		トバゴ	

図１　カリブ海域英語クレオール語（Winford (1993) に基づく）

よって、下層クレオール語と中層クレオール語にも分類できる。この二つの分類概念を使うことにより、カリブ海の英語系クレオール語は図1のように分類できる。

まず地域的にみるとカリブ海域の英語系クレオール語は大きく東カリブ海域のものと西カリブ海域のものにに分けられる。東カリブ海域は、リーワード諸島、ウィンドワード諸島、バルバドス、トリニダード・トバゴ、ガイアナ等を含み、西カリブ海域は、ジャマイカ、ケイマン諸島、バハマ等を含む。

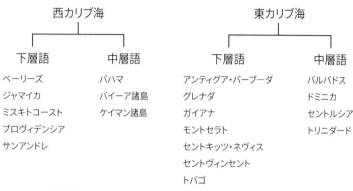

東カリブ海域の英語系クレオール語と西カリブ海域の英語系クレオール語には、時制の表し方や代名詞の形において違いがある。例えば、西カリブ海域のジャマイカの英語系クレオール語では進行形を表すのに〈a＋動詞〉の形を用いるが、東カリブ海域のトリニダードの英語系クレオール語では〈(be 動詞を用いず) 動詞 ing〉の形を用いる。

カリブ海域のクレオール語を分類するもう一つの指標は、英語との乖離の度合いである。文法、語彙、音韻において英語と乖離が大きいクレオール語を下層クレオール語（保守的なクレオール語）と呼び、英語との乖離が比較的小さいクレオール語を中層クレオール語（中間的なクレオール語）と呼ぶ。

英語との乖離の大きい下層クレオール語の例として、西カリブ海域のジャマイカ・クレオール語がある。ジャマイカは、プランテーションの奴隷と英語母語話者の接触が少ない環境でクレオール語が発達した。逃亡奴隷が独自のコミュニティを作ったことも英語から乖離したクレオール語が発達した背景である。

一方で、東カリブ海域のバルバドスのクレオール語は、英語との乖離が比較的小さい。バルバドスへイギリス人が入植を開始したのは１６２０年代で、ジャマイカへの入植よりも30年近く早い。しかし早く入植した地域でクレオール語がより独自の進化を示すわけではない。バルバドスにはイギリス人の入植後、黒人奴隷を大量に使用してサトウキビ・プランテーションが始まるまでに、少数の年季奉公人を使ってタバコ・プランテーションを行っていた時期がある。このときに英語と接触の多い環境でクレオール語が誕生したため、現在のバルバドスの英語系クレオール語は英語との乖離が比較的少ないと考えられている。

クレオール語の英語との乖離の度合いに影響を与えるもう一つの要因は、他所から移住してきた人々の存在である。例えば、東カリブ海域のトリニダードのクレオール語は中間語的クレオール語と位置付けられるがこれには19世紀のトリニダードの言語状況が影響している。トリニダードは、１７９７年にスペイン領からイギリス領となったがそれに先立ってフランス語系クレオール語話者であるフランス系白人とその奴隷が多数流入していた。19世紀前半にはバルバドス、小アンティル諸島からの英語系クレオール語話者の流入も多かった。さらにトリニダードにはインドからの年季契約労働者の移住もあり、言語的に極めて多様な状況が生まれていた。そして19世紀から20世紀の初めまでの間に、英語系クレオール語がトリニダードにおける多数派言語となっていった。つまりトリニダードの英語系クレオール語は、主として19世紀以降にトリニダードに移住してきた英語系クレオール語話者および英語話者との言語接触の中で生まれてきたものだと考えられている。

このように、東カリブ海域においても、西カリブ海域においても、それぞれの地域固有の歴史により、英語との乖離の度合いが異なる英語系クレオール語が生まれている。

カリブ海域には一時的にイギリス領でありながらもフランス領またはスペイン領として植民地の歴史を終え独立した地域もある。そのような地域では英語または英語系クレオール語の話者は存在するものの少数派である。

ミスキートコーストと呼ばれるスペイン語圏ニカラグアの大西洋岸には英語話者および英語系クレオール語話者が存在する。17世紀後半のモスキティア王国や、のちのモスキート保護区がニカラグアのカリブ海岸地域における英語圏または英語系クレオール語圏を作り上げた。民族的には先住民にヨーロッパ系の海賊および黒人奴隷たちが関わり、近隣のジャマイカから英語系クレオール語母語話者の黒人も加わった。

同じくスペイン語圏ホンジュラスの沖合にも英語または英語系クレオール語話者の多いバイーア諸島がある。1638年以来イギリス人が断続的に入植を繰り返していたので英語話者および英語系クレオール語話者が多いのだ。1970年代以降はリゾートとしての開発が進み、英語が通じることがその強みともなっている。しかしホンジュラスという国全体を考えると、スペイン語を公用語とする国の中で特異な位置を占めると言える。

地理的にはニカラグアに近いがコロンビアの領土であるプロビデンシア島とサンアンドレス島の住人も、英語系クレオール語を母語としている。プロビデンシア島には1625年にイギリスからピューリタンが入植した。現在5000人余りの島民のカリブ海所属意識が強くラスタファリアンが多い。サンアンドレス島は平地が多くプランテーション農業に適していたため黒人奴隷が多く移住してきた。スペイン語公用語国の中に、英語系クレオール語話者が少数派として暮らしているのである。

（山口美知代）

コラム5

バルバドスのクリケット映画『ヒット・フォー・シックス！』

山口美知代

バルバドスの映画監督アリソン・ソーンダース・フランクリンが製作・脚本・監督を担当したクリケット映画『ヒット・フォー・シックス！』（2007年）は、ハートウォーミングなスポーツ映画である。言語は標準的な英語でクレオール語はほとんど使われていない。タイトルは「6点を取る」を意味するクリケット用語で、相手チームに大きな打撃を与えるという意味のイディオムとしても使われる。

主人公のアレックス・ネルソン（アンドリュー・ピルグリム）はクリケット代表チームから外されているうえに、八百長試合をした疑いをかけられて選手生命の危機に立っている。彼の父コリン・トンプソン（ルドルフ・ウォーカー）は、西インド諸島代表のクリケットチーム、ウィンディーズの黄金時代であった1970年代、80年代に代表選手として活躍したが、試合中に受けた差別的な扱いに嫌気がさしてクリケットをやめ、妻子をバルバドスに残して一人イングランドに旅立った。父は今回受賞式のために30年ぶりの帰郷を果たす。女にスポーツ記事は任せられないと上司に言われながらもアレックスを取材し、彼に惹かれていく記者との関係も描かれる。バルバドスの海辺のホテル、セントルシアの美しい海岸や、トリニダードのカーニバルの場面も挟まれ、東カリブ海ウィンドワード諸島のツーリズムを振興する映画でもある。

また、クリケットの往年の名選手エヴァートン・ウィークス、ウェズリー・ホール、ジョエル・ガーナー、デズモンド・ヘインズ、ゴードン・グリニッジらが本人役で、主人公の父の友人としてカメオ出演する。劇中の試合実況は実際にクリケットの試合中継を行っているアナウンサーが行っているところも見どころである。

この映画については、カリブ海域外の市場に訴えることは難しいという厳しめの評価も見られた。確かに監督自身が影響を受けたというインドのクリケット映画『ラガーン』（2001年）のように、米国アカデミー外国語（現・国際長編）映画賞にノミネートされるような映画ではない。

とはいうものの旧英領カリブ諸国におけるクリケットの人気を知る上ではとても興味深い映画である。例えば、女性記者がセントルシアでの試合に同行途中で、C・L・R・ジェームズの『境界を越えて』を読んでいる。それを見た主人公が、歴史家・作家・政治活動家で、クリケット選手でもあったトリニダード出身のジェームズを称える発言をする場面などもある。

イギリス発祥のこのスポーツを通して旧英領カリブ諸国が交流する様子も興味深い。1953年、小説家ジョージ・ラミングは第2次世界大戦中のバルバドスを描いた『私の肌の砦のなかで』の中で、クリケット人気と労働争議のどちらもが植民地支配体制に根差すことを描いた。「彼には、トリニダードでの騒乱の詳細はわからなかったが、それらは本質的にはバルバドスにて大規模に始まろうとしているストライキと同じ範疇に入ることは理解できた。彼は二つの島の間で競われる、毎年恒例のクリケットの勝抜戦をとおしてトリニダードのことを知っていたのだ（略）トリニダードにおけるストライキ

『境界を越えて』（本橋哲也訳、月曜社）

と反乱、そしてクリケット選手たちのことを考えると、ある意味でそれらがすべて同じ一連のできごとに属しているように思えるのだったが、その理由を自分で説明することができなかった」（吉田裕訳『私の肌の砦のなかで』月曜社、14～5頁）

バルバドスもトリニダード・トバゴも独立した現在もなお、旧英領カリブ諸国におけるクリケット人気は両国をゆるやかにつないでいる。

Ⅳ

イギリス領カリブの成立と自立

23

労働組合から政党へ

★奴隷制廃止後の英領ドミニカを例に★

英領における奴隷制が廃止された1833年以降、英領カリブ海諸島の中でも、ドミニカではムラート（mullato）と呼ばれる黒人と白人の混血の人々の勢力がきわだって強く、プランテーション管理人（overseer）や、中小貿易商、軍人などとして存在感を高めていた。彼らは経済力を背景に植民地議会にも進出し、白人支配層と対峙していった。しかし、白人支配層を脅かす彼らの勢力拡大は確実に阻止されていく。1871年にドミニカは「リーワード諸島連邦（the Leeward Islands Federation）」に組み込まれ（4章）、島の行政トップである弁務官（comissioner）は、アンティグア総督から任命されるという二重の支配構造に置かれた。二重支配は結果的に、政治的・経済的混乱と非効率をもたらす。政治的に排除された新興勢力のほか解放されたはずの元奴隷たちの不満は、インフラ整備の遅れと相まって、しばしば暴動に至った。

二重の支配構造がもたらした不作為を無視できなくなったイギリス本国政府は、調査官を現地に派遣し実状を報告させた。その結果、1895年ドミニカに行政長官のポストが新設され、行政トップの権限が引き上げられた。また、96年ドミニカを直轄植民地とすることと引き換えに、本国から莫大な助成金が投入された。特に99年に着任したヘスキス・ベル行政長官の下で開発は一気に進む。島内部を走る主要道路の整備、電話線の敷設、郵便事業の開始、公共図書館建設などの大事業が1905年ごろまでに着手、完成していった。32章、33章で登場する1890年同島生まれの作家ジーン・リースも、最新の公共サービスを享受し建造ラッシュを目にしただろう。

だが、開発が軌道に乗らないうちに、植民地経済は大打撃を受ける。4年以上にわたる第1次世界大戦（1914〜18年）とその後の世界恐慌により、イギリス本国が深刻な経済不況に陥ったからだ。一方で、宗主国の衰えは自治を求める人々を活気づけることにもなった。20年代から30年代にかけて、英領西インド植民地は再び政治改革運動の熱気に包まれる。

ドミニカでは、直轄植民地化によって政治的活動から締め出されていたムラートら中産階級が、公選議員による植民地議会の復活を要求するようになる。1924年に新憲法が制定され、28年ぶりに立法院における議員の公選制が一部復活し、翌25年に4人の公選議員が誕生する。これ以降、行政長官の命を受けた白人を中心とする任命議員の権限に対して、ムラートを中心とする公選議員と彼らの支持者が抵抗し、政治改革運動は急速に高まる。これら一連のドミニカにおける政治改革の波が、他の英領西インド諸島でも同じように高まっていたことは、32年秋に英領西インドの自治をめざす各島のリーダーたちが参集した「ドミニカ会議」開催（25章）からも窺える。

ただしドミニカでは、興隆する政治改革運動の担い手は、必ずしもムラートと彼らを支持する黒人層つまり元奴隷であった人々だけではなかった。例えばドミニカで初の女性議員となったのは、エルマ・ネイピア（1892〜1973年）というドミニカ生まれでもなく、プランターの娘でもない、スコットランド生まれの来島者だった。スコットランドの地主で陸軍将校であり王室とも交流のあった父が、王室スキャンダルに巻き込まれ失脚するという不運に見舞われる。結婚によって没落しかけた家族を盛り立てようと、エルマは富裕な実業家と結婚する。だが、数年後、彼女は別の男性と恋に落ちる。再婚相手のレノックス・ネイピア（1891〜1940年）もやり手の実業家で、夫妻は英領植民地をたびたび訪れては長逗留するという生活を送っていた。

　ネイピア夫妻が初めてドミニカを訪れたのは1931年。翌年には同島に移住した。時は労働争議が頻発し政治改革運動がピークに達する「政治の季節」の只中だった。この時代には、大英帝国臣民であればどの領土でも現地の選挙法に則り現地議会のメンバーになることが可能だったと、ドミニカの『女性と議会の歴史』（2012年）は説明しているが、もちろんすべての「臣民」に政治参加が可能だったわけではない。36年に新立法議会が発足した際に、本国から来た裕福な実業家である夫がドミニカ東部選挙区から議員に選ばれる。39年本国から視察に来島した「モイン委員会」（25章）委員たちに、彼は大型船が着岸できる埠頭《ふとう》の建設を直訴している。夫の政治的手腕への評価が高まると、妻ネイピアは地域の自然保全に乗り出すと同時に、観光に訪れるサマセット・モームら文人や、マーガレット王女など本国王室関係者をもてなし、ドミニカの知名度を多少とも上げることに一役買った。

　ネイピアの夫が議員に選ばれたちょうどその時期、およそ30年ぶりに帰郷していたジーン・リースは、食事に招待してきたネイピアを快く思わなかった。小説も発表していたネイピアが、リースの夫が出版代理業をしていることを知って「慌てて招待したのだ」と、友人宛ての手紙に皮肉を綴っている。彼女は、ネイピアだけでなくモームをはじめ何人もの作家がこの海域を訪れ作品にしていることに触れ、「西インドを愛してやまない私には、愛もなく、20年も暮らさずして、あるいはここに生まれもしないのに、当地のすばらしさを描ける人間がいることが信じがたい」と書く。そこには、訪問者や本国から来た新参者に対する、クレオールとしての対抗心が垣間見える。

切手になったエルマ・ネイピア
（Caribbean Literature Heritage の Facebook 投稿より）

リースの悔しさとは裏腹に、島は「新参者」に政治参加の機会を与える。36年に公選議員が議会の半数を占めるよう改革された新立法議会に、4年後エルマ・ネイピアが初の女性議員に選出された。また、この頃になると、没落した白人（男性）がムラート女性と結婚し、政治の舞台で活躍することも珍しくなくなった。16章に登場した政治家で作家のクレオール、フィリス・バイアム＝シャンド・オーフリーの、母方のおじラルフ・ニコルズはその典型だろう。仏系カトリックの富裕なムラート女性との結婚を、父親から勘当されても強行し、親族となったムラートやムラートの改革に追随しようとするアフリカ系島民の支持を受けた。彼も「モイン委員会」来島時に、委員たちを島のスラムに案内し労働条件改善を訴えた「英雄」だ。ラルフを中心に45年ドミニカ労働組合が結成され、これがドミニカ初の政党「ドミニカ労働党」(55年)の母体となる。

英領ドミニカ島はこの後、西インド連邦(1958〜62年)に参加する。その経過と連邦崩壊への過程と独立までの道のりについては25章で紹介する。政治運動の本格的な出発点ともいえる1920〜30年代にかけて、その中心にいたのは、奴隷制廃止後の本国政府によるずさんな支配を直接経験した者たちとは限らなかった。とりわけ元奴隷たちアフリカ系島民らが政治的・文化的に力をつけていくには、アメリカ合衆国における「ブラック・パワー」のうねりがカリブ海に到達する60年代まで待たねばならなかった。

(堀内真由美)

24

1930年代ロンドン

★第三世界人脈の磁場★

２０２０年初夏、コロナ禍のアメリカ合衆国ミネアポリスで発生した、白人警官による黒人男性への暴力行為は、被害者の苦痛の表情とその後の彼の死が画像とともに伝えられると、黒人差別への関心がそれほど高くはない日本社会にも、大きな衝撃を与えた。

黒人住民の多い欧州各国では、この事件に対する強い抗議活動が同時多発的に起こった。47章にあるように、イギリスでは、奴隷貿易で莫大な利益を得ていたとして、エドワード・コルストンの像が引き倒された。このとき人種差別に対して声を上げて行動した人々は、いわゆるアフリカ系黒人だけではなかった。一方、45章と60章で紹介するノッティングヒル暴動（１９５８年）やブリクストン暴動（１９８１年）では、人種差別主義者や警察のターゲットとなったアフリカ系黒人が、「売られたケンカ」にみずから立ち向かっていった。イギリスでは半世紀以上に及ぶ歳月の間に、人種主義に敏感な白人市民が確実に育っていたといえるかもしれない。

時代を戦前に戻そう。１９３１年アメリカ合衆国アラバマ州で、13歳の少年を含む若い黒人男性９人が、白人女性２人をレイプしたとして死刑判決を受けた。白人女性に性暴力をはたらいたとして、証拠もなく黒人男性を死に至らしめる「リンチ（私刑）」が横行していた時代である。スコッツボロ裁判所が下した判決を不当とし、彼らの無実を証明し救済する運動がアメリカ共産党を中心に展開され、人種差別に関する国際的問題へと広がっていった。後に「スコッツボロ事件」と呼ばれる出来事である。

ジョージ・パドモア

「スコッツボロ事件」の被告少年たちを救済すべく運動した人々の中に、英領西インド植民地出身の活動家がいた。ジョージ・パドモア、本名マルコム・ナース（1903〜59年）である。日本ではほぼ無名の彼の半生をたどると、人種主義、帝国主義そしてファシズムが渦巻く第2次世界大戦前の大英帝国の帝都ロンドンで、後述のようにケニヤッタやネルーなど、独立後の政治を担う植民地指導者や、彼らを支持する様々な肌の色の活動家が交流していたことがわかる。

1903年に英領西インド、トリニダード島で生まれたジョージ・パドモアは、24年、医学を学ぶため渡米する。彼は様々な場所でイギリス統治の問題を語り歩いた。27年、正式にアメリカ共産党に入党し、黒人労働者の組織化に専心する。有能な書き手でもあったパドモアは、1929年に国際共産主義組織コミンテルンの黒人局リーダーとして、妻子を置いたままソビエト連邦へと旅立つ。モスクワでは、思想啓発冊子の執筆や、現地の英字新聞に政治記事を寄稿した。ソビエト連邦入国の際、ビザを喪失したためアメリカへの再入国ができなくなったパドモアは、この後、欧州各地を転々として、スコッツボロ支援活動やコミンテルンの労働者救済活動を担う。彼は共産党内の人種主義と闘い

第24章
1930年代ロンドン

つつ、他方ではソ連を人種的に調和した政体だと信じてもいた。

1933年のヒトラーによる権力掌握後ドイツのハンブルクで逮捕され、数か月の収監の後に保釈され送還された「宗主国」イギリスでの生活が、パドモアにとって転機となった。ロンドンでは、後にケニア大統領となるジョモ・ケニヤッタと親交を深め、西インド植民地だけでなく英領アフリカにおける解放運動にも傾倒していく。その過程で、パドモアは、植民地支配と人種主義の問題に対して積極的に関与しようとしない共産主義に疑問を呈するようになる。

1938年のロンドンは、植民地活動家による交流が最も頻繁に起こった場所だったかもしれない。この年、英領ジャマイカでは、それまでで最大規模の労働者デモに向け、植民地警察が発砲するという事件が起こり、パドモアはイギリスの姿勢を辛辣に批判した。また同年の、チェコスロバキアのズデーテン地方の帰属問題を解決するため英、仏、伊、独の首脳が開いた「ミュンヘン会談」で、ズデーテン地方領有に関してヒトラーに譲歩した宗主国に対し、植民地インドからロンドンにやって来たジャワハルラール・ネルーは、彼を一目見ようと集まった聴衆を前に、「ファシズムの肩を持った裏切り者だ」と糾弾した。

一方、ロンドン滞在中のネルーをハマースミスの自宅に招待した、社会主義者でフェミニスト作家でもあったナオミ・ミッチソンは、この年、一人の若い白人西インド人女性を秘書として雇っていた。1958年に成立する「西インド連邦」に、唯一の白人、唯一の女性閣僚として入閣するフィリス・バイアム＝シャンド・オーフリーである。彼女は、大恐慌の波に飲み込まれた生まれ故郷ドミニカ島を10代で離れ、職を求めて北米を経由した後、宗主国イギリスにたどり着いた。彼女の伝記には、38

年の「オックスフォード対ケンブリッジ・ボートレース・パーティー」にミッチソンの私邸に招かれたネルーと、当時オックスフォード大に学んでいた娘インディラに会ったことが記されている。

こうして有名、無名の大勢の活動家たちがロンドンで行き交った。パドモアのように自身の思想を見つめ直し新たな活動に邁進《まいしん》した者、ネルーのように植民地支配の実相を宗主国で訴えた者、また、オーフリーのように、植民地生まれの自らの役割を、生命を賭けて活動する先達たちに学びながら自覚していった者。

その後も「帝都」が第三世界人脈の磁場の役割を果たしたかといえば、残念ながらそうはならなかった。イギリス自身がその役割を諦め、最後には放棄したからだ。

第2次大戦後のイギリスに、もはや磁場は存在しなかった。英領最大の植民地インドは、1947年に、多数派ヒンドゥー教徒と少数派イスラム教徒がそれぞれインドとパキスタンとして分離独立する。宗主国が提案した「インド連邦」としての独立が叶わなかったばかりか、独立前後の騒乱で両教徒の間に多数の犠牲者を出した。58年に成立した「西インド連邦」も、25章で見るように、ジャマイカとトリニダードの離脱を止められず、わずか4年で瓦解する。

一方イギリス国内では、インド独立と相前後して、戦後の経済復興を急ぐ必要から、西インド諸島から大量の労働移民を迎え入れた。「ファシズムに対する勝利」から間もなく、イギリスは人種主義という内なる敵との闘いに直面することになる。だが、この闘いが苦戦続きだったことは、パドモアやネルーほか多くの第三世界人脈を培った首都ロンドンで、この後、散発的に起こる大規模な「人種暴動」が証明している。


（堀内真由美）

25

「西インド連邦」構想と挫折

★「連邦」と「島内自治」との相克★

英領西インド植民地での自治権要求運動は19世紀半ばにすでに起こっていたが、本格化するのは１９２０年代のことだ。各島の運動指導者は、同海域でイギリス支配下にあった島々との、ヨコのつながりを強く意識するようになる。それまで地理的にもバラバラに置かれていたこの海域の被支配者たちが、第1次大戦に西インド連隊として帝国の戦争に駆り出された後、「西インド人」としての共通性や一体感、奴隷貿易と植民地化という歴史に起因する文化を持つ一つの地域だと意識するようになった。

連邦構想は、このような西インド人意識に加えて、労働者意識の高まりと議会選挙による自治の実現を要求する運動の中にすでに生まれていた。しかし連邦はわずか4年で瓦解する。いち早く連邦の4年の総括と展望を著したヒュー・スプリンガー(Hugh Springer, １９１３～94年）は、成立までの道のり、連邦の理念とその実現に立ちはだかった障壁を分析している。英領西インド諸島バルバドス出身のスプリンガーは、オックスフォード大学で教育を受けた、いわゆる植民地エリートだった。１９40年代にはバルバドス労働組合とバルバドス労働党の両組織で書記長を務める。

スプリンガーによれば、イギリス政府は当初、島嶼間交通を促進することを目的に、一人の総督の下での全英領西インド諸島の政治的統合を構想していた。だが1930年代に入ると、激化するストライキや労働者による暴動を無視できなくなり、現地調査委員会を派遣し事態の収拾に動く。1932～33年に派遣され、代表者の名を冠した通称「モイン委員会」(Moyne Commission) は、連邦という体制は時期尚早としたが、連邦構想そのものは否定しなかった。

一方、各島の労働運動や自治権要求運動の指導者たちは、本国政府とは別に、彼らの間での合意形成に動いていた。モイン委員会訪問の32年に、「ドミニカ会議」が開催される。26章で紹介するドミニカの歴史家ホニチャーチの『ドミニカ物語』には、同会議に参集した指導者の集合写真が掲載されている。バルバドス、ドミニカ、セントヴィンセント、アンティグア、セントキッツ、グレナダ、トリニダード、セントルシア、モントセラト。英領東カリブのほとんどの島からリーダーたちが一堂に会した初の機会だった。同会議で草起された西インド連邦憲章は本国には受け入れられなかったが、活況を呈する労働運動の波に乗り、恐慌を克服する手段としての緩やかな島嶼間連携が始まった。

連邦への動きが加速したのは45年9月の「バルバドス会議」である。東カリブだけでなく、1000キロ以上離れた西カリブのジャマイカ、さらに北のバーミューダからも代表が参加した。この会議では、カリブ海労働者会議（CLC）が結成され、当時の著名な指導者たちが議論を交わした。「連邦設立の立役者」グレナダのマリーショウ（A. Marryshow）、先のドミニカ会議でも中心的人物だったトリニダード労働党設立者の1人シプリアーニ（A. Cipriani）、後に連邦政府首相となるバルバドスの弁護士アダムズ（G. Adams）、アンティグアで政権を握ろうとしていたバード（V. Bird）。後にジャマイカ自治政府で初代主席大臣となるノーマン・マンリー（N. Manley）は、この直前、いとこであり最大のライバルだったジャマイカ労働党党首バスタマンテ（A. Bustamante）との島内政治決戦に敗れ、会議には参加できなかった。マンリーは党首を務める人民国家党（ＰＮＰ）の代表を会議に派遣し自身の手紙を代読させた。「我々は共通の思考を有し、力強く行動をともにする必要を信じてやまない。私はジャマイカで旧弊と闘う中、いっそう、そのことを実感している」。この熱いメッセージから当時の島嶼間連帯への期待感が伝わってくる。

連邦への熱気がピークを迎えるのは、１９４７年9月の「ジャマイカ会議」だった。45年バルバドス会議の成功を受け、指導者たちは本国植民地省次官アーサー・ジョーンズ（A. C. Jones）と面会し、連邦憲法作成委員会の任命などを討議する。会期中、ジャマイカのマンリーは、「小舟にしがみつくだけで大きな船に乗り移らなければ我々は確実に沈み歴史の藻屑と消えるだろう」との言葉を残している。47年から56年までの間に、粘り強い話し合いが繰り返され、56年2月に最終合意へと至る。

しかしこの間に、「連邦への新しいアプローチをする政治家」エリック・ウィリアムズ（E. Williams）が登場する。オックスフォード大学で歴史学を修めたトリニダード出身のウィリアムズは、反植民地主義と西インド・ナショナリズムの立場を明確にし、単一では脆弱すぎる島々にとっての強力な中央政府を持つ連邦を求めた。

このような、「連邦像」への異論を内包しながら、58年1月連邦憲法が制定され、英国（女）王を元首、総督を行政の長とし、10地区（アンティグア&バーブーダ、バルバドス、ドミニカ、グレナダ、セントキッツ&ネヴィス&アンギラ、セントルシア、モントセラト、セントヴィンセント&グレナディーン諸島、ジャマイカ、トリニダード&トバゴ）で構成される西インド連邦が成立し、首都がトリニダードのポート・オブ・スペインに置かれた。同年3月連邦下院議員選挙が実施され、ただちに連邦内閣の組閣が行われる。

だが発足時点の連邦は、ウィリアムズの主張した連邦像とはほど遠いことがわかる。彼が予想していた「本国の戦略」が反映された。戦後の国際社会で善き宗主国のメンツを保ちつつ、台頭するナショナリズムへの「小出しの譲歩」で独立運動激化をなだめる時間稼ぎをしたいイギリスの思惑があった。連邦は、総督権が保留されたうえ予算を自力で決定できないような中途半端な形での船出となった。

特に人口と経済力の突出した2強ジャマイカとトリニダードには、連邦への加盟に前向きになれない要素があった。英領西インド人口の約半数を占めるジャマイカは、連邦議員定数を構成単位（島）の人口比とするよう求めていたが叶わなかった一方で、連邦への拠出金額は10地区のうち最大だった。また、他島に先駆け44年に普通選挙が実施され、島内自治が最も進んでいたジャマイカにとって、総督権が保留され予算の決定権のない連邦に留まる引力

西インド連邦閣僚写真　前列右から３人目がフィリス・オーフリー（50章、52章）。（*Phyllis Shand Allfrey*, p. 148）

は弱かった。

何より、連邦には、構想実現に関わったリーダー全員が参加したわけではなかった。島内と連邦の議席重複が禁止されていたため、ジャマイカ与党を率いたマンリーは、連邦与党「西インド連邦労働党」代表に就任しながらも自島にとどまった。トリニダードのウィリアムズも、自治権拡大に伴い強い権限を持つことになった自島の主席大臣の座を選ぶ。2強は連邦との距離を取り始めたが、3番手バルバドスから連邦内閣首相になったアダムズは、閣僚や議員仲間から「植民地省の手先」と陰口をたたかれても、本国との協調路線を堅持しつつ「連邦としての完全なる独立」を諦めなかった。

だが、連邦内閣と、閣僚出身地における連邦への距離感は縮まらなかった。1961年9月、国民投票でジャマイカが連邦を離脱し、トリニダードも翌62年1月離脱を決定する。2強の離脱をもって、西インド連邦は62年5月31日に解散となった。

（堀内真由美）

26

英連邦ドミニカ

★小さな島の歴史と多様性★

「ドミニカは二つある」。2020年2月1日放送の『世界ふしぎ発見！』(TBS系、土曜21〜22時放映)でも、そうナレーションが入った。カリブ海のほぼ中央に位置するエスパニョーラ島の一部であり、ハイチと国境を接するドミニカ共和国。「ドミニカ」といえば日本ではこちらを指すことが多い。もう一つが、東カリブ海に連なる小アンティル諸島に位置し、グアドループ、マルティニークというフランス海外県の2島に挟まれた小島。フランス、イギリスの順に「宗主国」が変わり、1978年に独立した島国が本章で紹介するドミニカ(英連邦ドミニカ Commonwealth of Dominica)だ。

首都はロゾー(Roseau)。面積は754平方キロメートル。日本の奄美大島の面積とほぼ同じくらいだ。奄美市の人口が5万人強。一方、ドミニカの総人口は約6万7千。ただし同島民によれば、「実際は6万を切るだろう。他所に出稼ぎに行っているから」とのことだ。58章で言及するが、2月から3月にかけて開催されるカーニバルを見物する人々の多くが、イースター休暇で帰郷した家族や親戚、友人たちだ。確かに「他所に出稼ぎに行っている」人の数は相当なものだとは想像できる。

第26章
英連邦ドミニカ

ドミニカについて書かれた歴史書や研究書は少なく、レノックス・ホニチャーチ（Lennox Honychurch）『ドミニカ物語』（1995年）くらいしかない。女性島民への人類学的考察については、1987年に半年間島に滞在した結果をまとめたウィリアム・モーラーによる研究（1993年）が思い浮かぶ程度である。これらを頼りにドミニカの歴史と文化の一端を紹介しよう。

まずはモーラーの知見から。先に島の位置関係に言及したが、モーラーも、ドミニカが二つの仏領の島に挟まれていることに起因する島の特徴を述べている。特に島のほぼ南西端に位置する首都ロゾーや周辺のグランドベイ地区は、すぐ南のマルティニーク島との、地理的だけでなく歴史的なつながりが強い。1635年にフランスがドミニカ島を占領して以降、七年戦争（1756〜63年）後のパリ条約で1763年に英領となった後も、英仏両国による領有権争いは続き、実質的に英領となったのは1805年だった。ゆえに、モーラーが聞き取りを行った島の名士一族にも、フランス革命前の大地主を母方や父方の始祖に持つ人々が相当数いる。フランスとの関連で言えば、ドミニカ島民のうち約6割強がローマ・カトリック信者である。

筆者は、英系と仏系の対立は現在もあるのか興味があったのだが、島に来てロゾーの町を歩いても、白人に出会うことは、豪華客船でやってくる欧米からの観光客以外には、ほぼ皆無だった。私の知る白人といえば、島一番の格式を誇るフォート・ヤング・ホテル敷地の一角にデスクを構えるツーリスト・オフィスのソニアくらいだ。だが、「私にもアフリカ系の血が入っていると思うけど、今となってはよくわからない」と彼女は言う。ただ、ドミニカ生まれ育ちのクレオールと呼ばれる白人たちは、「どのくらいアフリカ系が混じっているか見た目で判別できた」らしい。少なくとも政治的独

奴隷解放モニュメント（ドミニカ首都ロゾー）

立の機運が高まる1930年代までは、「完全なる白さ」へのこだわりが、英系か仏系かに関わらず白人たちにはあったようだ。

現在の民族分布は、ドミニカ政府サイトにも、'Black, Mixed, Amerindian (Caribs), White, Others' としか書かれていない。一方、日本の外務省による「ドミニカ国基礎データ」には、次のようにやや詳しい内訳が掲載されている。「アフリカ系（86・6%）、混血（9・1%）、カリブ族（2・9%）、その他」。2国のデータをよく見ると、ドミニカ政府のサイトは多い者順での記述だろうから、白人はカリブ人（本書では「族」ではなく「カリブ人」を使用）より少ない。とすれば、日本の外務省が記す「カリブ族」の2・9%よりも少ないということだ。その、ごく少数の白人が、もし英系か仏系かでもめていたとしても大した問題になりそうもない。それよりも、政府は人口の3%を切るまでに減少した先住民カリブ人の保護に熱心だ。

ドミニカは、この海域をヨーロッパ人が「発見」し支配する前に、すでに定住していたカリナゴ人やタイノ人とも呼ばれる先住民が現在も暮らす、西インド諸島の中でも珍しい島である。コロンブスの到来（1492年）以降、ヨーロッパ人の持ち込んだ病気や、スペイン支配への抵抗への見せしめとして行われた大量虐殺のため、先住民カリブ人は激減した。その結果、彼らの代替労働力つまりアフリカからの奴隷の輸入が1512年には始まっていた。歴史家ホニチャーチはそう書いている。奴隷制も廃止され、多少なりとも人権が意識されるようになると、当時の英国議会がカリブ人の「保護区」を指定する。1903年のことだ。30年にはドミニカ植民地政府とカリブ人との間に紛争が起こる。その後も「国境」を意識しないカリブ人と行政府との軋轢があったが、現在、島の北東部に3700エーカー（約1500ヘクタール＝東京ディズニー・リゾートの約15倍）の土地を保障され、人口の2.9％、計算上では約2千人のカリブ人が生活している。許可を得た訪問者は、カリブ人の生活の様子の一部を見学することができる。島中央部に位置する火山と熱帯雨林から成る世界自然遺産「モルヌ・トロワ・ピトン国立公園」とともに、カリブ人居住区も、同国にとって貴重な「観光資源」となっている。

現在、来訪者にとってドミニカは大変落ち着ける場である。圧倒的にアフロ・カリビアン（アフリカ系カリブ人）が占める島にも、仏・英による支配と奴隷制による「性的搾取」がもたらした、「肌の色のグラデーション」はある。だが、トリニダード・トバゴなどのような、インド系住民（奴隷解放後に宗主国が、インドから投入した年季労働者の子孫）との齟齬もなく、政治的には、冷戦時代の一時期を除いて現在まで、社会民主主義を標榜《ひょうぼう》するドミニカ労働党が、独立後、最も長く安定して政権を担っている。そのことも、来訪者に安心感を抱かせるのかもしれない。もちろん犯罪がゼロではあり得ないが、筆者のようなアジア人の中年女性が、夜間を除く、どの時間帯に首都を歩いていても「身の危険」を感じることはほとんどない。

一方、この安全な島を脅かすのは毎年のように襲来するハリケーンだ。独立直後1979年8月に

ボタニカル・ガーデン、ハリケーン被害を伝える「倒木の下敷きになったバス」、(ドミニカ首都ロゾー)

島を襲ったハリケーン・デイヴィッドは、死者37名、負傷者5千人を出し、人口の4分の3を一時ホームレスにした。ロゾーにある植物公園には、なぎ倒された大木の下敷きになったバスが当時のまま「展示」されている。最近では、2017年9月に島を直撃したハリケーン・マリアがある。伊勢湾台風と同レベルの強風を伴い、島中央部の険しい山地から流れる300本を超える河川を氾濫させ、道路を寸断させた。島の9割の建物に被害を与え、死者31名と多数の行方不明者を出した。大規模停電、断水、通信網の遮断に見舞われ、もともとインフラが脆弱だったドミニカでは、2020年春現在、完全復興にはまだ至っていない。

(堀内真由美)

27

独立を選ばなかった島アンギラ

★シスターアイランズの相克①★

第4章でみたように、旧イギリス領カリブの多くは、2つ以上の島や小諸島がセットになって独立した。セントキッツ・ネヴィス、アンティグア・バーブーダ、セントヴィンセント・グレナディーン諸島、トリニダード・トバゴなどである。一つの国を構成している島々はシスターアイランズと呼ばれている。しかし、シスター（姉妹）といえば聞こえは良いが、実際にはこれらの島々はかなり仲が悪い。国の政治行政の中心となっている大きい島は小さい島を見下しているし、小さい島の方は、常に大きい島の利害が国政で優先されているという被害者意識が強い。そのため小さい島々は、大きい隣島と一緒に独立するくらいならイギリス領に残留しようとしたり、独立後もさらに分離独立をめざす傾向がある。本章～29章では、そのようなシスターアイランズの、旧宗主国より隣人が嫌い、という複雑な感情を、描いてみたい。

まず取り上げるアンギラ、スペイン語でウナギという意味のこの細長い小島は、リーワード諸島の中でも最北に位置するが、現在まで独立せず、イギリス領にとどまっている。

この小さな島が、世界の注目を集めたことがある。それは1

969年3月19日、イギリスがこの島の独立運動を阻止するため、落下傘部隊を投じた時のことだ。日本でも報道された。

1969年3月21日読売新聞朝刊「国連植民地委、アンギラ討議」

国連総会 植民地特別委員会は19日、英領西インド諸島のアンギラへの英軍進入事件を、緊急問題として討議することを決定した。マリ、タンザニア、シリア、コートジボワールが、アンギラ問題討議を求め、米、ノルウェーは保留の態度をとった。また英代表は前日、特別委員会に「アンギラ共和国政府」の国連オブザーバーが出席し、英軍の進入に抗議する演説を行ったため退場した。

この記事は、国際連合が、イギリスによるアンギラ独立運動の武力制圧を問題視して、緊急討議の対象にしたことについて述べている。宗主国が弱小植民地の独立を抑圧したとすれば、確かに批判されるべきだろう。

しかし実際にはそれほど単純な話ではなく、むしろ、アンギラは独立したくなかった、というのが真相である。では、この事件の本当の意味は何なのか。以下ではそれを検討し、英領カリブ諸島のような点在する小島群の独立に伴う問題を考えてみたい。

アンギラは、セントキッツ島とネヴィス島と3島一緒になって独立するはずだった島である。ただ、セントキッツ島とネヴィス島は距離的に非常に近いが、アンギラはかなり離れていている。

これらの3島は、1671年以降アンティグア、モントセラト、バーブーダ島とリーワード諸島植民地を構成し、その総督府はアンティグアに置かれていたが、各島はそれぞれ議会と副総督を持ち、独立性が強かった。しかし1833年奴隷制が廃止され、白人人口が減少し、砂糖生産も衰退すると、各島の財政状態は悪化し、イギリスは財政負担を減らすため、イギリス領カリブの連邦化を志向するようになった。1833年には、リーワード諸島連邦と、ウィンドワード諸島連邦が成立する。

アンギラは、すでに1825年からセントキッツ島政府の下に統合されていた。さらに1882年にはネヴィス島がセントキッツ島に合併され、この3島の合同が規定路線となる。しかしネヴィス島とアンギラ島は、セントキッツ島との合邦を歓迎せず、それからの分離が宿願となる。

話を1930年代まで飛ばそう。セントキッツでは1900年代以降イギリス政府の支援を受けて砂糖生産が継続していたが、世界恐慌のため不況となり、砂糖労働者が中心となってワーカーズ・リーグという労働者の同盟が成立し、これが1940年にセントキッツ&ネヴィス労働党（以下SKNLP）となった。52年に成人普通選挙が施行されると、SKNLPは、セントキッツ&ネヴィスアンギラ立法議会8議席（セントキッツ島5議席、ネヴィス島2議席、アンギラ島1議席）のうち、ネヴィス1議席以外の7議席をとり、その後1980年まで連続して与党となり、政権を担った。

しかしこれは、ネヴィスやアンギラの住民にとってはうれしいことではなかった。SKNLPは砂糖生産を支持する政策をとったが、ネヴィス島は19世紀末に砂糖生産を放棄しており、小農による綿花や食糧生産が中心となっていた。またアンギラは、塩の輸出と漁業と出稼ぎに依存していた。SKNLP党首で1978年死亡まで首相に在任したロバート・ブラッドショウは、ネヴィスやアンギラの住民からは、悪しき独裁者として見られていた。

1957年11月の選挙では、SKNLPはセントキッツ5議席をすべて取る一方、アンギラ1議席とネヴィス2議席を失う。これにより、この地域の政治の対立は、労働者とプランター（資本家）の間ではなく、セントキッツ島と他の2島の間にあることが、明確化する。

1958年には西インド連邦が形成され、英領西インド全体での独立が目指されるが、結局62年にジャマイカとトリニダード・トバゴが個別に独立して、西インド連邦は解体した。イギリス政府は、残った英領カリブ諸島を集めて東カリブ連邦の結成を試みるが、これも失敗する。連邦化を断念したイギリスは、67年西インド法を可決し、残存している英領カリブを、アンティグア&バーブーダ、ドミニカ、グレナダ、セントルシア、セントヴィンセント&グレナディーン諸島、セントキッツ&ネヴィス&アンギラの6つの領域に分けてそれぞれに内政の自治を認め、連帯国家（Statehood in Association）という新しいステイタスを与えた。

かねてからセントキッツの支配を嫌い、イギリスがカリブ世界から手を引いていくことに不安を感じていたアンギラは、これに強く反発する。アンギラは67年7月11日に住民投票を決行、1815票対5票でセントキッツからの分離を決定し、12日には独立を宣言する。またアンギラはイギリスとの直接の政治関係を要求したため、イギリスは1年の暫定的措置として行政官を派遣した。

セントキッツのSKNLP政権は、アンギラの動きを、1965年に結党された野党人民行動運動（PAM）の煽動の結果だとして、PAMの政治家を次々と逮捕し、アンギラとの対立を深めた。このため1年が過ぎても問題は解決せず、アンギラはイギリスの行政官に留任を求めたが、イギリスは拒

セントキッツ、ネヴィス、アンギラ３島の人口とGDP

<table>
<tr><th></th><th>人口
（1950年頃）</th><th>人口
（2021年）</th><th>面積
（km^2）</th><th>１人当たりGDP
（ドル）</th></tr>
<tr><td>セントキッツ</td><td>37,000</td><td rowspan="2">54,000</td><td>168</td><td rowspan="2">23,300（2017年）</td></tr>
<tr><td>ネヴィス</td><td>13,000</td><td>93</td></tr>
<tr><td>アンギラ</td><td>5,000</td><td>18,000</td><td>91</td><td>12,200（2008年）</td></tr>
</table>

出典：CIA Fact book.

絶する。これはアンギラから見るとイギリスの責任放棄であり、アンギラは１９６９年２月６日再び住民投票を行い、１７３９票対４票でイギリスと関係を断つことを決定し、翌７日アンギラ共和国として単独での独立を宣言した。イギリスは３月12日に自治領省副大臣を派遣したが、アンギラは副大臣に即刻退去を求めた。

以上の事態が、本章冒頭で説明した３月19日のイギリス落下傘部隊アンギラ上陸事件につながる。これによりアンギラはイギリスに無血降伏し、セントキッツ&ネヴィス自治領から離脱し、イギリスの直轄領土に戻った。その後１９７６年に、単独で自治権を付与される。

つまりアンギラは、むしろイギリスに軍事介入を余儀なくさせて、イギリス領にとどまり、セントキッツ島からの分離を果たしたとも解釈できる。この選択が正しかったのかどうかは明言できないが、アンギラの１人当たりのＧＤＰは低いものの、人口は増加しており、他のイギリス領カリブを悩ませている人口流出は生じていない。脱植民化の過程では、このようにあえて独立しないという選択肢をとった地域もあることを、心に留めておきたい。

（川分圭子）

28

分離しそこなった島ネヴィス

★シスターアイランズの相克 ②★

27章に続き、セントキッツ島とネヴィス島の関係を考えてみたい。27章の通りアンギラは分離してイギリス領に残ったが、ではネヴィス島はなぜセントキッツから分離せず一緒に独立したのだろうか。

まず地図を確認しよう。セントキッツ島とネヴィス島は、他のシスターアイランズ国家と比べても、よほど距離が近く、地理的にはこの2島は一つの国家になるのが当然のように見える。

確かにこの2島は1630年頃にほぼ同時にイギリス人が入植し、以後砂糖生産地として同じような発展をたどってきた。しかし両島は、昔から対抗意識が強かっただけでなく、奴隷制廃止以降は両島の砂糖生産の明暗が分かれたために、さらに険悪な関係となる。セントキッツ島は奴隷制廃止後も廃止以前と同等かそれ以上の水準で砂糖生産を持続したが、ネヴィス島では徐々に砂糖生産は減少し、土地は小作に出され、セントキッツ向けの食糧生産、綿花栽培などが行われるようになった。また1897年のイギリス政府英領西インド調査委員会では、セントキッツ島は砂糖生産継続が可能と判断され、イギリス政府支出によって中央製糖所も設立されたが、ネヴィス島には他作物への転換が勧告された。この結果セントキッツ島は1970年代の砂糖産業国有化まで堅調な砂糖生産を維持したのに対し、ネヴィス島は20世紀初頭から小農経済の地域となっていた。

ネヴィス島の砂糖生産量は、奴隷制廃止時点ではセントキッツの5割に達していたが、1860年頃には4分の1以下になり、20世紀に入る頃にはほぼゼロとなった。ネヴィス島の不満は大きかったと思われる。

27章でも見たが、1952年普通選挙施行後、ネヴィスの不満は議会選挙にはっきり表れる。1957年の選挙は、セントキッツを地盤とする与党のセントキッツ&ネヴィス労働党（SKNLP）がセントキッツ5議席すべてをとったが、ネヴィス2議席とアンギラ1議席すべてを失った。セントキッツ&ネヴィス&アンギラ憲法の規定では、ネヴィス2議席のうち1議員は、行政評議会のメンバーになることになっていた。しかしこのネヴィスの議員は、行政評議会からすぐに排除された。ネヴィスはリーワード諸島連邦政府にこの件について上訴し、連邦政府は本国植民地省へ相談したが、植民地省はネヴィス代表の行政評議会からの排除を支持した。この翌年には西インド連邦の結成が控えており、イギリスは連邦支持のSKNLPに肩入れしたのである。

SKNLPは1960年には自己に有利になるようにセントキッツの議席を2議席増員したため、ネヴィス島は統一国民運動（UNM）を結成して対抗した。1961年選挙では、SKNLPがセントキッツの7議席すべてをとり、一方UNMはネヴィスの2議席をとり、再び島間対立の構図が明確化した。選挙後、ネヴィス選出2議員は、政府にネヴィスの分離を要求した。1962、64年に西インド連邦と東カリブ連邦構想の両方が失敗に終わると、ネヴィスは、セントキッツとネヴィスの連合

セントキッツ島からネヴィス島を臨む

もまた解消したと主張した。しかしこの主張はイギリスの植民地省に否定される。この後ＵＮＭがＳＫＮＬＰに合流したため、ネヴィス分離運動は下火になった。

ネヴィス分離運動は、１９７０年代後半、イギリス植民地省とセントキッツ＆ネヴィス政府が独立の交渉を始めると、再燃する。ネヴィスでは１９７０年にネヴィス改革党（ＮＲＰ）が結党されていたが、ＮＲＰ議員は植民地省との独立交渉にネヴィスの利害代表として参加し、「ネヴィスは、いかなる種類の独立の論議にも参加しないし、単一独立国家としてセントキッツにくびきでつながれることはない」と主張し、セントキッツと分離してイギリス領に残るという意志を表明した。これを受けて、イギリス政府は、ネヴィスが、独立の１年半前に、セントキッツとの分離について住民投票することを認めた。

しかし、１９７８年５月、結党以来ＳＫＮＬＰ党首を務め、自治領化以降ずっと首相を務めてきたロバート・ブラッドショウが死亡した。与党ＳＫＮＬＰの人気は、すでにかなり落ちていたが、ブラッドショウの死によってさらに低落した。１９８０年総選挙では、ＳＫＮＬＰはセントキッツで４議席しか取れず、残りの３議席を野党人民行動運動（ＰＡＭ）がとり、ネヴィスの２議席はＮＲＰが

郵便はがき

料金受取人払郵便

神田局
承認

7846

差出有効期間
2024年6月
30日まで

切手を貼らずに
お出し下さい。

101-8796

537

【受 取 人】

東京都千代田区外神田6-9-5

株式会社 **明石書店** 読者通信係 行

お買い上げ、ありがとうございました。
今後の出版物の参考といたしたく、ご記入、ご投函いただければ幸いに存じます。

ふりがな お名前	年齢	性別

ご住所 〒 -

TEL ( ) FAX ( )

メールアドレス	ご職業（または学校名）

＊図書目録のご希望	＊ジャンル別などのご案内（不定期）のご希望
□ある □ない	□ある：ジャンル（ ） □ない

書籍のタイトル

◆本書を何でお知りになりましたか？
□新聞・雑誌の広告…掲載紙誌名［　］
□書評・紹介記事……掲載紙誌名［　］
□店頭で　□知人のすすめ　□弊社からの案内　□弊社ホームページ
□ネット書店［　］　□その他［　］

◆本書についてのご意見・ご感想
■定　価　□安い（満足）　□ほどほど　□高い（不満）
■カバーデザイン　□良い　□ふつう　□悪い・ふさわしくない
■内　容　□良い　□ふつう　□期待はずれ
■その他お気づきの点、ご質問、ご感想など、ご自由にお書き下さい。

◆本書をお買い上げの書店
［　市・区・町・村　書店　店］

◆今後どのような書籍をお望みですか？
今関心をお持ちのテーマ・人・ジャンル、また翻訳希望の本など、何でもお書き下さい。

◆ご購読紙　(1)朝日　(2)読売　(3)毎日　(4)日経　(5)その他［　新聞］
◆定期ご購読の雑誌［　］

ご協力ありがとうございました。

ご意見などを弊社ホームページなどでご紹介させていただくことがあります。　□諾　□否

◆ご 注 文 書◆　このハガキで弊社刊行物をご注文いただけます。
□ご指定の書店でお受取り……下欄に書店名と所在地域、わかれば電話番号をご記入下さい。
□代金引換郵便にてお受取り…送料+手数料として500円かかります(表記ご住所宛のみ)。

書名	冊
書名	冊

ご指定の書店・支店名	書店の所在地域 都・道 府・県　市・区 町・村
	書店の電話番号　（　）

とった。この結果PAMとNRPが連立して政権をとり、SKNLPは1952年以来初めて野党となった。

PAMとNRPは、選挙時のマニフェストでは独立に反対していたが、政権取得後は結局独立を選択した。こうしてイギリスが約束していたネヴィス島のセントキッツとの分離についての住民投票は、行われないままに終わった。1983年9月、セントキッツとネヴィスは、一つの国家として独立した。

ただしこの新国家の憲法113条は、「ネヴィス島立法議会は、ネヴィス島がセントキッツ島との連邦をやめ、それに従ってこの憲法がネヴィス島で効力を失うことを、定めることができる」となっており、ネヴィス島は、国会（セントキッツ&ネヴィス議会）の同意なく、ネヴィス議会の決定のみで一方的に分離を決定できることになっている。またその一方で、セントキッツ側にはこのような規定はない。

PAM＝NRP連立政権は、1984年には、セントキッツを8議席、ネヴィスを3議席に増加した。セントキッツの8つ目の議席はPAMが安定してとれる選挙区だった。

しかし1984年選挙と89年選挙では、PAMはセントキッツで6議席をとり、単独で過半数の議席を確保した。それでもPAMとNRPの連立政権は維持されるが、ネヴィスではNRPに対する批判が高まり、憂慮する市民の運動（CCM）という新党が結成される。

1993年の選挙では、PAMがセントキッツ4議席、NRPがネヴィスで1議席しか取れなかったのに対し、SKNLPがセントキッツで4議席をとり、CCMもネヴィスで2議席をとる。しかも

アンティグアの選挙の風景

ＣＣＭは、いかなるセントキッツ政党とも連立しないことを公約としていたため、ＰＡＭとＮＲＰの連立政権は、議会では５議席しかなく少数派となり、議会を開会できなくなった。町では暴動が発生し、政府は緊急事態を宣言し、観光客の受け入れやカーニバルの開催をキャンセルする事態となる。

１９９５年選挙では、ＳＫＮＬＰが７議席をとり政権に返り咲き、政治は安定化したが、その一方でネヴィス分離問題が再浮上し、１９９８年住民投票が行われた。しかし、必要とされた３分の２の得票に届かず、ネヴィスの分離は見送られた。

以後セントキッツ＆ネヴィスではＳＫＮＬＰ政権が続いているが、ネヴィス分離主義も根強く残り続けている。

（川分圭子）

29

アンティグアとバーブーダ

★シスターアイランズの相克③★

28章ではネヴィスの分離主義を紹介したが、アンティグア・バーブーダを構成するバーブーダもアンティグアからの分離を強く望んでいる。

この二つの島は50キロも離れており、波の高いカリブ海を2時間近く航海する必要がある（コラム3）。両島は社会や文化もかなり異なる。アンティグアは、面積280平方キロの火山島で、山岳部では降水量も多く、17世紀から砂糖プランテーションとして開発されてきた。植民地時代にはリーワード諸島植民地の総督府が置かれており、現在も地域のハブとなる空港があり、人口も約7万5千人である。一方、バーブーダ島は面積160平方キロの低平なサンゴ礁で、表土が浅く、河川もなく降水も少なく、商品作物栽培はできない。人口も2千人に満たない。

バーブーダ島は、イギリス領カリブの中でも特別な歴史をもつ。この島は1668年から1870年までコドリントン家という一族が国王から全島を丸ごと借り受けていた。コドリントン家は、まずバルバドス、その後アンティグアに進出したプランターで、バーブーダ島ではアンティグアのプランテーショ

ベティズ・ホープ　アンティグアのコドリントン家のプランテーションの一つで、現在は史跡として整備、公開されている。18、19世紀には、ベティズ・ホープの領地管理人が、バーブーダ島を管理していた。

ンの食料となる牛を放牧した。降雨が少なく植物の生育が不十分なバーブーダ島では、家畜は全島で放し飼いにされた。バーブーダの奴隷たちは、島の西側の潟湖の湖畔の村（現在の首府コドリントン）に家屋と菜園を作り、全島を移動しながらコドリントン家の家畜を管理しつつ、漁業や森林の木材・果樹の採取をしながら暮らしていた。コドリントン家は、バーブーダとアンティグア間で船舶を運航し、バーブーダから牛馬・肉・皮革・木材・魚などを運び出すほか、周辺サンゴ礁の浅瀬で座礁した船舶の救助活動などでも収入を得ていた。

バーブーダの奴隷たちは、コドリントン家のために放牧や漁業を行うほかは、全島を自由に移動して島の自然資源を利用して暮らしており、時にはアンティグアのプランテーションで働かされることもあったものの、通常の奴隷より幸せな生活を送っていた。

しかし1833年奴隷制廃止は、彼らの法的扱いについて問題を生み出した。バーブーダには独立の植民地政府はない一方、アンティグア植民地政府に属しているわけではなかったので、バーブーダ人が犯罪を起こしたり巻き込まれたりした場合、彼らがどこの司法権に属するのかということがまず問題になった。バーブーダ人の財産権、島の森林・海洋資源の利用権や土地に対する権利も、今後どのように規定すべきか未解決であった。

アンティグアは財政負担の増加を恐れてバーブーダを引き受けることを拒否していたが、アンティ

沖から見たバーブーダ島

グアにやってくるバーブーダ人とアンティグア人とのトラブルなどが続き、結局1858年、アンティグア議会はバーブーダをアンティグア司法の管轄下に置くことを決議し、イギリスもこれを承認した。コドリントン家は1870年に借地権を放棄し、その後何人かの個人が借地権を獲得したがいずれも長続きせず、本国植民地省の介入の後、1898年、バーブーダ島はアンティグアのセントジョンズ教区の一部としてアンティグア植民地に帰属することとなった。

しかしまだ、バーブーダ人がバーブーダ島の土地や資源に対して持っている権利は何か、という問題は、解決しなかった。前述のように、バーブーダ人は、財産権のない奴隷身分の時代から、コドリントン村に居住し周囲に菜園を作ることを許され、また森林資源や海産資源も自由に利用してきており、奴隷解放後も同様の暮らしを続けていた。彼らの中には、コドリントン家が借地権を放棄したとき、同家がその権利をバーブーダ人全体に譲渡したという認識が、いつしか形成されるようになった。

イギリスは1904年バーブーダ条例を発布し、バーブーダの土地はすべて国王のものであること、バーブーダの人々は国王の借地人であり地代支払い義務があること、今後設置するバーブーダ評議会が土地の割当や地代、野鳥獣の捕獲や家畜の放牧についての許可やルールを定めることを規定したが、その後もバーブーダ人は以前とほとんど変わらない生活を続けていた。

しかし1967年西インド法により王領地の帰属が各地域の政府へ移るこ

とが定められ、また69年アンティグア・バーブーダ連合が成立すると、アンティグア政府が元王領地であるバーブーダの土地全土を公有地として管理することになった。1970年にはカナダの投資会社が、アンティグア政府の支援の下で、島の4分の1の土地を取得し、ホテルと住宅会社に売却し、利益の20％をアンティグア政府が獲得し、5％をバーブーダの信託財産とするという計画を提出した。これに対して、ニューヨークに移住していたバーブーダ出身者などが核となってこの投資会社との話し合いがもたれ、このプランに対する反対が表明される。結局この計画は流れた。

バーブーダ首府コドリントン

アンティグア政府は、バーブーダ人に土地の権利書を交付するという案も提案した。しかし、土地への私有権の設定は、土地の共有という伝統的理念から逸脱し、外部者へ個々に土地が売却されることが予想されたので、バーブーダ人はこれも拒絶した。その後もアンティグア政府は、農業開発や観光開発をうたって、バーブーダの土地を開発しようとした。アンティグア政府は、バーブーダ人に居住している場所の権利は与える用意はあるが、それ以外のバーブーダの土地に対してはバーブーダ人に特別な権利はなく、アンティグアとバーブーダの全市民が同等の権利を持っている、という認識だった。

1978年には、バーブーダはイギリスに代表を送り、バーブーダの伝統的な土地の共有権の確立や、アンティグアからの分離を求めたが、結局1981年両島は一国として独立する。アンティグア政府は、アンティグアの開発を推し進め、バーブーダに対しても、バーブーダ産業開発局を設置して開発を推進しようとした。

しかし独立以来与党アンティグア労働党を率いてずっと首相だったヴェア・コンウォール・バードに対しては、公有地のリゾート開発で私腹を肥やしているとの批判がアンティグアの内部でも起こっており、父に続いて首相となっていたレスター・バードは、2004年選挙で大敗した。この後開発優先の考え方は改められ、2007年にはバーブーダ土地法が制定され、ここでバーブーダ人の島に対する共有所有権が初めて法的に認められた。同法では、バーブーダ人は、「(a)祖父母の少なくとも一人がバーブーダ生まれ」「(b)少なくとも両親の一人が(a)項の意味でバーブーダ人である者から生まれた子ども」と定義され、「バーブーダの全土地はバーブーダの人々によって共有で所有され」「バーブーダの全土地はバーブーダ人の〔利益の〕ために国王に帰属する」とされた。また、バーブーダの土地は売却されてはならず、何人も土地の所有権を獲得することはないとも定められた。

ところが、話はこれで終わりではない。2014年再びアンティグア労働党が勝利し、現在まで銀行家でバード家の姻戚でもあるガストン・ブラウンが首相となっている。加えて2017年9月ハリケーン〔イルマ〕がバーブーダに壊滅的な被害を与え、全バーブーダ人約1800人がアンティグアに避難した。バーブーダのインフラ回復には多大な費用がかかることは必至で、そのためには開発が必要だというのが現アンティグア政権の考え方である。2017年に発布された新しいバーブーダ土地法は私有権や土地売買を認めており、現在、バーブーダの土地共有理念は歴史上最大の危機に晒されている。

（川分圭子）

コラム6

我々の歴史を求めて

堀内真由美

「歴史を創る」などと書くと、ありもしなかった出来事を捏造したり、あったことをなかったことにして隠蔽したりする「歴史修正主義」を想起させるかもしれない。だが、他国の支配を受けてきた人々にとって歴史とは、一から創り直さねばならないものだった。彼らにとって歴史とは、「支配者（側）の歴史」に他ならなかったからだ。

英領西インド諸島でも、島々で子どもたちに教えられていたのは「大英帝国の歴史」だった。それゆえ、イギリス人が支配者として君臨する事態が、あたかも「歴史的妥当性」のある事実として受け止められても不思議はなかった。アフリカ系の子どもたちが、支配されることが当たり前だとの誤った認識を持ち続けることになりかねない。「帝国」の祭事や初等教育機関を通して繰り返し洗脳されれば、「歴史」を疑うことは容易ではなかっただろう。

「ジャマイカの歴史」を一から創り直そうとしたフィリップ・シャーロック（1902〜2000年）の活動はもっと知られていいだろう。「ほぼ白人に見える」外見と教区牧師の息子という立場から教育機会に恵まれたシャーロックは、1910年代、白人か「ほぼ白人に見える」子どもで占められていた中等学校に進学し、修了後さらに2年勉学を続けて中等学校教師資格を取得する。まもなく母校で教鞭をとった彼は、晩年のインタビューの中で、歴史を教え始めた頃のことを振り返っている。「イギリス帝国史」を教えなければならなかった歴史教師として、彼はある日、「西インドの歴史、ジャマイカの歴史を教えられないでしょうか」と白人校長に問うた。答えは「ノー」だった。その理由は「君たちには歴史がないから」だったとシャーロックは語る。

校長との問答の後、シャーロックは「我々の歴史」創造の必要を意識していく。特にジャマイカ生まれの黒人民族主義者マーカス・ガーヴィ（1887～1940年）の、「きみたちには歴史がある。誇れる歴史があることを知り、歴史の中で英雄たちが成し遂げたことを知らねばならない」というメッセージに打たれ、何をどう叙述していくか、方向性を定めていった。彼の「西インド歴史の創造」は、中等教師の後経験した仕事や役職を通して次第に具体的な形を成していく。

1947年末、現在の西インド諸島大学（30章）の前身である西インド諸島ユニバーシティ・カレッジがジャマイカに設立された際、45歳のシャーロックは公開講座教育部長に就任し、舞踊や演劇、絵画などの講座開講のため協力を得た、英領カリブ海域で活動する多数のアーティストと出会い、相互交流を盛んにした。自身も海域を訪ねるうち、分断されていた島々に西アフリカ起源の歴史や文化の土台があることを実感した彼は、ついに大著『ジャマイカ人民の歴史』（1998年）を刊行する。「本書での旅は我々のルーツを求める旅であり歴史的連続性を実感する旅である」「その旅が我々の自己認識や自己尊厳を育んでくれる」。アフリカン・ジャマイカンのルーツとアイデンティティ確立の歴史を誇り高く記した本書は、死の2年前、96歳のシャーロックの集大成でもある。

30

西インド諸島大学モナ校

★研究の場として、職場として★

２０１３年の春も終わろうとしている頃のことだった。ロンドン大学で学位取得し、職を探していた私に、公募の情報が舞い込んできた。それがジャマイカの西インド諸島大学モナ校（University of the West Indies, Mona／通称 UWI, Mona）だった。全く知らない土地である。不安はもちろんあったが、書類を提出したところ、しばらくして書類選考を通った通知が来て、面接に呼ばれた。ほどなくして採用通知がきて、採用が内定し、契約書が送られてきて、あっという間に、２０１３年度秋学期より、西インド諸島大学モナ校に奉職することとなった。

西インド諸島大学の前身は、西インド諸島ユニバーシティ・カレッジといい、ロンドン大学の分校として、カリブ海域の英国植民地の高等教育を担う機関として、１９４８年にジャマイカの首都キングストン市の郊外のモナに設立された。その後、トリニダード・トバゴ（セントオーガスティン校、１９６２年に開校）とバルバドス（ケーブヒル校、１９６３年に開校）にもキャンパスが設立され、現在では英語圏カリブ海域の17の国を対象に、学部と大学院で、人文教育学、自然科学、ビジネス、法学など、幅広い分野の学位プログラムを提供している。

モナ校の歴史学科は、西インド諸島大学の中でも初期に設立された学科であり（1950年設立。その後、考古学科が加わり、歴史考古学科となった）、その歴史は比較的長く、学科創設以来、西インド諸島史の専門家が大英帝国史の一部ではない西インド諸島地域の歴史学という独立の分野の研究を牽引し、発展させてきたという伝統を誇る。また、その研究成果は、初等学校や中等学校での歴史科目におけるカリブ海の国々の国史や地域史の叙述の基礎となってきた。文字通り、西インド諸島各国の歴史叙述の基盤を支えているのである。コロナ禍以前は、北米や欧州から西インド諸島を研究対象とする大学院生や研究者が頻繁に当学科を研究拠点として活発に活動し、その成果をセミナーで発表する形で還元してくれていた。コロナ禍が落ち着き、人の往来が以前のように頻繁になったら、研究交流は再び盛んになるだろう。

歴史考古学科の中心的使命は、もちろんカリブ海全域の考古歴史の研究教育である。英領カリブ海諸島の歴史研究の中心地でもある。ここで、学生たちは、その分野の専門家から知識を学ぶだけでなく、現地にいなければアクセスできない文献史料、考古資料や文化遺産に触れることができる。ジャマイカ並びに西インド諸島史を学ぶには、この上ない環境である。

「人文学の木」と呼ばれる、人文教育学部を象徴する大木で、学生たちの憩いの場となっている。

学部、大学院を通じて学位プログラムはカリブ海地域の歴史学が中心となるが、外国史——南米史、北米史、欧州史、アフリカ史、アジア史——の講座も数多

キャンパス内の講堂（assembly hall）の壁絵。西インド諸島大学の学生生活を描いていると言われている。

く提供しているので、学生たちは西インド諸島の歴史のみならず、グローバルな歴史的見地を身につけることもできる。私の専門は日本近代史であり、学部教育では、アジア史全般とワールドヒストリーの近代部分を主として担当し、大学院では歴史学の理論と方法論や文化遺産学の基礎科目を教えている。

しかし、残念ながら、世界中の大学で起こっていることが、ここ、西インド諸島大学でも起こっており、近年、専門教育としての歴史はあまり人気がない。２０１０年代初頭までは、大学でも一、二を争う最難関の人気学科であり、毎年、１００人超の学生が入学してきたが、その数は減り続け、いっときは、ふた桁を割るかもしれないという危機の年もあった。原因は複合的で、一つの原因に対処すればすべてが解決するというものでもない。ただ、この問題に取り組むべく、近年、抜本的なプログラム改革を行い、現在では、毎年40名ほどの新入生を安定的に迎え入れている。

このように歴史学が全般に不人気の中、日本史は比較的人気の科目である。日本に興味を持つ学生は多い。着任する前は、日本文化、特にアニメと漫画に興味がある学生がほとんどだろうと想像していたが、予想は良い意味で裏切られた。日本社会に広範な興味を持つ学生は、私が予想していたよりも多いと感じる。彼らは、自分たちの育った環境、制度、文化と全く違う社会の歴史に興味を持つようだ（日本とジャマイカは、文化的にも物理的にもとても遠い）。西インド諸島の学生たちの視点は、日本の学生ともイギリスの学生とも違い、彼らの授業中の鋭い発言は、時として私に研究上の新しい視点を与えてくれる。

ジャマイカの日常生活はどうであろうか。私の日常体験は、ジャマイカの都市生活の中でもアップタウンというとても限定されたものであり、行動範囲は、職場と家の往復、そして買い物および食事処という、家を起点に半径1キロ以内で成り立っており、自慢にもならない狭さを誇る。それでも、ジャマイカ特有の行動様式には日々触れることができる。例えば、「物乞い文化」と呼ばれる行動様式がある（culture of begging, culture of mendicant などと呼ばれている）。道端で、カフェで、はたまた自宅にいるときに、「バス代をくれ」、「昼食代をくれ」と見知らぬ人のみならず、知った顔にさえ、ねだられるのだ。人類学者のコーカードは、この種の行為を「物乞い」という言葉が原義的に持つ「助けを求める」という場合と、ある種の交換行動（reciprocity）である場合があると分析し、後者は「仲間」とみなされた間柄で生じ、この行為は繰り返されると指摘した。これは私の経験とも合致する。初めてこの行為に直面した私は、これは私が外国人で裕福な旅行者だと勘違いされたことによるものだと思ったが、8年半のジャマイカでの生活を経て、これは見知った間柄でも、いや、見知った間柄だからこそ、反復的に行われることを察した。このように、ジャマイカ生活には、常に発見があり、それは言い換えるならば、職場でも、日常でも、毎日の生活がスパイシーなジャマイカ料理のように刺激的であるということである。

（押切　貴）

イギリス史上最も偉大な黒人か集合的記憶か――メアリ・シーコール

コラム7

竹下幸男

ロンドン中心部セントトマス病院の一角に、メアリ・シーコールの彫像が、テムズ川を挟んで国会議事堂と対峙するかのように立っている。このイギリスにおける最初の名のある黒人女性の彫像は、2016年の除幕の際に幾らかの物議を醸した。パナマでのコレラ治療やクリミア戦争での兵士の治療を民間療法で行った彼女が、果たして「クリミアの天使」ナイチンゲールが設立した看護学校のある病院の敷地内で顕彰されるのは正しいことか。また、セントジェームズ地区にあるクリミア戦争記念碑に設置されているナイチンゲールの彫像よりも僅かとはいえ大きいのは傲慢ではないか、といったものだった。

この時にも議論になったが、果たしてシーコールは看護師と呼べるのかという疑問は以前からあった。それ以外にも、シーコールを学校教育で教えるべきか、本当にイギリス史上最も偉大な黒人なのか、彼女に対する高い評価はその業績に帰するものではなく単なる「政治的正しさ」のバランスを取るためではないのか、な

セントトマス病院内のシーコールの彫像

ど、シーコールは様々な議論を引き起こしてきた。存命中にあっても、クリミアでの活動について、純粋な慈善行為だという意見と、単なる戦場の宿屋の女主人に過ぎないという意見の対立がみられる。

1805年、ジャマイカのキングストンでメアリ・シーコールは生まれた。母親は下宿屋を経営しながら、豊富な薬草の知識で人々の治療も行っていたという。父親はスコットランド人の兵士であった。クリミア戦争で兵士を助けたいと考えた彼女の動機は、いわば母親と父親の職業に根差していると言えよう。自由黒人のメアリは、白人のエドウィン・シーコールと当時としては珍しく正式に結婚したものの、早くに先立たれてしまう。その後は生涯を寡婦として過ごしている。

メアリはクリミアでのイギリス軍の惨状を知り、矢も盾もたまらずロンドンへ赴き、戦場での看護活動に志願するが、(おそらくは)黒人であるために同行を拒否される。そこで、私費を投じてクリミアに渡り、当地で兵士が宿泊、食事、療養のできるブリティッシュ・ホテルを運営する。その場所は、ナイチンゲールが看護活動を行っていたスクタリ(前線からは黒海を隔てている)よりも、戦場に近いバラクラヴァ近郊だった。

戦後、イギリスに戻り破産してしまったシーコールの窮状を見かねて、手を差し伸べたのはクリミアで世話になった兵士たちだった。資金調達のためにコンサートが開かれ、自伝の出版も企画された。彼女の『自伝』(1857年、邦訳2017年)は、黒人女性が書いたものとしては、出版史上ごく初期のものである。

存命中は、イギリスにおいて著名だったシーコールだが、ロンドンでの死去後、その名前は人々の記憶から忘れ去られた。ナイチンゲールが死後ますます名声を高くしたのとは対照的である。ジャマイカの看護師協会により、ロンドンのカトリック墓地にあった墓がきれいに整備されたのは1973年のこと。2004年には、ウェブ上で行われたアンケート「偉大な100人のイギリス黒人」で1位に選ばれている。このアンケートは、2002年にBBCで行われた「偉大な100人のイギリス人」の中に黒人が一人もいなかったことへの反発として行われたものだ。冒頭で触れた彫像を作るための有志の活動が始まったのもこの頃。その除幕は12年もの活動の成果である。2007年には義務教育の国定カリキュラムにも導入されている。このために、イギリスでは、このカリキュラムで学んだ世代と、それ以前の世代とで彼女の知名度は異なる。

ロンドン、ケンザル・グリーン墓地にある整備後のメアリ・シーコール墓所

46章でも触れるジャマイカ大使とお会いした際にメアリのことを話題に出したところ、「彼女はカリブの集合的記憶だ」というお話を聞くことができた。むろん、ジャマイカでは1991年に叙勲されたり、大学の施設に名前がつけられたりと高く評価されている。冒頭に書いた彼女をめぐる議論が形を変えて繰り返されるのは、過去の過ちを克服できないイギリスの現状を示しているのではないだろうか。

V

カリブから イギリスへの インパクト

——戦後移民と戦後文化の形成

31

第2次世界大戦後の移民

★ウィンドラッシュ号の到着とその後★

次ページの写真は、1948年6月、イギリス、テムズ川下流のティルベリー・ドックに接岸しようとする船の様子を撮影したものである。この船――エンパイア・ウィンドラッシュ号（以下、ウィンドラッシュ号）は、「西インド諸島からの初の移民船」として、その後も雑誌や新聞に繰り返し掲載され、多文化、多民族化する第2次世界大戦後のイギリス社会のシンボルと目されてきた。活字のみならず、映像でも記録されたこの出来事は、「ウィンドラッシュ」という船の名とともに、10周年、20周年、50周年といった記憶の節目で記憶し直されながら、イギリス移民史の中で半ば神話化されて現在に至っている。

ウィンドラッシュ号はもともと、1930年末にハンブルクで造られたドイツの客船で、モンテロザ号の名で第2次世界大戦中はナチスの軍事輸送船として使われていた。その後イギリス海軍に拿捕《だほ》されて改名。「エンパイア」はイギリス政府に仕えることを含意し、「ウィンドラッシュ」はコッツウォルズ地方の川の名に由来する。戦後も海軍の輸送船として使用された船は、1948年、オーストラリアからイギリスに向かう途中、カリブ海域の諸港に立ち寄り、現地の人びとを乗せてロンドンに向かった。

下船風景を記録した映像には、移民たちの緊張した真剣なまなざしが刻まれている。これを契機に、1970年代初頭までにイギリスに移民した旧植民地の人びとは、船の名にちなんで「ウィンドラッシュ世代」と呼ばれる。この世代区分には、その間のイギリス移民政策が関係している。

ウィンドラッシュ号の到着まもない1948年7月、イギリス議会でイギリス国籍法（1949年1月1日施行）が成立した。連合王国と旧植民地（英連邦）の市民権を一本化したこの法律は、「植民地の臣民」に「イギリス国民」と同等の権利、すなわち、イギリス国内での居住権と労働権を保障した。同法は、解体しつつあるイギリス帝国の一体性を確保する一方、移動の自由を与えることで、イギリスが多文化、多民族国家へと舵を切ったことを

ティルベリー・ドック（エセックス州）に接岸しようとするエンパイア・ウィンドラッシュ号
（写真：Science & Society Picture Library ／アフロ）

意味した。

同法案通過を見越して、イギリス労働省は、戦後経済復興のためにイギリスで働こうと、各地元紙を通じてカリブ海域の人びとに呼びかけた。戦後の高い失業率、生活費の高騰、ハリケーン被害などで先が見通せない経済状況とともに、英語を母語とするキリスト教徒であったことが、彼らの決断を後押ししたと思われる。

移民の多くはイギリスの都市部に居住し、ホテルや飲食店での肉体労働、あるいはイギリス国籍法と同じ1948年創設の国民健康サービス（NHS）が求める看護や介護の現場やロンドン交通局のような公共交通機関で、いわゆるエッセンシャル・ワーカーとして雇用された。2020年からのコロナ・パンデミックでは、カリブ系住民の死亡率がそれ以外の民族集団、とりわけ白人系と比べて高かったが、それは、第2次世界大戦以後のイギリス社会に構造的に埋め込まれてきた移民史の裏返しにほかならない。

「（彼らは寒さで）ひと冬もたないだろう」と述べた当時の植民地相アーサー・C・ジョーンズの予想は大きくはずれ、西インド諸島からの移民は1950年代のうちにそれ以前の約10倍にまで増加した。とりわけ1952年、アメリカの移民規制法であるマッカラン＝ウォルター法により、西インド諸島の人びとが「イギリス人」から除外されて規制対象となり、年間移民人数枠が大幅に削減（例えばジャマイカは年間100名）された影響は大きい。この規制法施行直前まで毎年千人程度であったイギリスへの移民数は、施行2年後には10倍を超え、1955年には20倍を上回る2万2000人余りへと激増した。それは、地域としての連携の形が見えない中、有効な経済・社会政策が打ち出せず、島外に生活の糧を求めつづけねばならない西インド諸島経済の厳しい現実を反映していた。

非白人移民の急増に対して、白人たちの間に溜まり始めた不安と恐怖は、１９５８年８月、ノッティンガムのセントアンやロンドンのノッティングヒルなどのカリブ系移民地区を中心に起こった人種暴動（33章、60章）で爆発する。１９５０年代末、戦後の景気後退で雇用状況が悪化すると、レイシズムも移民排斥もさらに強まり、各都市では「白いイギリスを守れ《キープ・ブリテン・ホワイト》！」が叫ばれた。

こうした動きを受けて、英連邦移民法（１９６２年７月施行）では、イギリスへの移民希望者にイギリス労働省が発行する雇用証明書の取得が義務づけられた。１９６０年代には、独立後の「アフリカ化」を進めるケニアから追放された南アジア系の人びとが、イギリスのパスポートで続々と移民してきたため、１９６８年改正の英連邦移民法では、イギリスでの労働許可書のない南アジア系移民の入国が禁じられた。と同時に、人種的血統主義（パトリアル概念）が導入され、英連邦からの移民の条件は「祖父母のうち１人以上がイギリス生まれであること」とされた。１９７１年の移民法（１９７３年施行）では、「本人もしくは両親がイギリス生まれで就労許可書を持つ市民」に限定された。ここに、第２次世界大戦後、旧植民地に認められてきた自由な移動は実質的に終わる。

１９８１年、イギリス国籍法の改正（１９８３年施行）によって、「両親が二人ともイギリス生まれである場合を除き、イギリスで生まれたからといって自動的に市民権は付与されない」ことが決まった。ここに、帝国の連帯とその証である自由な往来を認めた１９４８年の国籍法は、その効力を完全に失った。同年４月、改正に反対する人種暴動で緊迫したロンドンのブリクストンは、ノッティングヒルとともに、今なお西インド諸島系移民の「心の故郷」であり続けている。

（井野瀬久美惠）

コラム8

ウィンドラッシュ号の乗客たち
――その多様性

井野瀬久美惠

エンパイア・ウィンドラッシュ号にはどんな人たちが乗っていたのだろうか。近年、ロンドン大学ゴールドスミス・カレッジを中心にその再分析が進められている。

1948年6月22日、ロンドン到着時、この船の公式乗客数は1027名（密航者2名を含む）。その半数近くはイギリス軍に所属しており、非白人の3分の1は休暇や職務から戻る王立空軍（RAF）の兵士たちであった。二つの世界大戦では、「帝国総動員」というイギリスの呼びかけに従って、西インド諸島からイギリス軍に合流して戦い、戦後イギリスで暮らす者も少なくなかった。RAF所属が多いのは、陸軍や海軍といった伝統を重んじる部隊と異なり、第1次世界大戦末期（1918）に設立されたRAFでは、肌の色への偏見が比較的少なかったからだと思われる。西インド諸島出身者には、パイロットのみならず、整備士として女性の採用も認められた。

ウィンドラッシュ号については、「ジャマイカ人移民492名」という言説が繰り返されてきた。だが、乗船リストに記載された最終居住地によれば、ジャマイカからの乗船者数は539名。ここには上記、RAF関係者も含まれる。ジャマイカが圧倒的に多いものの、バーミューダ（139名）、トリニダード（73名）、英領ギアナ（現ガイアナ。44名）など、西インド諸島に広く点在しており、全体で802名を数えた。RAFを中心とする非白人の軍人・兵士の数を考慮すれば、「移民492人」という数字には再考の余地がある。「ジャマイカ人」は、当時のイギリス人が西インド諸島全体を一まとめに「ジャマイカ」と呼んでいたことと関係すると思われる。

ウィンドラッシュから40年、50年といった記憶の節目に行われた乗客の聞き取り調査からは、渡英目的の多様性も浮き彫りにされた。例えば、英領ギアナで乗船した中国人との混血、26歳のエドウィン・ホーのようなボクサーが４人、マネージャーとともに乗船していた。オズワルド・デニスンの証言によれば、ジャマイカからの乗船者には、商売人や留学目的の者もいたという。デニスンが強調するのは、乗船者は28ポンド10シリングの渡航費が払える人たちであり、食いつめた貧民ではなかったことだ。デニスン自身、冒険心が勝ったと回想している。あるいは、１９４４年にＲＡＦ入隊後、ロンドンで暮らしていたサム・キングは、前年のハリケーン被害を心配してジャマイカに帰還したが、再びロンドンに戻った。彼は１９８３年、ロンドンの行政区サザーク初の黒人区長となり、ウィンドラッシュ世代の成功者として知られている。

乗船リストからは、女性が２５７人と全体の４分の１を占めており、12歳未満の子どもが86人（男子50人、女子36人）いたことがわかっている。証言によれば、いずれも非白人は少なく、多くは帰還するイギリス人軍人の家族だと思われる。また、最終居住地を「メキシコ」と記載した66名の大半は、第２次世界大戦中にナチスの迫害を逃れてメキシコに渡り、戦後イギリス国籍を取得したポーランド人難民の女性と子どもであった。

公式記録で２名とされる密航者は、実際には18名で、イギリス上陸時に逮捕され、罰金や数日間の投獄といった刑罰が科せられた。唯一の例外が、公式記録にある２名の密航者の一人、航行中に発見された39歳のエヴリン・ウォーコプである。渡航費が払えない彼女の境遇に同情した他の乗客の寄付で渡航費を支払った彼女に、刑罰は科せられなかった。

様々な人生を乗せたウィンドラッシュ号は、

その後朝鮮戦争に動員された。1954年2月、横浜を出航した船は、アルジェリア沖合で突然爆発、炎上し、4名の犠牲者を出した。事故検証のために曳航中、船は沈没して海の藻屑と消えた。

32

本国へのプライド

──★クレオール（白人）女性作家ジーン・リースとドミニカ島★──

日本での知名度は高くないが、作家ジーン・リース（1890〜1979年）は、ドミニカ島出身のクレオールと呼ばれる白人である。クレオールという用語は複数の意味を持つ。支配した側の欧系白人と、非白人（多くがアフリカ系島民）との混血を指すこともあるが、ここでは、『ジーニアス英和辞典』掲載の「西インド諸島・南米などで生まれた白人の子孫」という意味に少々追加して、「英領西インド諸島における奴隷解放令が本国議会を通過する1833年以前に、島々に居住していた欧系白人の子孫」とする。

ジーン・リースの代表作に『広い藻の海』（1966年／篠田綾子訳、河出書房新社、1973年／小沢瑞穂訳『サルガッソーの広い海』みすず書房、1998年）がある。これは、シャーロット・ブロンテの『ジェイン・エア』（1847年）を下敷きとした、スピンオフ編とも言える作品である。『ジェイン・エア』は、住み込みの家庭教師ジェインと、イングランド、ソーンフィールドの地主でジェインの雇い主であるロチェスターとの恋愛が成就するまでの波乱万丈を描く。二人の前途を阻む障壁として登場するのが、ロチェスターが父の命令で15年前にジャマイカで結婚し、ソーンフィールドの屋敷の屋根裏部屋に監禁しているクレオール妻「狂人バーサ」だ。バーサが屋敷に火を放ち亡くなることで、その後二人は晴れて結ばれる。リースは、このバーサを主人公とし、彼女を生まれ故郷のジャマイカに戻して『広い藻の海』を描いた。

リースは担当編集者と何通もの手紙をやりとりしている。その中で、昔から『ジェイン・エア』を読むたびに苛立ったと書いている。「クレオールに関する誤った場面」や「ロチェスターの冷酷さ」。特に作者ブロンテが、19世紀前半の英領西インド諸島の事情をよく知らずに「狂人バーサ」を創作したことに憤慨していた。バーサとの不幸な新婚時代をジェインに告白するロチェスターのせりふには、なるほどリースの怒りを買いそうなものがある。原作の翻訳のまま いくつか挙げると、「あれは気狂いの家に生まれた、3代続いて白痴と発狂者」だとか、「西インド諸島生まれの母親は気狂いで大酒飲み」などとバーサやバーサの母親のことを描いている。なかなかの差別的表現だが、19世紀前半、英領西インドでの奴隷解放前後の時代に、本国イギリスから向けられる西インド植民地へのまなざしとしては、特別たちの悪いものだったとも言えない。

18世紀末から、奴隷貿易廃止や奴隷制廃止に反対する西インド植民地議会の強硬派プランター（大農園主）たちを、イギリス議会は「凶悪な専制政治を支える近視眼的な人々」と非難していたし、1801年から5年間ジャマイカに赴任した総督ジョージ・ニュージェントの妻マリア（1771〜1834年）は、食事に招かれた先の白人プランター家族が示す「旺盛な飲食行為」や「大勢の黒人使用人に囲まれた生活」を驚きの目で日記に綴った。「熱帯の狂気」や「酒浸りの白人」など、行ったことも見たこともない西インド植民地とそこに暮らす白人を描いたブロンテだが、同時代の本国人たちの偏見から自由でいることは難しかったのだろう。だが、それから半世紀以上経ってもさほど変わらぬ本国の人々の偏見や無知にリースは遭遇する。

リースは1907年夏に故郷ドミニカを離れ、ケンブリッジの名門女学校に編入する。母方の曽祖父は奴隷解放以前からのプランターであり、最盛期には250人以上もの奴隷を擁する人物だったが、リースの父親はウェールズから島の医務官として赴任してきた本国人だった。リースの離島は、本国の教育を受けなければ2等市民扱いをされるクレオール娘の将来を慮った父の判断だった。

だがリースは本国生活の出だしからつまずく。厳格に運営される授業、マナーを重んじる学校行事、規則に縛られる寮生活など、島の穏やかな修道院女学校生活に慣れ親しんだ身には苦痛でしかなかった。その苦痛を本国のエリート女教師は察してくれなかった。彼女たちの多くは、1860年代後半から進んだイギリス本国の女子教育改革の成果とも言える、ケンブリッジ大学女子学寮卒の高学歴女性だった。「みんなが知っていることやできることを自分は何一つ知らず何一つできない」と、リースは強烈な劣等感を抱いた。

特に彼女を苦しめたのは英語だった。富裕層出身の同級生たちからは「おかしな英語」だとからかわれた。非白人の使用人に囲まれて育ったリースは、母の忠告も聞かず、料理人や子守と親しく話をすることを好んだ。彼女の英語を聞いた親族は「なまりがきつく黒人のようだ」と顔をしかめた。その英語をリースは矯正しようと試みる。大学進学を断念し女優を志願したリースは、俳優養成学校に入学し、そこでアッパークラスの英語への矯正に努力するが失敗し、退校を勧告される。この時点で、西インドのプランター一族出身のクレオール女性は、本国での「正規の道」を閉ざされた。

伝記の表紙を飾るジーン・リース

　リースはこの後、「冷酷な本国と本国人」に対する怨嗟を持ち続けたのだが、その心情も理解できるような人生を生きた。俳優養成学校で失敗し故郷に帰るわけにもいかず、かといって本国に後ろ盾もないリースは、コーラスガールになる。エミール・ゾラ『ナナ』（1879年）の主人公、娼婦ナナの表向きの職業が女優だったように、19世紀末から20世紀にかけてのコーラスガールは「売春婦」とほぼ同義語でもあった。地方巡業中に、上流階級で「イートン校↓ケンブリッジ大」卒の男性に見初められ愛人となる。彼に捨てられてからは、リース伝記作家曰く「性とカネとのこそこそした交換」によって生き延び、父親の不明な子を妊娠し危険な中絶手術も受けた。

　1919年自称ジャーナリストのオランダ人男性の求婚に応じてイギリスから脱出するが、欧州でも夫の逮捕や第1子の死亡などの不幸に見舞われる。欧州を転々とする中、かつて中絶手術後に苦しい日々を綴っていた日記が著名な編集者の目に留まり、リースは作家として再起を賭け、二度と来るまいと誓ったイギリスに戻る。

　ロンドンの出版代理人と再婚し、20年代末からおよそ10年間順調に作家活動を続ける。その間の作品『暗闇の航路』（1934年）に、主人公のコーラスガールが「恋人の紳士」に向かって自分の家系を明かす場面がある。亡母の所有する広大な農園、幼い頃に見た奴隷名簿などを恋人に解説した後、

第32章

本国へのプライド

「私は母方から数えて5代目の正真正銘の西インド人だ」と宣言する。「大嫌いなイギリス人」に西インド人のプライドを表明する印象的な場面だ。

だが、ちょうど同じ頃、リースの知らない事態が故郷の島で進行していた。ドミニカも含めた英領カリブにおける自治権獲得を求める政治運動である。運動の中心は、ムラートと呼ばれる白人と黒人との混血で島の中産階級を占めるようになった人々と、彼らに追随する黒人島民だった。リースが西インド白人の誇りを本国に示していた頃、彼らの島における立場はもはや過去のものになっていた。その過酷な現実をリースに突き付けたのが、彼女にとって30年ぶりの帰郷だった。

（堀内真由美）

33

クレオール女性と「ノッティングヒル事件」

★ジーン・リースが描いた「人種暴動」★

コロナ禍が世界を覆った2020年早春以来、人種差別に起因した事件とそれへの抗議を伝えるニュースが北米大陸から頻繁に届くようになった。そもそもなぜアメリカに黒人がいるのか、その歴史が共有されなければ単なる諍いと受け取られるかも知れない。バラク・オバマ元大統領の妻ミシェルの祖先は、アフリカから奴隷貿易で連行された黒人だ。彼女のような家族史を持つアフリカン・アメリカンは多い。同じようにイギリスにも、奴隷貿易に遡って家族史を語れる人々が存在する。アフリカ大陸から当時の英領西インド植民地に連行された奴隷を先祖に持つ彼らの多くは、労働移民として第2次世界大戦後「本国イギリス」にやって来た（31章）。

ドミニカ島出身のクレオール作家ジーン・リースが代表作『広い藻の海』の完成に向け悪戦苦闘をしていた1950年代は、故郷からの労働移民が増加していく一方で、25章でも見たように、英領西インド諸島が、西インド連邦の成立を模索していた時期でもあった。連邦が発足したまさにその年、本国人の歴史認識が表出した出来事が起こる。それが「ノッティングヒル事件」だ。

1958年8月29日深夜から翌月5日にかけて、ロンドン西部ノッティングヒル地区で暴動が起きた。前週には、イングランド中部ノッティンガム市で黒人と白人との衝突が起きていた。背景には、白人による西インド移民への人種意識がある。年々増加する「彼ら」に職を奪われるという誤認、異質な生活・行動様式を「ここ」でも維持する「彼ら」への反感や嫌悪。それらが白人社会に広がっていった。2都市での大規模衝突は、それが予想されるほどに日常化した摩擦の延長線上に起こったものだった。

高級紙『タイムズ』も摩擦の日常化を報じていた。事件数日前の記事では、「妬み、怒り、黒人によって白人が支配されるのではないかという恐怖」が移民を抱える都市に共通した点だと分析し、一方で、移民が抱える怒りと不満についても「故郷ではまったく自然であり、問題など引き起こすはずもないような自分たちの言動が、ここでは誤解されることだ」と解説している。

1919年に本国を離れ、1927年に再びイギリスに戻ったリースは、事件のはるか前から、「黒い肌の同胞」が本国人の無理解の中で生きていることを認識していたようだ。49年末に短編を構想していると友人に知らせ、さらに10年後、つまりノッティングヒル事件後に担当編集者にその完成を報告している。『広い藻の海』への筆を中断してまで描いておきたいことがあったと考えるほかないほどに、ノッティングヒル事件を発生させた本国への痛烈なメッセージが、事件に至る経緯とともに描かれる。リースはこの短編「彼らにはジャズと呼ばせておこう」(62年、以下「ジャズ」と記す)で、クレオールの定義を、「アフリカ系西インド人または彼らと白人との混血」とする「ここの人々」、つまりイギリス人の解釈に合わせた。元来クレオールは西インド諸島の白人入植者の子孫のことを指す

ホロウェイ刑務所

とは、「ここの人々」はすでに忘却していたからだ。
　主人公セリーナは、白人の父と「自分より白い肌をしたカラード」の母を持つ。父母が去った島で黒い肌の祖母に育てられたセリーナは、お針子としてロンドンにやって来る。ノッティングヒル地区に落ち着いたものの、家主から家賃の前払いを要求されアパートを追い出される。顔見知りが紹介してくれた郊外の住宅の一室に滞在するが、飲酒しながら歌い踊ることで先行きの不安を紛らわせるセリーナに、隣家の夫婦は聞えよがしに侮辱的な言葉を口にする。執拗な侮辱に耐えたが、ついに怒りを爆発させ隣家の窓ガラスを壊してしまう。精神鑑定のため送致されたロンドン北部ホロウェイ刑務所病院で、独房から「くぐもった女囚の歌声」を聞く。「ホロウェイの歌」と呼ばれるその歌でセリーナは生気を取り戻す。保釈後、あるパーティーで白人男性の要望に応え「ホロウェイの歌」を披露する。後日、「あの歌をジャズ風に変えて売却した」と、彼から礼状と5ポンドが送られてくる。セリーナは、「あの歌」が「ここ」ですべてを失くした自分の唯一の所持品だったと気づく。「大切な歌」がジャズ風に変えられてしまったのは悲しいが、彼らにはそれをジャズだと呼ばせておこうと思い直す。
　「ジャズ」には、西インド移民を追い出す家主や、飲酒とダンスに興じる移民を嫌悪し侮蔑する近隣住民など、ウィンドラッシュ世代を取り巻く本国人の姿が描かれる。屈辱に耐えてきたセリーナの怒りが爆発したのが「事件」だとしたら、そこに至る伏線も、「ジャズ」には描きこまれている。毎週欠かさず家賃を払っていたにもかかわらず、たまたまその時期失職していたセリーナに、家主の妻は唐突に「1か月分の前払い」を要求する。また、見知らぬ場所で仮住まいの不安を打ち消すためワインを飲み「大声で歌い踊る」と、隣人は「まるで野に放たれた獣を見るような視線」を送ってくる。差別的待遇や侮辱に耐え続けても相手の態度は変わらない。そして挑発に乗ってしまえば犯罪者となる。この「白人社会からの挑発」は、『タイムズ』が報じた、事件にからむ重大なキーワードの一つだ。

「騒動や流血の事態を引き起こすような、いかなる挑発行為も警察に報告することを求める」(傍点は筆者)。ノッティンガム市での騒乱を受け、同市で移民の相談に応じる社会福祉委員で自身も西インド移民である男性のコメントが『タイムズ』に掲載された。「ジャズ」のセリーナは、警察署での事情聴取で、近隣住民からの「証言」を聞かされる。隣家の夫は「こちらからの挑発はなかった」と断言し、近隣住民も「挑発行為など何もなかった」と彼の証言を支持する。リースは、「ここ」での定義に合わせたクレオール女性を主人公にして、彼女が事件を起こすまでのプロセスを、まるで新聞報道をなぞるように巧妙に描いた。

「挑発はなかった」とする本国白人に激怒したセリーナは、警察の取り調べで、ノッティングヒルの家主の横暴や、仮暮らし先の隣家夫妻の侮辱的態度を訴えようとした。だが、「落ち着いた小さな声で話したいが、自分の声は大きいし身振りも大きい」。だから「どのみち彼らは信じてくれないだろう」と諦める。その彼女に生きる力を与えたのが、「ホロウェイの歌」だった。それは「くぐもった声」(a smoky kind of voice) で歌われた。読者には、非白人が歌っていたとも連想させる。セリーナにとって親しみのある「ホロウェイの歌」は、「ここ」ですべてを失くした自分の唯一の所持品だったのかもしれない。だが、異質なものを受け付けず、西インド由来の文化や習慣に無関心な本国人に対して、その歌を、白人社会で流行していた「ジャズ風」に変えられても構わないと突き放した。

リースは主人公を通して、ただ諦念を描いたわけではない。隣人からの「どこか他所にいけないのか」との問いにセリーナは答えなかった。自身も含めた西インド人がなぜ「ここにいる」のか。白人から仕事を奪い、奇妙な行動様式を変えようとしない「彼ら」は、なぜ他所ではなく「ここ」に来たのか。答えるべきは「ここの人々」なのだ。リースは「ここの人々」の歴史認識を執拗に問うクレオール作家だった。

（堀内真由美）

34

戦後イギリスポピュラー音楽とジャマイカ

★２トーンからパンク＝レゲエへ★

『ティーンエイジ・スーパースターズ』（２０１７年）は、１９８０～90年代のスコットランド、グラスゴー音楽シーンを描いたドキュメンタリー映画だ。日本では２０２１年12月と22年１月に、ミニシアターを応援する学生グループ、映画チア部大阪支部の配給で大阪と京都でわずか1週間ずつ上映された（２０２３年に東京でも上映）。優れた音楽ドキュメンタリーだが、画面に登場する楽器や洋服、部屋の様子などの何気ない細部も興味深い。中でも目を引いたのが、初期プライマル・スクリームに一時期在籍していたマーティン・セント＝ジョンの背景に、少し前（２０２１年８月）に訃報を聞いたばかりのリー・スクラッチ・ペリーのポスターと2《ツー》トーンレコードのステッカーが目立っていたことだ。しかもセント＝ジョンがバンド在籍時に演奏していた楽器であるタンバリンと並べて。ペリーのジャマイカから、黒人音楽と白人音楽の融合を象徴するレコードレーベル、２トーンを代表するバンドであるスペシャルズ（43章、44章）のコヴェントリーを経てグラスゴーに至る音楽の水脈が可視化されたような場面だった。

ボブ・マーリーの初期のプロデューサーとして著名なペリー

は、ダブというレゲエのサブジャンルを完成させた。ダブは録音済みの楽曲を加工して新たな曲を作る、いわば編集と引用の音楽、とまとめられよう。音源の合成（ミキシング）を行う裏方のはずのエンジニアが、アーティストとして表舞台に登場し、80年代イギリスでは、同じ曲を「ダブ・ヴァージョン」など複数のミキシングで収録した12インチシングルが流行した（動機はレコード会社の儲け主義だろうが）。リントン・クウェシ・ジョンソン（35章）やベンジャミン・ゼファニア（42章）らダブポエトの朗読もダブの音楽に乗せて行われる。

ダブが既存の音楽を加工するアートであるなら、同じくジャマイカに起源を持つサウンドシステムは、既存の音楽をパフォーマンスとして再成立させるアートだ。レコードプレイヤーが十分に普及していなかった1940年代のジャマイカで、人々がともに音楽を楽しむ機会を提供していたのがその起源だが、やがてシステムは巨大化し、大音量で重低音を強調する移動式の再生装置へと進化する。環大西洋に四散した黒人の歴史や文化に焦点を当てた著作で知られる文化研究者、ポール・ギルロイが『ユニオンジャックに黒はない』（1987年、邦訳2017年）で詳しく論じているが、この音楽を共有する装置が、イギリスにおいてカリブ系コミュニティの形成に大きな役割を果たし、今でもノッティングヒル・カーニバル（コラム18）には欠かせない。

ダブの歴史と意義を論じた文化史家クリストファー・パートリッジの『ダブ・イン・バビロン』（2010年）は、3分の1ほどをイギリスにおけるダブの起源と発展に充てているが、その冒頭で触れられるのは1948年6月21日のウィンドラッシュ号の到着（31章）だ。イギリスにおけるレゲエ、ダブの歴史の始まりというだけではなく、イギリスポピュラー音楽全体に大きな影響を与えた出来事だ。ビートルズのリヴァプールと同様、大西洋を越えて流入する人や物がイギリスの社会や文化を変質させた。

同書では、1955年から62年までにカリブ地域からイギリスに移住した人の数は30万1540人、うち17万8270人がジャマイカからというデータを、イギリスにおいてジャマイカの音楽的影響が大きいことの根拠としている。なお、戦後のウィンドラッシュ以前に、黒人音楽の先駆的ミュージシャンがイギリスにいたことは付け加えておこう。1941年ロンドン、ソーホーでの公演中にドイツ軍の爆撃によって死去したケン・ジョンソンはガイアナ出身で、ジャマイカ出身のレスリー・トンプソンとともにスウィングバンド「ウェスト・インディアン・ダンス・オーケストラ」を結成し、ラジオを通じてイギリス中で人気を博した。

イギリスで最初の黒人と白人が在籍するバンド、イコールズ（44章）が結成されたのは1965年。同年、実効性は十分ではなかったとはいえ、労働党政権のもとで人種差別を禁ずる「人種関係法」が制定されている。1967年にはジャマイカ出身のダンディ・リヴィングストンの「ルーディへのメッセージ」がヒットしている。イコールズは、バンド編成において70年代以後の2トーンブームの先駆けであり、リヴィングストンの「ルーディへのメッセージ」はタイトルを少し変えて、スペシャルズが1979年にカバーして大ヒットしている。

70年代以後のイギリスポピュラー音楽におけるジャマイカの影響に大きく関わるのが、イギリス人クリス・ブラックウェルにより1959年にジャマイカで起業され、1962年にイギリスに移ったアイランドレコード社だ。ジャマイカの実情をイギリスに広く知らしめるのに貢献した映画『ハーダー・ゼイ・カム』（1972年）の製作、ボブ・マーリーの「発掘」とイギリスでの成功はいずれもアイランドが関わっている。マーリーのアイランドでの2枚目のアルバム『バーニン』（1972年）に収録された「アイ・ショット・ザ・シェリフ」を、エリック・クラプトンがカバーしてヒットさせるのが1974年。1976年にクラプトンの人種差別発言をきっかけに、ロック・アゲインスト・レイシズムが活動を本格化し、白人の反体制音楽であるパンクとジャマイカのレゲエが結びつく（40章）。一方で、マーリーは1977年にパンクへの親近感を示す「パンキー・レゲエ・パーティ」（『バビロン・バイ・バス』1978年）をリリースしている。

その背景には次のようなエピソードがある。1976年にリー・ペリーのプロデュースで発売されたジャマイカの歌手ジュニア・マーヴィンの「ポリスとコソ泥」は、もともとジャマイカでの暴力事件とそれを取り締まる警察の残忍さを歌ったものだったが、イギリスでヒットすると同年のノッティングヒル暴動（60章）と結び付けられるようになった。インディペンデント紙はマーヴィンの訃報記事でこの曲のことを「インナーシティのアンセム」とまで書いており、この曲が例えば当時のノッティングヒルやブリクストンなどで、どのように受容されていたかがよくわかる。クラッシュがこの曲をカバーし、デビューアルバムの1曲としてリリースしたのが1977年のこと。メンバーのジョー・ストラマーとポール・シムノン（ブリクストンにも住んでいた）は、この暴動の場にいたという。後のインタビューでシムノンが「単にまねるのではなく、自分たちらしく演奏した」と語っているように、演奏スタイルは原曲と大きく異なる。原曲を作ったマーヴィンはこのアレンジに不満を抱き、プロデューサーのペリーも「原曲が台無し」と不服だったのだが、マーリーはクラッシュのヴァージョンもいいと思うと述べ、その気持ちを表すために作られたのが、タイトルにパンクとレゲエが仲良く並んだ「パンキー・レゲエ・パーティ」だった。白人のレゲエ（42章）でしかないクラプトンのカバーと、パンクレゲエを創造したクラッシュの違いが見えてくるようだ。

（竹下幸男）

35

ジャマイカ生まれのイギリス詩人

★伝説の詩人リントン・クウェシ・ジョンソン★

ジャマイカ生まれのリントン・クウェシ・ジョンソン（1952年～）は、イギリスで様々な活躍をしているが、ここでは特に「詩人」としての側面を検討したい。デビューは1974年、雑誌『レイス・トゥデイ』に詩を発表し、同年に最初の詩集を刊行した。2002年には、ペンギン・モダン・クラシックスから選集が出版されている。この歴史あるシリーズで、存命中の作家の作品が出版されるのは2人目、黒人の詩人の作品が出版されるのは初めてのことだった。

2014年にはそれまでの業績を讃えてジャマイカ政府から勲章を授与。2020年にはイギリスの人権団体イングリッシュ・ペンからペン・ピンター賞を受けている。この賞はイギリスの劇作家ハロルド・ピンターの名を冠したものだ。イングリッシュ・ペンのホームページによれば、受賞理由として、ジョンソンの政治的凶暴さと飽くことのない歴史の精査、さらにその実践にユーモアが伴っていることがピンター的（ピンタレスク）であると評されている。また、近年のウィンドラッシュ・スキャンダル（48章）など、移民や人種的マイノリティを敵視する現代イギリス社会のあり方に触れながら、悲しいことにジョンソンのメッセージが以前よりも重要な意味を持っていると述べられている。ジョンソンの詩は出版されるだけでなく、音楽としても歌われる。その最初の記録が発表されたのは1978年のことだ。第2詩集『ドレッド・ビート・アン・ブラッド』（1975年出版）を元に、デニス・ボーヴェルのプロデュースで、レゲエの一ジャンルであるダブ（34章）のリズムに乗せて自らの詩を歌うアルバム（ポエト・アンド・ザ・ルーツ名義）がリリースされた。のちにダブポエトリーと呼ばれる新たなジャンルを確立する最初の作品で、ジョンソンもダブポエトと呼ばれるようになる。

共同製作者のボーヴェルは、1953年バルバドス生まれ。イギリスに移住し活動を続けているミュージシャンである。映画『バビロン』（1980年。39章）の音楽も担当している。音楽プロデューサーとしてはほかに、オレンジ・ジュースの最後のアルバムなど80年代UKポップの重要な作品にも関わっている。オレンジ・ジュースのボーカル、エドウィン・コリンズの最初のソロアルバムもボーヴェルのプロデュースだ。

ボーヴェルは80年代前後にイギリスで人気のあったマトゥンビのギタリストだった。マトゥンビは、BBCで1978年から79年に放映された『エンパイア・ロード』の主題歌も担当している。このドラマは、バーミンガムに住む英領カリブからの移民やインド系移民たちの日常を描き人気を博した。イギリスで黒人により書かれた最初のテレビドラマだ。人種的に多様な街の様子を描くことで、そのような人々への理解を促す役割をイギリス社会において果たした。

ボーヴェルの演奏による重いビートとリズム（このジャンルではリディムという）に乗せて語られるジョンソンの詩は、朗読であり同時に音楽でもある。その音楽性はジョンソンの言葉にも由来している。当時ジャマイカン・パトワ（ただしジョンソンによると「ジャマイカン・クレオール」）と呼ばれていた、ジャマイカで使われる英語の独特の発音が、標準英語では表現できないビートとリズムを生み出しているのだ。

１９７９年のドキュメンタリー『ドレッド・ビート・アン・ブラッド』に、ジョンソンが自作の詩「ダブル・スカンク」を、ラジオのパーソナリティと思しいイギリス白人女性に暗唱して聞かせる場面がある。聴き終わった後で、その女性は、半分ほどしかわからなかったと述べ、カリブ系の聴衆を主に想定しているのか、と尋ねている。同時代のイギリス白人が、どの程度ジャマイカン・クレオールを理解できたのかがわかる実例で興味深い。一方で、続くインタビューでは、二人の間できちんと会話が成立していることから、ジョンソンが日常会話よりも強くジャマイカ英語の発音の特徴を意識して朗読していたこともわかる。同じドキュメンタリーでジョンソンは、当時イギリスにいる黒人たちの身に降りかかっていた出来事を書こうとしたのだが、イギリスで話されている英語では無味乾燥すぎて暴力を伝えることができないため、自分の第１言語であるジャマイカン・クレオールを使うことにした、とも述べている。ジョンソンが詩で使う言葉が、いかにその内容と強く結びついているかを示すエピソードだ。

ジョンソンは、１９５２年にジャマイカのチャペルトンで生まれ、１９６３年に父とともにロンドンのブリクストンに移住した（母親は前年に移住していた）。ジャマイカの独立直後である。イギリスで通うことになった公立学校でジョンソンは大きなショックを受ける。ジャマイカでは奨学金を得るほどの優等生だったのに、イギリスでは低いレベルのクラスに配置されたのだ。そのことをジョンソンは、言葉の問題ではなく、黒人だから劣っているとみなされた、と述べている。当時としては珍しい話ではない。しかし、その差別を助長していたのは「言葉の問題」だろう。例えば移民が使う非標準的な英語を、知力が劣る証しとみなす風潮のことだ。もちろん現代においては、そのような差別は許容されない。2021年にビリー・アイリッシュがアジア人の発音をまねる過去の動画が拡散され、炎上したことなど記憶に新しい。ここには19世紀の作家シャーロット・ブロンテが、自作に登場するジャマイカ出身の女性から言葉を奪ったのと同じ差別性が垣間見えるだろう。

ジョンソンの先見性は、その言葉に対する差別性を逆手にとって利用したことだ。しかもそれは音と文字の両方に及ぶ。話し言葉における発音の癖を「矯正」することは一般に困難である。話し方や発音の特徴は、話し手について多くを物語る。移民たちの話し方は、肌の色と同様に、彼らのルーツを明らかにする。ジョンソンは、その現状とイギリス社会で黒人がおかれた状況を結びつけた表現を模索した。一方で、成績優秀だったジョンソンにとって、標準的な英語を書くことはそれほど難しくなかったはずだ。だが、ジョンソンは、46章で見るように出版する際に、あえて非標準的な書き方を採用している。標準的に書くことで隠せる事柄を隠さずに、状況を告発する武器として利用したのである。この点で、ジョンソンの作品は、音と文字の両方で同じ戦略を採用している。ジョンソンは、話し方や発音の特徴を書き言葉にまで痕跡として残し、強調することで差別や偏見と戦った詩人といえよう。

（竹下幸男）

ジャマイカの選手はなぜ速いのか？

コラム9

山口美知代

2021年に行われた東京五輪2020では、ジャマイカの女子短距離選手の活躍が目立った。女子100メートルにおいて、エライン・トンプソン・ヘラが、リオ五輪に引き続いて金メダルを獲得したほか、2位のシェリーアン・フレイザー・プライス、3位のシェリカ・ジャクソンもジャマイカの選手で、表彰台をジャマイカのアスリートが独占する快挙となった。女子400メートルリレーではこの3人に、ブライアナ・ウィリアムズが加わって、金メダルを獲得している。

ジャマイカの短距離選手の活躍が最初に注目を集めたのは、2008年の北京五輪である。ウサイン・ボルトの男子100メートル、200メートルほか、合計5個の金メダルを獲得した。北京五輪以降も、2012年のロンドン五輪で金メダル4個、2016年のリオデジャネイロ五輪で金メダル6個、そして2021年の東京五輪でも金メダル4個と、ジャマイカのスプリンターたちは活躍を続けている。

『ボルトはなぜ速いのか？』というドキュメンタリー映画がある（ミゲル・ガロフレ監督、2009年）。北京五輪でジャマイカのアスリートたちの活躍の直後に作られた映画である。原題は『ジャマイカ人はなぜ走るのが速いのか』で、この問いについて町の人々が答える様子が映画では描かれる。貧しいので走るしかない、スタッフがいないので走るしかない、犯罪を減らすために子どもたちを訓練する機会を作っている、などの理由が挙げられる。

なお、この映画の中では「巧みに検査をすり抜けるようなドーピングを企てる技術もないから、実力勝負だ」という理由も挙げられている。

しかし、実際には北京五輪の後10年近く経った2017年に、ドーピング再検査によって男子400メートルリレーチーム選手の一人であったネスタ・カーターのドーピングがわかった。リレー金メダルは剝奪された。

ジャマイカから優れた短距離選手が出る理由について、この映画以外にインターネット上の動画などからもジャマイカの人々の説明を探してみると興味深い。厳しい航路を奴隷として運ばれ、生き残った祖先たちは強靭な遺伝子をもった人々であり、その遺伝子を受け継いだ子孫としてジャマイカ人は遺伝的に秀でているという説明をしている人もいる。ジャマイカという国の歴史に合致するような説明が、耳になじみやすい言説として受け止められているのだろうか。また、ジャマイカ人の好むグリーン・バナナやヤム芋、米などの食材が陸上選手に適した食事となっているという説明をしている人もあった。

世界的に活躍するスター選手がロールモデルとなり、名声と富への道としての陸上短距離選手というのが根付いていることも大きいだろう。政府も経済的に、また、技術的に陸上選手育成のための支援を行っている。世界的な活躍を見込めるスポーツとして、サッカー、バスケットボール、また、クリケットなどもあるが、ジャマイカ人にとって陸上短距離選手はそうしたプロスポーツとは異なるステータスを持っているように思われる。

36

現代に続く人種差別をめぐる物語

★エシ・エデュジアンの『ワシントン・ブラック』★

19世紀初頭のバルバドスのサトウキビ農園で奴隷として生まれた少年ジョージ・ワシントン・ブラック（以後ワッシュ）は、冷酷な農園主エラスマス・ワイルドの奴隷に対する苛烈な振舞いに怯えて生活していたが、12歳の頃、農園主の弟クリストファー（以後ティッチ）の助手として熱気球の製作を手伝うようになる。ティッチは物語の後半で奴隷解放運動を手伝うことも明らかになるが、互いに「ワッシュ」「ティッチ」と呼び合い、ワッシュの絵を描く才を認めるなど、奴隷であるワッシュと対等に付き合うことを望む。やがて、ワッシュはトラブルに巻き込まれ、未完成の気球でティッチとともに島を脱出するが落下、ぶつかった船に助けられ、ヴァージニアへと向かう。その後、ティッチの父がいる北極圏でティッチと離れ離れになった少年ワッシュは、一人で英領カナダのノヴァスコシアへ移住し、そこでイギリス人博物学者ゴフの海洋生物研究を手伝い、ゴフの娘であるターナと恋愛関係になる。ゴフの新しい本の挿画を描くことになったワッシュは、ゴフ父娘とイギリスへ渡る。3人はロンドン動物園で世界初となる水族館の開館を目指すが、ワッシュは別れたティッチのことが気になり、行方を求めて、アムステルダム、モロッコへと旅をする。カナダのヴィクトリア在住の黒人女性作家エシ・エデュジアンの第3長編『ワシントン・ブラック』（2018年、邦訳2020年）のあらすじだ。

エデュジアンは1978年、カルガリー生まれ。両親はガーナからの移民だという。ヴィクトリア大学で創作を学び、2004年にデビュー。第2作『ハーフ・ブラッド・ブルース』（2011年、未訳）と『ワシントン・ブラック』はともにカナダの文学賞ギラー賞を受賞、マン・ブッカー賞のショートリストにもノミネートされた。2022年には主に人種をテーマとした初のエッセイ集を出版しているが、インタビューによるとこの本はジョージ・フロイド事件の直後に書き始められたようだ。同じインタビューで、人種と人種差別が自分の人生にとって重要な役割を持ち、『ワシントン・ブラック』は、それらについての物語であると同時に、少年が自立し居場所を見つけ自分の才能に気づく物語でもあると語っている。

ある書評では本書のことを「冒険、空想、恋愛、科学」小説としている。確かに、フィクションの持つエネルギーが横溢する小説だが、付け加えなければならないのは「歴史」だろう。とはいえ、いわゆる歴史小説とは異なり、むしろ歴史認識を根底に作られた物語といえる。例えば、冒頭のサトウキビ農園における奴隷の置かれた状況の厳しさ、「イギリスの実家の連中が贅沢な暮らしができるのはこの農園のおかげ」（邦訳117頁）というセリフなど、随所に帝国と植民地を巡る歴史観が見てとれる。

邦訳の訳者解説にも指摘されているが、本書に登場するイギリス人海洋学者のG・M・ゴフには、実在のモデルがいると考えられる。19世紀イギリスの博物学者P・H・ゴス（1810〜88年）である。

解説では、名前の類似に加え、ゴスが1853年に実際にロンドン動物園に世界初の水族館フィッシュハウスをオープンさせていること、また、ゴスがジャマイカで行った調査の際に、絵の巧みな黒人の若者がいたと書き記していることを挙げている。『ワシントン・ブラック』では、ゴフとワッシュが開館を目指す水族館はオーシャンハウスとされている。

小説では、そもそものアイディアや水槽の設計など、ワッシュはゴフの水族館に大きな貢献を行っているが、黒人で元奴隷である自分の業績が歴史に残ることはないだろう、と冷静に理解し、挿画についても、本に名前が記されることを期待していない。一方で、12歳の頃、バルバドスの農園で、ティッチは自分が将来出版する本のアイディアとして、「挿画ジョージ・ワシントン・ブラック」と書かれたノートをワッシュに見せている。ティッチの博愛主義を示すエピソードだが、この時に感じた希望は、実現し得ないことをワッシュが自覚することで、彼の苦悩を深めてもいる。

実在のゴスとジャマイカで出会った黒人については、どうだろうか。リヴァプール博物館のウェブサイトには、同館所蔵のゴスがジャマイカで収集した鳥の標本について、現地で収集を手伝った黒人の若者サミュエル・キャンベルの名前をゴスと併記することにした、という記事が見つかる（いつ執筆された記事なのかは不明）。忘れ去られ続けてきた黒人の業績が、長い時間を経て評価された一例といえよう。このような再評価は、特にイギリスでは奴隷貿易廃止の200年紀（2007年）以後、進んでいるように見え、エデュジアンの創作のヒントになったのかもしれない。

一方、水族館のオープン時期については事実と異なる。実際のフィッシュハウスのオープンは1853年だが、小説中では1836年の段階で、オーシャンハウスのオープンが現実的になっているように描かれている。この年代の違いはなんだろうか。そもそも冒頭に書いたような膨大な出来事が、小説中ではわずか1830年から36年までの間に生じているのはなぜだろうか。なぜ、この小説はワッシュが18歳の時点で終わっているのか。描かれる出来事の豊穣さに比して、1818年から36年までと小説の時間はあまりに短い。この小説が少年の成長を描く物語であることがその理由の一つだろうが、イギリスにおける奴隷貿易廃止（1807年）から、1833年の奴隷制廃止法以後も年季奉公人として解放奴隷を搾取し続けた制度が廃止される1838年までの「長い」奴隷廃止のプロセスに、ワッシュの物語を埋め込む作者の意図があったのではないだろうか。

この小説にはもう一つ実際の出来事をもとにしていると思しきエピソードがある。ティッチの行方を探して、アムステルダムを訪れるワッシュが、当地の博物学者が所蔵する双頭のネズミイルカの標本を受け取るエピソードである。本作が出版されたのは2018年だが、2017年の『ナショナル・ジオグラフィック』誌に、世界で初めて双頭のネズミイルカがオランダ人漁師により発見された、という記事がある。オランダ、ネズミイルカという限定的な種の名前が共通していることを考えれば偶然とは考えにくい。19世紀の物語に21世紀の出来事が潜んでいる。果たしてこれは、作者のいたずら心だろうか。いや、ワッシュの物語、少年の成長物語はむろんのこと、人種と人種差別を巡る物語が、今も続いていることを暗示することがその狙いだろう。

（竹下幸男）

37

ステュアート・ホール

★周縁からまなざす★

ジャマイカ出身のステュアート・ホール（1932〜2014年）は、「カルチュラル・スタディーズ」で知られる社会学者、文化理論家であり、政治活動家である。彼が中心となって発信したカルチュラル・スタディーズは、ラジオやテレビ、映画といった現代のメディアに注目し、労働者や若者を担い手とするポピュラー・カルチャーを研究の俎上にのせて、ハイカルチャーとの区別に異議申し立てしただけではない。文化を経済や政治の下に置く従来の見方を否定し、文化は政治の問題、権力闘争の場であり、理論とともに政治実践の場でもあると主張して、文化を見る目そのものを大きく変えた。それは、カリブ海域を離れたがゆえにホールに見えてきた複数のアイデンティティ、肌の色を含む自分自身の「カリブ的なるもの」と対峙する中で拓かれた、新たな知であった。

ホールは、1932年、植民地時代のジャマイカ、キングストンで、有色の中産階級家庭に生まれた。父はユナイテッド・フルーツ社の会計士、母は地元の名家出身で「イギリスこそわが故郷」と考える専業主婦。階級と人種の分断とその複雑な交錯を、ホールは「感情面で負荷の大きい植民地家族という病理学的な世界」(ホール『親密なるよそ者』121頁)と語る。その中で、少年時代の彼は「二つのジャマイカ」の間で引き裂かれた。一方の端にはホールの家族のような中産階級かつ有色の植民地人が、もう一方の端には彼らが歯牙にもかけないガーヴィ主義(コラム6)やラスタファリズム(アフリカで黒人王が即位すると黒人が解放されるというガーヴィの預言と、エチオピアでの黒人皇帝即位を契機にジャマイカで隆盛した宗教・政治運動)、ジャマイカの風習、儀式や祭りに宿るアフリカ的要素があった。どちらが本当のジャマイカなのか。それは、1938年のジャマイカ労働争議以降の、変わりゆく植民地ジャマイカが抱えた問いでもあった。

イギリスのパブリック・スクールをモデルに作られた植民地エリート育成の中等教育機関「ジャマイカ・カレッジ」の優等生であったホールは、ローズ奨学生に選ばれて、1951年、オックスフォード大学マートンカレッジに進学する。それは、息苦しい「植民地家族」からの脱出であり、その後長く続くディアスポラの始まりでもあった。

イギリスに到着したとき、ホールには「西インド諸島出身者」という意識はほとんどなく、大学やロンドンでカリブ海出身の留学生や作家らと交流して初めて、ジャマイカ以外の西インド諸島のことを知り、その多様性に驚いたという。と同時に、「ウィンドラッシュ世代」が数を増しつつあった1950年代、イギリス社会が彼らを同じ人種的・民族的帰属意識を持った存在とみなし、全員を「ジャマイカ人」と呼んでいることに違和感を覚えた。ホールは当時を「帝国の中心で初めて西インド諸島出身者になった」と振り返る。だからこそ、ホールを含む在英カリブの知識人たちは、1956年のイギリス領カリブ連邦法、58年成立の西インド連邦を強く支持した。

だが、西インド連邦は1960年代に入るや、「島単位のナショナリズム」に取って代わられていく。ジャマイカも1961年の国民投票で同連邦から脱退し、翌年独立した。その様子をイギリスで見守っていたホール自身は、創刊に加わった新左翼の雑誌『ニューレフト・レビュー』の初代編集長（1960～61年）を、内部対立で辞さざるを得なくなった。

1964年、ホールはバーミンガム大学現代文化研究所（CCCS）にポストを得る。現代文化の形式や実践、社会や社会変化との関係を研究するこのユニークな大学院研究機関における15年間（1964～79年）こそ、カルチュラル・スタディーズ展開のときでもあった。ホールがCCCS第2代所長となったのは、学生運動やヴェトナム反戦運動がピークを迎えた1968年。若者、労働者、メディア、そしてジェンダーや人種などを切り口に、大学院生と研究員がポピュラー文化を共同研究する場として、CCCSは内外から注目を集めた。「黒人（ブラック）」というカテゴリーの見直しもその一つである。

植民地時代のジャマイカの有色中産階級にとって、「ブラック」は極めて無礼な言葉であり、少年時代のホールも彼の友人も、自らを「ブラック」と認識したことはなかった。ジャマイカにはアメリカや南アフリカのように人種に基づく法や制度がなく、「肌の色」の濃淡も慣習的なものだったとホールは言う。ところが、イギリスでは、カリブ系、アフリカ系、南インド系がすべて「ブラック」という単一の言葉に分類される。ホールは、自らのアイデンティティを投影させつつ、「ブラック」が本質的に「創られた概念」であることを明らかにした。

その後、ホールはオープン・ユニヴァーシティ（日本でいえば放送大学のような成人教育機関）に異動

（1979〜97年）し、アカデミズム以外の人びとにも開かれた場で、広く社会との接点を持った。この時期のホールの関心は、もっぱらサッチャリズム批判に注がれた。「サッチャリズム」は、マーガレット・サッチャー率いる保守党政権と関わる文化分析のためにホールが造った言葉である。3回の選挙での勝利を含め、確たる成果がないのにサッチャリズムが成功したのはなぜか。彼が編んだ『帝国の逆襲』（1982）は、フォークランド紛争（1982年4月〜6月）に熱狂したイギリスのポピュリズムの中に、伝統的な階級（特に労働者階級）の連帯の崩壊、「イギリス人らしさ」の中心の喪失を浮かび上がらせた。サッチャーに「後継者」と高く評価された労働党党首トニー・ブレア批判にも、サッチャリズム以来の新自由主義との闘いが込められていた。

『帝国の逆襲』もそうだが、ホールの著作の特徴は、単著がほとんどないこと、すなわち共著や共編が圧倒的に多いことにある。このこと自体が、様々な「外」に向かって広く文化の研究を開こうとするホールの姿勢を物語っている。

20世紀が終わる頃、アメリカに移住しない理由を問われたホールはこう答えている。「中心（アメリカ）よりも周縁（イギリス）からの方がよく見える」——自らを「最後の植民地育ち」と位置づけたホールにとって、どこまでも周縁性こそが重要であった。

（井野瀬久美惠）

38

西インド諸島大学と文学研究

★自分たちの英文学、複数の英文学★

「アメリカを西洋における変革の動きの中心に据えて、西インド諸島大学のような機関を周縁化してしまっているじゃないか！」

アメリカ合衆国最難関大学の一つであるコーネル大学が、2020年に英文学科の名称をThe Department of EnglishからThe Department of Literatures in Englishへと変更した。これに関して、学科に所属している研究者らが誇らしげに記事をオンライン雑誌に寄稿し、こう述べる。この名称変更が、「英文学科を脱植民地化」する「歴史的変革」だと。

この宣言に対し冒頭の抗議を発したのが、西インド諸島大学の現名誉教授キャロリン・クーパーだ。彼女は、ジャマイカ地元紙『グリーナー』に寄稿し、コーネル大学の研究者らによる「歴史的変革」という見解が「コロンブスの発見」のようなものだと批判する。つまり、すでに世界に存在していたものを、欧米の視点からの新しい発見という歴史的事実に塗り替えるものだ。というのも、1994年（26年も前！）の段階で、西インド諸島大学モナ校にある英文学科が、The Department of EnglishからThe Department of Literatures in Englishに名称を変更していたのだ。クーパーは「カリブ海にある『国際的な』大学が、英文学科を脱植民地化する必要性をずっと前から認識していた」という事実に注意を促す。私たち日本人は、欧米先進国こそが高等教育の供給源であり、世界の出来事の最前線であると思い込んでしまっている。しかし歴史は、決して欧米のみによって作られるものではない。私たちは、植民地支配を被ったカリブ海の経験と記憶を温《たず》ね、カリブ海特有の叡智を紡ぐ場である西インド諸島大学をもっと知らねばならない――コロンブスや、彼に続いた帝国主義者のようにならないために。

西インド諸島大学は、英語圏カリブ海植民地において教育を提供することを名目とし、1948年にロンドン大学の海外分校としてジャマイカのモナに設立された西インド諸島ユニバーシティ・カレッジ（The University College of the West Indies）を前身とする。カリキュラムはロンドン大学のものを反映しており、学位もロンドン大学の名義で授与されていた。英文学科は1950年に「The Department of English」として設置された。チョーサーやシェイクスピア、ミルトンといったイギリス伝統の文学のみが教育されていたことが示すように、英文学とは高度な文明を象徴する「英国文学」だった。1962年4月にロンドン大学から正式に独立し、西インド諸島ユニバーシティ・カレッジから西インド諸島大学となり（同年8月にはジャマイカやトリニダード・トバゴがイギリスから独立した）、1963年には初めて英文学科のシラバスに変更がなされた。しかし、新たに加えられたのは、皮肉なことに米文学だった。カリブ海独立国における大学となってもなお、英文学に自分たちの存在はなく、英文学は「英米の文学」なのであった。

大きな転換点は1969年だった。西インド諸島大学現名誉教授のケネス・ラムチャンドが、カリブ海文学を英文学科のシラバスに導入したのだ。V・S・ナイポールやジョージ・ラミング、サム・セルヴォンなどイギリスに渡ったいわゆる「ウィンドラッシュ世代」の作家たちが、１９５０年代から作品を次々に世に出し、カリブ海文学はルネサンスを迎えた。彼らの活躍が、西インド諸島大学における英文学教育そして研究の脱植民地化の契機となったのだ。１９６９年当時は、カリブ海文学は主に小説を意味していたが、以降は詩や劇作品、ノンフィクションなども含め、大きなジャンルの一つに育った。この転換点から25年、１９９４年に英文学科は The Department of Literatures in English へと名称を変え、さらなる脱植民地化を図った。西インド諸島大学において、英文学は「英米文学」という排他的なジャンルではなく、「自分たちの英文学」を含めた「複数の英文学」を示すようになったのだ。

この背景を知っていたことが、私が西インド諸島大学モナ校に留学を決意した理由の一つだ。日本の大学院で博士課程を満期退学する私は、ことあるごとに周囲から「海外の大学に留学して学位をとる」必要性を説かれた。この「海外」が欧米を意味しているのは明白だった。日本における英文学は、いまだに「英米の文学」を意味する場合が多く、英文学科の教員も欧米の大学から学位を得ていることが多い。私が所属していた英文学科も「米文学講義」や「英文学講義」というような授業を提供していたが、それ以外の地域の文学はシラバスに含まれていなかった。

近年は植民地支配を受けた地域の文学に関するポストコロニアリズムという文学理論の発展もあり、日本でもアフリカやインドなどの文学への理解を促す英文学科も増えてきたが、カリブ海文学に関しては受容がまったく進んでいない。カリブ海文学を学び研究するのに、考えもなく欧米の大学を選ぶというのは、カリブ海を「周縁化」していることにならないだろうか。西インド諸島大学への留学は、私が日本で学んできた英文学というものを脱植民地化する試みでもあった。

留学して私が実感したのは、西インド諸島大学英文学科が定める英文学の多様性だ。英語で書かれた文学であれば、地域に関わらず教育・研究の対象とする。そしてカリブ海文学関係では、小説、演劇、詩だけでなく、思想や映画までもが一つひとつ授業のコースとして提供されている。ここに来なければ、私はカリブ海クレオールで書かれた詩作品に触れることはなかっただろうし、カリブ海で育まれた特有の思想を学ぶこともできなかっただろう。

人文教育学部の校舎の様子（「Faculty」2022年8月、大学提供）

教育機関として、西インド諸島大学英文学科は、国際色豊かでありながら地域に根差し、カリブ海社会の発展に文学を通して貢献する役割をも果たしている。自作の詩の発表の舞台を提供する「ポエトリー・クラッシュ」や、カリブ海関係の映画を上映し製作者や研究者らの討論を公開する「三月は映画月間」など、様々な文学的イベントを催し、地域交流を活発化させている。そのおかげで、大学外の人々も、文学が果たす社会的役割に非常に深い理解を持ち、作家や文学研究者に対し敬意を持っている。

さらに研究機関として、西インド諸島大学英文学科は、『西インド諸島文学ジャーナル』や『カリビアン・クォータリー』といったカリブ海をメインにした研究ジャーナルを発行していて、カリブ海研究の基盤を提供している。そして「西インド諸島文学学会」という毎年開催されるカリブ海文学研究学会の運営に携わっており、このような文化的土壌から、世界に誇れる目覚ましい文学研究が芽吹いている。

西インド諸島大学による脱植民地化への挑戦が物語るように、英文学は、欧米のみが権利を主張できるものではない。世界は、もはやカリブ海を無視できない。西インド諸島大学における文学教育・研究は、世界でも一流なのだから。

（中村　達）

コラム10

トリニダードの英雄とウクライナの好敵手

堀内真由美

読者にとってなじみの西インド人は誰だろう。ボブ・マーリー（１９４５〜81年）は、広く知られる西インド人の一人ではないだろうか。ジャマイカやレゲエに興味がなくても、彼の名を耳にすることは多いだろう。ドミニカ出身のジーン・リースも文学通にはおなじみかもしれない。同じく文学者で、１９９２年にノーベル文学賞を受賞したデレク・ウォルコット（１９３０〜２０１７年）はセントルシア出身。若い世代にはバルバドス出身の歌手リアーナ（１９８８年〜）が身近な西インド人かもしれない。日本とのつながりでいえば、歌手の青山テルマ（１９８７年〜）は、トリニダード・トバゴ人の祖父を持つ。

筆者が初めてテレビで見た英領西インド人はヘイズリー・クロフォード（Hasely Crawford, １９５０年〜）。１９７６年夏季オリンピック、モントリオール大会男子１００メートル決勝のシーンは、昨日のことのように思い出される。大会直後に刊行された『アサヒグラフ増刊号』（１９７６年８月）を手元に置き、何度ページを開いたことだろう。女子体操のコマネチにも、日本の男子体操や女子バレーボールの活躍にも、ファンには悪いが一切興味がなかった。

世界一速く走る男——それは中米カリブ海に浮かぶ島国、トリニダードトバゴのヘズレー・クロフォードだった。ミュンヘン大会では、足を痛め、決勝レースの途中で棄権し涙をのんだ。その恨みをモントリオールで……強豪相手に見事にはらしたのだった。

同誌36〜37頁には、1コースのクロフォードがゴールした瞬間をとらえた写真と、このような短い解説が掲載されている。タイトルは「カリブ海から来た速い男」。トリニダード・トバゴについての説明は、次ページに、「人口百万余のカリブ海に浮かぶ母国の国歌がかなでられる感激」と、表彰台で金メダルを胸に目を閉じる彼の写真にキャプションとしてつけられているだけである。母国に初のオリンピック金メダルをもたらしたクロフォードは、切手に描かれ国民栄誉賞も授与された。その授与式で彼に同賞のメダルを渡したのは「独立の父」初代首相エリック・ウィリアムズ（在任1962〜81年）だったはずだ。

ところで、くだんの「ゴールの瞬間」と「表彰台」に、3位入賞した白人男性が写っている。モントリオールで2連覇を狙っていたソビエト連邦代表ヴァレリー・ボルゾフ（1949年〜）。72年ミュンヘン大会では颯爽とゴールをトップで駆け抜けた「白い弾丸」である。その白い肌を抜き去りゴールした漆黒の肌のランナー。「地名おたく」の中学1年生に、彼は、初めて聞く海域名と国名をもたらしてくれた。一方、東西冷戦の時代だったから、たまにしか触れられないソ連選手の情報にも胸をときめかせていたあの頃。しかし、クロフォードの好敵手がソ連の中でもロシアではなく「ウクライナ」出身だったとは。2022年2月、ロシアによるウクライナ侵攻に衝撃を受け、何気なく「ググった」際に発見した事実だった。

筆者のオリンピック熱は、西側がボイコットしたモスクワ大会（1980年）以降すっかり冷めた。『アサヒグラフ増刊号』も、テレビや新聞でも、オリンピックは見なくなった。

Ⅵ

レイシズムと
アンチ・レイシズムの間

39

バビロン、シュガー、トライアングル

★映画『バビロン』とカリプソ・ローズ★

1980年のロンドン南部ブリクストンを舞台にしたレゲエ映画『バビロン』（1980年）は、2022年になってようやく日本で上映された。サウンドシステム（34章）やDJカルチャーを背景にした音楽に居場所を求める黒人の若者たちの物語だ。一方で彼らの日常は、イギリス白人たちによる苛烈な人種差別に晒されている。様々な差別的言動の中でも彼らを最も激昂させるのは「故国へ帰れ」という言葉だ。なぜなら彼らはイギリス育ちの移民2世であり、イギリスは紛れもない故国だからである。故国にいながら帰れと言われることで、彼らは行き場のない状況に追い込まれてしまう。そこから生じるのが激しい怒りなのは当然だろう。

舞台設定からしても、タイトルの「バビロン」が意味するのは間違いなくロンドンかイギリスのことだろう。では、その意味するところはなんだろうか。聖書を背景として一般に英単語の「バビロン」には堕落や腐敗した都市などの意味がある。また、レゲエと関係の深いラスタファリズムにおいては、資本主義、権力、植民地主義、警察など様々な意味を持つ。これらから、ひとまずは資本主義の強欲さに溢れ、人種差別が常態化し、時には警察や権力が差別に手を貸す堕落した都市としてロンドンをバビロンと呼んでいることはわかる。

だが、それに止まらず、この映画においてタイトルの「バビロン」は、もっと直截的な意味を持つことが映画の中盤で明らかになる。ラスタファリズムの指導者が、主人公に次のように語りかけるのだ。「東にアフリカ。西にはジャマイカ、すなわち第1のバビロン。北にはイングランド、すなわち第2のバビロン。バビロンの奴隷のトライアングルだ」。ここでこの映画における「バビロン」は、聖書の中でもバビロン捕囚に関わっていることがわかる。アフリカから奴隷としてジャマイカに連れてこられた黒人の状況を、ユダヤ人がバビロニア地方へ捕虜として強制移住させられた出来事に重ね合わせているのである。

注目すべきなのは、ジャマイカだけでなくイギリスもバビロンだという指摘だ。すなわち、奴隷制が過去のものとなっているはずの1980年にイギリスにいる黒人たちも奴隷状態にある、ということだ。人種差別に晒され、多くの制約を感じながら生きている登場人物たちは奴隷状態にあるのと同じだ、とこの映画は糾弾しているのだ。では2023年現在にこの映画を見る我々は、イギリス社会へのこの厳しい指摘を過去の出来事と済ませることができるだろうか。映画に登場する若者たちは、ウィンドラッシュ世代（31章）を親に持つ。その若者たちが成長して、のちにウィンドラッシュ・スキャンダル（48章）に直面することになるのを現代の観客は知っている。その事実を考慮に入れれば、この映画が40年を経て上映されることの意味は重い。彼らの置かれた苦境は過去のことではないのだ。

先に触れたセリフの「トライアングル」はアフリカ、カリブ地域、イギリスを結ぶ三角貿易のことである。この航路で運ばれたのは、奴隷と彼らが苦役の末に生み出す砂糖だ。健康志向の強い現代においては、砂糖はしばしば忌避される。だからこそ、禁断の味として、人を魅了せずにはおかない性質を持つものを表すのに最適なのかもしれない。ローリング・ストーンズの「ブラウン・シュガー」(1971年)は最も著名な例だろう。ところがこの人気曲は、ここ数年コンサートでの演奏曲目から外されている。歌詞の冒頭で明確に奴隷制について触れていること、黒人女性の性的魅力をブラウン・シュガーに喩えていることが、現代において社会の反感を招くことをメンバーが懸念した結果のようだが、2019年の公演を最後に一度も聴衆の前では演奏されていない。パンデミックの影響でしばらく公演がなかったことを考えれば、この判断が2020年のジョージ・フロイド事件をきっかけに大きな話題になったBLM運動に配慮した結果なのは容易に想像がつく。しかし、その判断は遅すぎはしないだろうか。イギリスでもアメリカでも黒人の差別に関わる問題は、常に起こり続けてきたし、BLM運動も2013年に端を発する。そもそも70代後半の分別ある男性が歌うべき内容なのか。

おそらく「ブラウン・シュガー」を意識して作られたと思われるのが、トリニダード・トバゴ出身の歌手、カリプソ・ローズの「スウィート・ブラウン・シュガー」だ。ローズは1940年生まれ、80歳を超えてなお、旺盛な活躍をするカリプソ界の伝説的歌手だ。2011年にそれまでの生涯を振り返るドキュメンタリー映画が作られ、日本でも2021年に公開された。19世紀のトリニダード・トバゴに起源を持つカリプソは、カーニバルと深く結びついた音楽だ。レゲエやスカにも多大な影響を与えたこの音楽ジャンルを芸名に冠するローズは、カリブ地域の黒人音楽を代表する歌手といえよう。

キャリアの長いローズには膨大な自作曲があるが、「スウィート・ブラウン・シュガー」は2018年に発表されている。ローリング・ストーンズだけではなく、グレナダ生まれの「世界のカリプソ・キング」と称されるマイティ・スパロウの「バッグ・オ・シュガー」（1966年）もその影響源だろう。いずれも男性が女性の性的魅力を砂糖に喩えている。一方でローズの曲では、女性自身が自らの魅力を砂糖に喩えている。だが、ここにあるのは、単なる立場の転換ではない。

ドキュメンタリー映画の中で、トリニダード・トバゴの文化史家でスチールドラムの研究者でもあるキム・ジョンソンは、ローズの歌について、男性を出し抜かずに言いたいことを歌っている、と分析している。ローズは、男性優位のトリニダード・トバゴ社会とカリプソ音楽業界において、女性の権利を主張する内容の歌詞を書いてきたが、それをあからさまで攻撃的には行わず、男性への露骨な非難をせずに行っている、というのである。「スウィート・ブラウン・シュガー」も、カリプソにおいて、男性が女性を蔑視するようなやり方で表現されてきた「砂糖」というモティーフを新たに解釈し直し、女性である自分の魅力を意味するものとして歌っている。スパロウの歌詞を換骨奪胎して「私にはたっぷり砂糖がある」と明るく歌うことで、男女の関係については、性的な事柄以上に大切なことがあるのを教えてくれているようだ。

ローズがスパロウの「シュガー」を「ブラウン・シュガー」に置き換えたのはローリング・ストーンズの代表曲を意識してのことだっただろう。「スウィート・ブラウン・シュガー」は、かつて植民地から砂糖に関わる富を収奪し、先祖を奴隷化したイギリス本国のバンドへの復讐であったかもしれない。だがその復讐は、手厳しいものではなく「甘い」大らかなものだった。

（竹下幸男）

40

人種差別とポピュラー音楽

★映画『白い暴動』★

映画『白い暴動』（2019年）はパンクロックバンド、クラッシュの最初のシングルからそのままタイトルを借用しているが、1970年代後半のイギリスで台頭する人種差別や極右集団に対抗する人々のムーブメント、ロック・アゲインスト・レイシズム（以下RAR）の活動を追ったドキュメンタリー作品である。監督のルビカ・シャーは両親が経験した人種差別について聞いたことをきっかけにこの映画の制作を決心したという。

70年代イギリス社会に広まっていた移民への差別的感情を説明するのに、欠かせない二つの固有名詞がある。イーノック・パウエルとナショナル・フロント（日本語に直せば「国民戦線」だが、歴史上ほかにもある同様の名称と区別するためカタカナで表記する）である。1950年から74年まで保守党に属し、下院議員も務めたパウエルは、移民排斥を訴えて70年代に一部の人々に人気のある政治家だった。パウエルの言動で、最も（悪）名高いのは1968年にバーミンガムでの保守党の会合で語られた「血の川」演説であろう。バーミンガムは、様々な背景の移民が多い地域だった。イギリスのレゲエ・バンドとして初めて大きな成功を収めたスティール・パルスのデビューアルバムは『ハンズワース革命』(1978年)というが、バーミンガム郊外のハンズワースはカリブ系やアジア系の移民の多い地域であり、このバンドの主要メンバーはジャマイカにルーツを持つ。

「血の川」演説でパウエルは、イギリス社会における移民の増加を非難し、将来のイギリス社会が移民たちに乗っ取られてしまうと危機感を煽っている。パウエルは、その後も一貫して移民がイギリスから離れて「故国」へと帰るべきだと訴え続け、「帰国」のために政府が財政支援をすべきだ、という主張も行っている。バーミンガム近郊のダドリーでジャマイカからの移民の家族に生まれたコメディアンのレニー・ヘンリーは、70年代後半のBBCの番組で「ホーム(故国/家)へ帰るのに、イーノック・パウエルが千ポンド出してくれるらしいけど、バーミンガムまでは列車で5ポンドで帰れるんだよね」と茶化している様子が映像として残っているが、イギリス生まれの移民2世の故国は間違いなくイギリスでしかあり得ないのだ。パウエルの主張の無理筋がよくわかる冗談である。

ナショナル・フロントは、今も存続する人種差別的性格の強い政党である。設立されたのは1967年だが、70年代に、若者へのビラ配りなどを通して急成長し多くの支持を得た。もちろん多くの支持と言っても、議席を獲得するほどのものではない。とはいえ、イギリス社会において移民に対する感情のあり方を二分するほどには影響力を持っていたようである。70年代末で公称1万3千人の会員がいたとされるが、実質は5千人程度だったろうという指摘もある。ウィキペディアでは「極右、ファシスト政党」と定義されているが、党のオフィシャルサイトではそれを否定し、自分たちは「合法的な」政党だとしている。「合法的」であることと「極右、ファシスト」の傾向は矛盾しないと思うが、ここでは置いておこう。今でも党の主要政策の中に、「自身を『移民』と呼ぶ外国人は本国へ帰国すべきであり、通常の法に則った『移民』は、必要な時間的猶予の後にイギリスを離れるべきである」と書かれている。

パウエルは「血の川」演説の後、保守党党首エドワード・ヒースにより影の内閣（イギリスで野党が将来の政権担当に備えて組織する機関）の閣僚を罷免される。やがて、パウエルは1974年には保守党を離れ、ナショナル・フロントからの立候補を求められる。結局、イギリスとの連合維持を主張する北アイルランドの保守政党アルスター統一党から出馬するのだが、パウエルの一連の行動は、ナショナル・フロントなどの極右勢力にある種の正当性を与えたとする向きもある。

ノッティングヒル・カーニバル（60章）が暴動に発展した1976年に、RARはこのような極右勢力や人種差別を公然と支持する人々に対抗するために作られた組織である。同じ年には、デヴィッド・ボウイがファシズムを容認するような発言をし、黒人音楽に強い影響を受け、ボブ・マーリーの楽曲もカバーしているエリック・クラプトンが、バーミンガムで行われたギグでパウエルへの支持を表明していた。このような状況に、同じくポピュラー音楽などの力を使って対抗しようとしたのがRARである。映画『白い暴動』は、RARの創設者である芸術家レッド・ソーンダーズを始め、当時活動に関わっていた人々やその活動に賛同したミュージシャンのインタビュー、当時のイギリス社会の人種差別的、排他的側面がわかる記録映像からなるドキュメンタリー映画である。

映画のハイライトは10万人を動員したと言われるイベント、カーニバル・アゲインスト・レイシズムである。これは当時のネオナチなど新たに勃興するファシズムに対抗する運動、反ナチ同盟と合同で、1978年4月30日に開催されたイベントで、イギリス各地から集まった人々は、ロンドン中心部のトラファルガースクエアから、イーストエンドを通り、ハックニーのヴィクトリアパークまでデモ行進を行い、そこで野外音楽フェスティバルが開催された。デモ行進がイーストエンドを通るのは、そこが当時、ナショナル・フロントへの支持が高い地域だったからだ。

この野外音楽フェスティバルでは、トム・ロビンソン・バンドら白人のバンドとスティール・パルスらの黒人バンドが同じステージで演奏し連帯を示した。中でも重要な意味を持つのがクラッシュの出演だった。ベースを弾くポール・シムノンの後ろ姿の写真は、その後もこのイベントのアイコンとなり、今回の映画でもポスターに採用されている。シムノンはカリブ系移民の多いロンドン南部ブリクストンの出身である。また、クラッシュの出演は白人労働者階級の若者が中心であるパンク・ムーヴメントが、RARの活動を支持することも意味した。

デビュー前のビリー・ブラッグ（43章）はこのイベントでクラッシュのステージを見て衝撃を受け、音楽と政治的主張を結び付けるソロ活動を始める。後のエヴリシング・バット・ザ・ガールのシンガー、トレーシー・ソーンは自伝の中で、16歳の時、学校の友達と一緒にこのイベントを観に行き、最前列まで進んでクラッシュのステージを見たために友達とはぐれてしまい心細い思いをしたという微笑ましいエピソードを書いている。この二つのエピソードだけでも、このイベントが後のイギリス音楽史に与えた影響の大きさがよくわかる。

（竹下幸男）

41

シネイド・オコナーのレゲエ・アルバム

★カトリックとラスタファリをめぐって★

アイルランドの歌手シネイド・オコナーは、オリジナル曲よりも、カバー曲の方が評価の高い印象がある。シングルで最初に世界的に売れたのはプリンスのカバー「ナッシング・コンペアーズ・トゥー・ユー」だったし、ジョン・グラントの「クィーン・オブ・デンマーク」も大胆に別の作品に昇華させているように聞こえる。これはアレンジを変えていることも一因だが、何よりも大きいのはオコナーの声の持つ説得力だろう。2013年に一度だけ、ロンドンのバービカンシアターでギグを見たが、マイクを通した声と通さない声を巧みに使い分け、ホール中に響かせる歌い方に驚いたことを覚えている。この声の力がカバーの際に、原曲になかった物語を立ち上がらせるのかと実感した。

オコナーはこれまでに2枚、カバーだけのフルアルバムを発表している。アイルランドのトラッドを取り上げた『永遠の魂』（2002年）とクラシック・ルーツ・レゲエの『スロウ・ダウン・ユア・アームズ』（2005年）である。アイリッシュトラッドについては、1996年のコンピレーション『コモン・グラウンド』でも、「ラグラン・ロード」のヴァン・モリソン（『アイリッシュ・ハートビート』収録、1988年）を凌ぐ歌唱を披露しており、期待していたファンも多かっただろう。一方でレゲエについては、ボブ・マーリーの「ウォー」に関わる、一連の「事件」を思い起こす人が多かったはずだ。

マーリーの「ウォー」は1976年発表の『ラスタマン・バイブレイション』に収録されている。ラスタファリ運動の象徴的存在だったエチオピア皇帝ハイレ・セラシエ1世（ラスタファリという言葉は、皇帝になる前のセラシエの称号ラス・タファリに由来する）の演説を元にした歌詞は、例えば次のようなものだ。「ある人種が優れ、別の人種が劣っているという考え方が、最終的にかつ永遠に信じられなくなり、放棄されるまで、あらゆるところが戦争だ」。ほかにも基本的人権の尊重や階級制度に対する抗議が歌われている。

1992年10月3日アメリカのテレビ番組「サタデーナイトライブ」に出演した際、オコナーは「ウォー」をアカペラで歌唱した後、ローマ教皇（ヨハネ・パウロ2世）の写真を破いてカメラに投げつけたのである。カトリック教会の子どもへの性的虐待への抗議だったというが、全米に放映されたこのシーンは大きな反響を引き起こした。カトリック教会の性的虐待が、大々的に報じられるようになるのは2002年、ヨハネ・パウロ2世がこの件を含む謝罪を公式に行ったのは2001年のことだ。したがって、当時のオコナーの行動は、実態を知らない多くの人々から激しい非難を受けた。

このテレビ放映の2週間後（10月16日）、ボブ・ディランのデビュー30周年記念コンサートに出演したオコナーは、会場の大ブーイングで予定していた曲を歌えないほどの悪意に晒される。会場はニューヨークのマディソンスクエアガーデン、音楽の興行をする際には2万の収容能力がある。その大観衆によるブーイングは想像を超える暴力だったろう。このコンサートは、スティーヴィ・ワンダーやジョージ・ハリソン、エリック・クラプトンなど錚々たるメンバーが1、2曲ずつディランのカバーを演奏する、という趣向で、オコナーもディランの曲を歌う予定だったが、収まらないブーイングに、バックバンドに演奏をやめさせ自らの喉を切るような仕草を見せた後、「ウォー」をアカペラで、というよりも叫ぶように歌った。

オコナーのレゲエのカバーアルバムと聞けば、この「事件」を思い出す人は多いだろう。実際、『スロウ・ダウン・ユア・アームズ』には「ウォー」のカバーも含まれている。このアルバムはジャマイカで録音、ジャマイカの著名なリズム隊スライ&ロビーがプロデュースをしている。そのロビー・シェイクスピアの訃報を聞いたのも、つい最近（2021年12月）だ。

この経験は当時25歳のオコナーにとって、大きな衝撃であり、一度は引退を宣言するほどだった。いわば、自らの歌手生命を危うくさせるほどの出来事だったわけだが、そのことを過去の出来事として葬り去らずに、「ウォー」を含むレゲエのカバーアルバムを制作するところにオコナーの力強さがある。興味深いことに、オコナーはこのアルバムのジャケットに、自身の子どもの頃のカトリックの受洗式の写真を使っている。キリスト教をディアスポラの立場から再解釈したラスタファリ思想と親近性の強いレゲエのアルバムにカトリックに関わる写真を、しかも自らの受洗式の写真を使った意味はあまりに複雑だ。オコナー自身もアルバム発売の時点で、論理的に説明できなかったのか、「なぜかこの写真を使うべきだと思った」と書いている。引退を覚悟したほどの過去のトラウマと訣別し、新しいキャリアをスタートさせるという決意、憎悪していたカトリックとの和解、などの安易な解釈を許さないのがオコナーというアーティストだ。ことにその宗教観についてはあまりに複雑で本人以外には理解が及ばないのではないか。例えばオコナーは、1999年には独立系カトリックの女性司祭の資格を取得し、2018年にムスリムに改宗している。ここには単なる気まぐれではない、何か余人には理解しがたい複雑さがある。

オコナーは、2021年の自伝でローマ教皇の写真を破ったことについて、「母親の持っていた教皇の写真を壊したいとずっと思っていた。それは嘘と嘘つきと虐待を意味していたから」と書いている。虐待を続けた母親と、カトリック系の施設での生活、教皇の写真を破ったことによる大きなトラブル。それらを経た上で、レゲエのアルバムに自らの受洗式の写真を使うことの意味は推測しがたいものがある。さらに言えば、2012年の「VIP」という曲では、ローマ教皇と写真を撮るポップ歌手（U2のボノ）を揶揄しているが、それは穏やかでユーモアに満ちたものだった（ライブ会場では笑い声が上がっていた）。

先の自伝でオコナーは「人々はポップ歌手を求めているけれど、自分はプロテストシンガーだ」と書いている。70年代のクラッシュがプロテストソングの可能性をレゲエに求めたのと同様に、オコナーも自らの抱える問題意識を表現する方法としてレゲエを選択したとも言えよう。そこには、同じく帝国の植民地であったカリブ地域とアイルランドが抱く、帝国へのプロテストという共感も垣間見える。

『スロウ・ダウン・ユア・アームズ』は、2004年にアイリッシュ音楽におけるブズーキの名手ドーナル・ラニーとの間に生まれた息子シェインに捧げられているのだが、ごく最近（2022年

1月)、自殺と見られるシェインの遺体が発見されるという、大きな不幸にオコナーは見舞われている。

本稿の2度目の校正を終えた後の2023年7月27日朝、ガーディアン紙のアプリを起動するとオコナーの訃報がトップで報じられていた。56歳。死因は明らかにされていないが、同紙は18か月前の長男シェインの死について言及している。また、同記事ではビリー・ブラッグ(43章)の追悼ツイートを画像で掲載している。ブラッグのコメントは「シネイド・オコナーは勇敢という言葉以上に勇敢だった」というもので、本章で触れたローマ教皇の写真を破っている画像が付けられていた。

(竹下幸男)

42

吸血鬼《ヴァンパイア》の帝国《エンパイア》と白いレゲエ

★シネイド・オコナーとポリス★

41章で触れたシネイド・オコナーのレゲエアルバム（『スロウ・ダウン・ユア・アームズ』）は単なるレゲエのカバーに終わらないユニークさを備えている。それを支えるのはオコナーの歌唱のユニークさに尽きる。のちに触れるスティングの歌唱法が、例えば、『ハンズワース革命』のスティール・パルス（49章）にそっくりなことを考えると、オコナーの歌唱と彼女のレゲエの持つ意味がよくわかる。

その一例として同作収録作の中から本章で取り上げるのは、リー・ペリーがプロデュースしたデヴォン・アイアンズの「キャッチ・ヴァンパイア」をカバーした「ヴァンパイア」だ。「ジャー」（レゲエにおける神）が吸血鬼を捕まえるために我々をここへ遣わされた」と繰り返されるこの歌には、ラスタマンは世の中の悪を正す存在だ、という誇りが見て取れる。しかし、ここに同じく「ヴァンパイア」と繰り返し歌われるオコナーの過去のオリジナル曲で補助線を加えれば、オコナーが歌う「吸血鬼」の意味合いが変わってくる。そのオリジナル曲とは、ブリクストン出身のイギリス人ミュージシャン、ボム・ザ・ベースことティム・シムノンのアルバム『クリア』（1995年）に収録された「エンパイア（帝国）」である。この曲のクレジットは、オコナーとベンジャミン・ゼファニアの客演になっていて、主要なメロディをオコナーが担当し、ラップをゼファニアが担当している。オコナーのパートは、「吸血鬼よ、お前は純心な人の命を餌とし、善人の命を啜っている」と繰り返される、吸血鬼に呼びかける内容だ。一般的な意味での悪を象徴するものとして吸血鬼を使うのはレゲエにはよくある手法である。この曲は、まずはそのような系譜にあるとみなせるだろう。

しかし、曲の後半のコーラスでその解釈は大きく変容させられる。次のようなリフレインだ。「これからはお前のことをイングランドと呼ぼう」。歌詞の中には出てこないタイトルの「エンパイア」は、韻を踏んで歌詞の中で繰り返し呼びかけられるヴァンパイアのことだとわかる。この曲を知ってしまえば、もはやオコナーの歌うヴァンパイアを単なる悪の象徴として解釈することは難しい。ライム（韻）によって大英帝国と吸血鬼が重なり合うイメージを聴き手に刻みつけたと言えよう。

この時の合作について、ゼファニアが自伝で書いているので長くなるが引用しよう。

シネイド・オコナーはいつだって尊敬し会いたいと思う人だった。だから一緒に曲を作る依頼があったときに飛びついたんだ。人と合作するときは、普通、私（ゼファニア）が重いメッセージを担当し、相手がそれを文脈に置くことを担当する。でも、シネイドの時は違った。彼女は吸血鬼が人々の血を吸う様子を歌詞にしていた。レゲエにはよくあることなので、目新しさはない。しかし、彼女は大きくはっきりと「これからはお前をイングランドと呼ぼう」と歌った。こいつは重いって思ったよ。（228頁）

吸血鬼と帝国を重ね合わせるアイディアがオコナーのものだったことがわかる。むろんオコナーがダブリン出身のアイルランド人であることを考えれば、「帝国」がカリブ植民地から見たものだけではなく、アイルランドからの視線も重なっていることは忘れてはならない。加えて、帝国の中心から見れば、アイリッシュ音楽もレゲエと同じく周縁の音楽であることも。この事実は例えば、北アイルランドのベルファスト出身のヴァン・モリソンやウェールズのトム・ジョーンズの、黒人音楽のような歌唱スタイルが、イギリスポピュラー音楽の主流から外れていることとも無縁ではないだろう。あるいは父親がアイルランド系のエルヴィス・コステロも。

ゼファニアは『スロウ・ダウン・ユア・アームズ』についても言及している。「大好きなアルバムだが、それは白人のレゲエ（ホワイト・レゲエ）に聞こえないからだ。オコナーはジャマイカで本物のレゲエミュージシャンと録音をしたが、音を黒っぽくしようとはしなかった。その音に彼女の声はたうまく混じっているんだ」。カバーアルバムに対する最高の賛辞だろう。

ゼファニアが、オコナーの音楽と対極にあると考える形だけのレゲエ、彼らの語彙を使えば「ジャーのない白人の音楽」として「白いレゲエ」と書いたとき、念頭にあったのは、間違いなくポリスだろう（あるいはクラプトンも）。ポリスは、パンクに始まり、レゲエを吸収しながらも、その両方のジャンルに共通するはずのプロテスト音楽の要素が欠如したまま、社会への関わりよりもむしろ心という個人の内面へと向かった末に崩壊してしまったバンドである。アルバムタイトルを見るとこの流れがよくわかる。パンクスを彷彿させる「アウトロー」を含んだ造語が含まれる1枚目の『アウトランドス・ダムール』（1978年）、英語にすればそのままホワイト・レゲエである2枚目の『白いレガッタ』（1979年）から、心に関わる最後の2枚『ゴースト・イン・ザ・マシーン』（1981年）と『シンクロニシティ』（1983年）。ドキュメンタリー映画『サヴァイヴィング・ザ・ポリス』（2012年）を見ても、同時代の社会状況にはほとんど触れられず、ひたすらバンドの人間関係と商業的成功、音楽の技術的側面を中心に、呆れるほどに自足したロックバンドの栄光と挫折が描かれる。

ポール・ギルロイ（34章）は『ユニオンジャックに黒はない』の、レゲエをはじめとするカリブ音楽がイギリス社会と音楽に与えたインパクトについての節を、『白いレガッタ』というアルバム名に言及しながら、ボブ・マーリーや2トーンの持っていた音楽のラディカルさを骨抜きにし、商業化したバンドとしてポリスを紹介することで終えている。本稿の文脈で言えば、レゲエの生き血を吸って肥え太る商業主義音楽とでもまとめられようか。ギルロイは、バンド名が「警察」であることも気に入らないようだが、それはSUS法（45章）や人種差別に根差す警察の暴力を考えれば当然かもしれない。ポリスとは、ドラムのアメリカ人スチュアート・コープランドの父親がCIAで働いていたから、という理由で付けられた名前なのだが、パンクとレゲエを演奏するバンドの名前としては皮肉にもならないようだ。

ベース、ボーカルのスティングは、80年代には、アフリカの飢饉のためのチャリティに参加し、ソロに転身後は熱帯雨林を守る活動など、イギリスから離れた場面での社会活動を続ける。彼が、自らに関係するイギリスの社会問題として、子どもの頃の経験に根差した80年代ニューキャッスルの造船労働者の苦難を本格的に取り上げるのはようやく2013年（『ラスト・シップ』）のことだが、それはプロテストというより、ノスタルジアであった。

（竹下幸男）

43

サフィア・カーンとスペシャルズ

★微笑みで団結を★

イギリスを代表する左翼歌手ビリー・ブラッグに「サフィヤは微笑む」という曲がある。ブレグジットを扱った名曲「フル・イングリッシュ・ブレグジット」が掉尾を飾る2017年発表のミニ・アルバム『壁ではなく橋を』に収録されている。タイトルからしてドナルド・トランプが公約とした国境の壁を真正面から批判しているのだが、このアルバムは全体として、世界各地で当時から続く社会の分断をテーマにしている。

「サフィヤは微笑む」は実際の出来事を元に作られた。2017年4月8日のその出来事は一連の写真として、SNSやメディアを通じて世界中に広まることになった。バーミンガムで行われた極右団体イングランド防衛同盟（EDL）のデモに参加していた男性から危害を加えられそうになった女性を守るために、穏やかな微笑みで対応した当時20歳の女性の写真である。激昂している男性に怯むことなく微笑み続けるこの女性、サフィヤ・カーンをブラッグは歌にしたのだ。後にカーンはBBCのインタビューで、自分も大声を出すことはあるけれど、と断りながら、「時に微笑みは大声を出すことよりも大切だ」と語っている。またボスニア・ヘルツェゴビナとパキスタン移民

サフィヤ・カーンと EDL の男性。スペシャルズの T シャツが見える。
（写真：アフロ）

の両親のもとに、バーミンガムで生まれたカーンは「自分の街で、誰かが袋叩きに遭うのをみたくなかった」とも語っている。

ブラッグの歌はカーンの振る舞いに同調するかのように、穏やかな曲調で「サフィヤが微笑む時、我々は団結する」と、社会の分断を争いではない方法で解決する方法を提示している。この曲の最後では、デモなどでは激しいリズムで叫ばれる"This is what solidarity looks like"（我らの団結を見よ）というフレーズが何度も繰り返されるのだが、このリフレインもデモで叫ばれる場合とは異なって、のんびりと穏やかに歌われるのもカーンの微笑みによる抵抗を意識してのことだろう。ブラッグは曲作りとその歌唱スタイルでカーンの行動に連帯を示した。そして、別のやり方でカーンへの連帯を示したのがスペシャルズだった。それも実にスペシャルズらしいやり方で。

この時の出来事を撮った写真の一枚に、カーンがスペシャルズのTシャツを着ていることがわかるものがあった。そのことに気づいたバンドはすぐにカーンに自分たちのライブのチケットを送る。2017年5月26日のバーミンガムでの公演だったと思われる。モッズ御用達のUKファッションブランド、フレッド・ペリーのウェブサイトに掲載されているインタビューで、カーンはこれまでに見た中でも最高のギグとして、この時のスペシャルズを挙げている。

カーンとスペシャルズとの関係はこれで終わらなかった。2019年に発表したアルバム『アンコール』収録の1曲にカーンを作詞家、シンガーとして招いたのである。カーンはこの時点で音楽活動の経験はない。素人でも、おもしろいと思ったら一緒に演奏してしまう行動力とおおらかさが実にスペシャルズらしい。戸惑うカーンに「信じて任せてくれればいい」と言って完成したのが「十戒」で、カーンのアイディアをバンドが形にしたのだろう。クレジットは共作になっている。

カーンの十戒の最初の戒めは「(他人にああしろこうしろと親切げに命令するような)プリンス・バスターの曲を聞いてはならぬ」だった。歌詞入りのユニークなPVを見ると、カーンはこの歌詞のところで、プリンス・バスターのレコードジャケットを掲げている。これでスペシャルズの「十戒」は、プリンス・バスターの「男の十戒」(1967年)へのアンサーソングだということがよくわかる。バスターの十戒が多分に女性差別的な内容を含むことから、その内容に異議を申し立てるものとしてカーンの十戒が書かれたことは明らかだ。興味深いのは、バスターといえば、1960年代ジャマイカ・スカのパイオニアであり、そのジャマイカ・スカを1970年代後半にイギリスでリヴァイヴァルさせることで成功を収めたのがスペシャルズだった、ということだ。いわば、自分たちのルーツとなった音楽を、現代の視点で批判的に語り直している。この姿勢はスペシャルズの結成当時から変わっていない。

スペシャルズというバンドは、スペシャルAKAに名前が変わったり、主要メンバーが別のバンド

(ファン・ボーイ・スリー)を結成したり、紆余曲折が様々で計算しにくいのだが、オリジナルメンバーであるテリー・ホール(2022年12月逝去)、ホレス・パンター、リンヴァル・ゴールディングの3名が参加したアルバムとしては2枚目の『モア・スペシャルズ』(1980年)以来、およそ40年ぶりの新作が『アンコール』である。ジャマイカからの贈り物であるスカを、当時としては珍しい黒人と白人の混成バンドで解釈し直し、70年代後半ポストパンクの行き場のない若者の怒りを代弁しながら、人種間の対立をビートで軽やかに乗り越えていったスペシャルズが、結成から40年以上も経って、ボスニアとパキスタン系の両親のもとにイギリスで生まれた若い女性を起用し、自分たちのルーツの一つを解釈し直すおもしろさがここにはある。戦後イギリス「本国」とカリブを含む旧植民地諸国との半世紀にも及ぶ複雑な関係がなければ生まれない文化だろう。

スペシャルズは、『アンコール』の成功に気を良くしてか、パンデミック下で新作『プロテスト・ソング 1924〜2012』(2021年)を完成させる。タイトル通り、1924年から2012年までのプロテストソング12曲をカバーしたものだ。どれも単なるカバーに終わらず、新たな解釈が施されているのは、デビュー当時と変わらないアプローチだ。中でもトーキング・ヘッズのエレクトロポップをレゲエに仕立てた「リスニング・ウィンド」とボブ・マーリーのレゲエを「脱構築」した「ゲット・アップ、スタンド・アップ」は出色。前者ではヨークシャー州生まれの中国系ミュージシャン、ハナ・フーをリードシンガーに招き、ブリクストンで「発掘した」ドラマー、トニー・ユタと共演させている。この時フーは22歳。一方のユタは92歳。人種だけではなく、世代間の分断を軽々と乗り越えるスペシャルズの姿勢に変わらないことがわかる。

(竹下幸男)

44

スペシャルズのBLM

★ウィンドラッシュとスペシャルズ★

スペシャルズのおよそ40年ぶりの新作『アンコール』には、英領カリブとの関係を明確に示す曲が収録されている。リンヴァル・ゴールディングがヴォーカルを務める「ＢＬＭ」である。アメリカでのジョージ・フロイド事件で世界的にブラック・ライブズ・マターが話題になったのは２０２０年のことだが、スペシャルズの「ＢＬＭ」はその1年前に発表されている。そもそもＢＬＭという運動が始まったのは２０１３年のことだ（コラム11）。

この曲はアルバムの2曲目として収録されているのだが、1曲目はイギリスで最初の多人種混成バンドと言われているイコールズの１９７０年発表のヒット曲をカバーした「ブラック・スキン・ブルー・アイド・ボーイ」である。当時のイギリス社会において課題となっていた白人と黒人の融和をテーマにした曲だ。スペシャルズのボーカリスト、テリー・ホールはインタビューで「スペシャルズを見て黒人と白人が上手くやっていけると感じたと言ってくれる人がいるが、自分とゴールディングはイコールズを見て同じこと思った」と述べている。ポピュラーカルチャーが人々の意識を変革した実例だ。イコールズのカバー曲と次の「BLM」は、ホレス・パンターの巧みなベースラインとゴールディングのリズムギターで、1曲目から2曲目へと現代風にアップデートしながらもクールにつながっているように聴こえる。まるで70年代当時のイギリスにおける人種間の対立が、現代のBLMへと解決しないまま接続されたことを暗示するかのように。だが、その解決されないことへの問題意識が深刻になりすぎないところがスペシャルズらしい。

「BLM」の歌詞は1951年にジャマイカで生まれ、イギリスで育ったリンヴァル・ゴールディングの半生を本人が書いたものだ。歌というよりは語りに近い。43章で触れたカーンの「十戒」も同様で、このような歌唱スタイルには、35章で紹介したリントン・クウェシ・ジョンソンらダブポエトの影響が窺える。

「BLM」では3つの時代のエピソードが描かれる。最初は1954年、ゴールディングの父がウィンドラッシュ号でジャマイカからイギリスへと渡った時のことだ。第2次大戦後の労働力不足を植民地からの移民で補おうという当時の首相ウィンストン・チャーチルの言葉に誘われ、仕立て屋だったゴールディングの父はイギリスへと渡る。だが、仕立て屋の仕事は見つからず製鉄所で昼夜を問わず働くことになる。インタビューで、ゴールディングは、父親が最初にイギリスに着いた時、泊まるところがなくガレージで眠らなければならなかったというエピソードを披露している。歌詞では、住まいを探す父親が何度も「犬、アイルランド人、黒人お断り」という張り紙を建物の窓に見たことが描かれ、このパートの最後は「イングランドへようこそ」という言葉で皮肉に締め括られる。

次に描かれるのは1964年、父親はジャマイカにいる息子をイングランドへ呼び寄せる。チャーチルにイギリスへと呼び寄せられた父親と、その父親に呼び寄せられたゴールディング、という構図だ。イギリスの寒さに辟易してジャマイカを懐かしみながらもグロスターの学校へ通うようになったゴールディングは、学校で他の生徒に"Oi, you black bastard, come 'ere"と侮蔑的な言葉で呼びかけられる。ゴールディングは、何を言われているのか理解できないほどに混乱したようだ。

最後のエピソードは1994年のアメリカ。妹への誕生日プレゼントに時計を買おうと店に入ったゴールディングは、店員の女性にひどい差別語で"What you doing here, you goddamn nigga?"と言われる。しどろもどろに答えたゴールディングの発音の特徴から地元の黒人ではないと気づいた店員に、ゴールディングは「お前に見えるのは肌の色だけなのか」と問いかける。このエピソードでは、ゴールディングのジャマイカ風の発音により、アメリカ人の店員が彼の出自や文化的背景に気づくことで、アメリカでゴールディングが受ける差別を緩和する役割を果たしている。しかし、それは当然のことながら、ゴールディングが差別を免れた安堵ではなく、その事実から推測される現地の黒人に対する激しい差別感情を強調するものだ。35章で触れたリントン・クウェシ・ジョンソンが詩作で行うジャマイカン・クレオールの利用の仕方と比較すると良い。最後につぶやくようにBlack Lives Matterと語られ、余韻を持って曲はフェイドアウトするのだが、曲の終わりを明確に示さない演奏は、今もこのような事態が続いていることを暗示する意図があるように聞こえる。

コーラスで「俺は教えたいんじゃない／俺は説教をしたいんじゃない」と繰り返されるように、この歌詞でゴールディングは、起こった出来事に対して激しい怒りを表明したり、批判的に糾弾している様子ではない。むしろ、ゴールディングの語り口は淡々として、時にはおかしみさえ漂わせている。

コヴェントリー図書館には2022年12月に亡くなったテリー・ホールの追悼コーナーが設置されている。（2023年2月27日）

例えば、『アンコール』と同じ年に発表され、同じく黒人差別を扱うゲイリー・クラーク・Jrの「ディス・ランド」と比べてみると、差別語を使う人に対する怒りの鋭さには雲泥の差がある。この当事者でありながら、まるで観察者のように飄々と語る様子は、歳を重ねたゴールディングの余裕かもしれないが、スペシャルズは常にこのようなスタンスでプロテストの意思を表現してきたバンドでもある。

ほかにも興味深い楽曲の並ぶ『アンコール』だが、約40年ぶりの新作にこのような相反的なタイトルをつけるセンスもスペシャルズらしい。お約束でないアンコールは、嬉しくエキサイティングなものだが、一方でそれは楽しい時間が終わりに近づいていることも意味するから物悲しくもある。白人と黒人、スカとパンク、暴動とダンス、など様々な相反的な要素を融合させて作品を作り上げてきたスペシャルズに相応しい言葉の選択だ。このアルバムでは、加えて、長年患っているというテリー・ホールの双極性障害をテーマとした曲もあり、アルバム全体の相反的なモティーフを強調しているかのようだ。キャリア40年にしてこの強《したた》かさが、彼らが「伝説」と呼ばれる所以である。一方で、彼らが単なる過去の懐メロバンドではなく、いまだにアクチュアルなメッセージ性を発しながら活動しているという事実が、イギリスと旧植民地との歴史が過ぎ去った「伝説」でないことを証明している。

（竹下幸男）

BLM運動の中のイギリス

井野瀬久美惠

2020年5月25日、アメリカ、ミネソタ州ミネアポリスで、アフリカ系アメリカ人のジョージ・フロイドは、偽札使用の疑惑で警官に拘束され、頸部を膝で圧迫されて死亡した。「息ができない」と9分間近くも訴えた彼の姿は、一部始終がSNSを通じてリアルタイムで拡散され、瞬く間にアメリカ全土に広まると同時に、黒人の命の大切さと反レイシズムを訴えてきた「ブラック・ライブズ・マター（以下BLM）」運動を、グローバルな運動へと変えた。

イギリスでは、5月28日のロンドン、アメリカ大使館前でのデモを皮切りに、全国規模での抗議行動が6月21日まで、3週間余りにわたって行われた。組織したのは、BLMのイギリス諸支部と、SNS上に立ち上がった反人種差別組織の統合体「人種差別に立ち上がれ」だ。いずれも、2000年代に物心がついたミレニアル世代（Y世代）、あるいはそれより若いZ世代が中心で、参加者にも20代、30代の若者の姿が目立った。

新型コロナウィルスのパンデミックでロックダウン中の当時、多くの都市で集会が禁じられたが、BLMは、マスクの着用、ソーシャル・ディスタンシングを守るなどの感染防止対策をとりながら、規律ある平和な抗議行動を呼びかけた。暴力に与して反レイシズムという抗議の大義を損なってはならない――若者たちの想いを汲み、各都市でデモは黙認され、警察も介入を極力控えた（実際にはロンドンなどで流血沙汰となって逮捕者も出たが、商店襲撃などは報告されていない）。レイシズムに抗議する若者たちの怒りの鉄拳を一身に引き受けたのは、イギリス各地の彫像であった。

各彫像には奴隷貿易・制度、そして植民地主義との関係が厳しく問われ、偉人の「もう一つの顔」が暴かれ、攻撃対象となった。20世紀末以降、冷戦体制の崩壊とも重なって展開されてきた反植民地主義の動きが、ＢＬＭ運動の追い風となっていた。ＢＬＭ運動自体が、帝国だったイギリスの過去を今にあぶり出す「過去と現在の対話」となっていた点は興味深い。

この対話は、他の植民地主義批判と重なって、イギリスのＢＬＭ運動に奥行きを与えてもいる。例えば、２０１５年、南アフリカ、ケープタウン大学の学生が植民地主義のシンボル的存在であるセシル・ローズ像の撤去を求めた「ローズ・マスト・フォール（ＲＭＦ）」運動はその好例である。ＲＭＦ運動はすぐさま、ローズ像のあるオックスフォード大学オリエルカレッジに波及したが、２０２０年初夏もＢＬＭとＲＭＦが交錯した。大学教育における植民地主義の見直しを求める旧植民地の若者たちは、ＳＮＳを使っていともたやすく国境を越え、かつての帝国の中心で学ぶ同じ世代の若者とも簡単につながることができる。

ＢＬＭ運動が突き付けた彫像の「身元調査（レイシストか否か）」は、イギリス全土で今なお継続中である。

45

SUS法と1981年ブリクストン暴動

——★前世紀の法律の標的にされたイギリス生まれの黒人たち★——

43、44章で取り上げられる旧英領カリブ海出身のアーティストらの多くは、大戦後の経済復興を底辺から支えた移民労働者世代、もしくはその子どもたち世代にあたる人々だ。主にジャマイカからの移民第1陣を乗せた汽船名にちなみ、「ウィンドラッシュ世代」とも呼ばれる人々の来歴や、彼らへの市民資格の厳格化については31章で詳述されているのでここでは繰り返さない。本章では、SUS法（SUS Law, 容疑者法）と呼ばれる法律の下で実施されていた、西インド移民の若者に対する取り締まりに抗議する怒りが、ロンドン南部の町ブリクストンで最高潮に達した1981年に起こった「ブリクストン暴動」を取り上げ、「ウィンドラッシュの子どもたち」が直面した凄まじい差別と排除の日常を振り返る。

ここで、イギリス政府による「差別禁止」諸法について少し紹介しておきたい。「イギリス市民」の法的資格の厳格化の一方で、政府も、みずからの都合で呼び寄せた労働移民たちへの差別や排除を放置しておくわけにもいかなかった。1965年には、レストラン、劇場、公共交通機関などで人種差別を禁じる人種関係法（The Race Relations Act）を成立させ、さらに3年後には同法を、雇用と住居に関する人種差別を禁じるものへと適用範囲を広げた。だが、これら矢継ぎ早に成立した差別禁止諸法は、人種差別が日常化していたという証拠でもある。家主から突然退去を命じられるエピソードは、ドミニカ島出身のクレオール作家ジーン・リースが短編小説の冒頭で描いているし（33章）、ウィンドラッシュ世代が家主から退去命令を受けていた事例は、ノッティングヒル事件直前には相当数に上っていたことが『タイムズ』紙でも報じられている。

当時のイギリスは、どうも、外への「反人種主義」と内への「移民抑制」を巧妙に使い分けていたようだ。「ウィンドラッシュの子どもたち」への管理がその典型だ。第2次世界大戦後のイギリス政府が先導して新たな法律を整備したのではないが、19世紀前半に起源を持つ法律（SUS）の運用によって、警察が黒人の若者の監視と処罰を徹底的に行うことに目をつぶったのだった。

SUSとは法律の通称で、1824年に成立したVagrancy Act（浮浪者取締法）の第4項を指す。同法は、ナポレオン戦争（1796～1815年）後に失職した兵士や、アイルランドとスコットランドからの経済移民の増加で都市部に大勢の「浮浪者」、ホームレスが集まるようになったことによる治安悪化に対応したものだった。その第4項は、河川や運河あるいは船が航行可能な水路、ドック、入り江など公共の場に通じる道にいる、「罪を犯す意思があると疑わしき人物、あるいは泥棒と疑わしき人物」に対し、警察官が職務質問し必要と思われれば逮捕もできる権限を与えた。SUSは、「疑わしき人物（suspected person）」冒頭の3文字に由来しているという説が有力だ。

SUS法は時代が進むにつれて変化してきた。廃止される1981年夏までに7回の条文修正や追加が行われた。その過程で、同法の対象が黒人青年に絞られていく様が明確になる。「ウィンドラッシュの娘たち」にあたる黒人女性もまた、同じように警察のターゲットになっていった。1970年代末、折から興隆してきた白人女性によるフェミニズム運動（第2波フェミニズム）とは一線を画し、黒人女性として、黒人の置かれた状況に声を上げ、変革の運動へとエネルギーを費やした「ウィンドラッシュの娘たち」の一人は、みずからの体験を次のように綴っている。

ある集会に行く途中、黒人の妊婦が乱暴にパトカーに押し込まれているところを目撃した。友人と一緒に追いかけて助けようとしたら、警官が「お前らも逮捕するぞ」と脅した。（略）私たちは警察署まで追いかけ、彼女を連れ去った事情を聴こうとした。私たちから見れば、一人の黒人妊婦がただ警官の前を通り過ぎただけだったから。でも警察は何の疑いで彼女を拘束したのか、説明することを拒んだ。警察は、私たち黒人を街路からつまみ出したいのだ。こういうやり口に、私たちはほんとうにウンザリしていた。（ブライアンほか『英国における黒人女性の困難な日常』）

黒人への差別や排除は、1970年代後半以降、イギリス国内の経済不況のもとでさらに厳しさを増した。教育や雇用の機会において最底辺に置かれてきた黒人の若者にとって、79年首相に就任したマーガレット・サッチャーの超緊縮財政政策による、公共部門への支出抑制は大きな打撃となった。そもそも黒人の若者は、家主の差別感情がネックとなって、民間の賃貸物件を見つけることが困難だった。そこに、新規の公的住宅供給が見込めないとなっては、彼らの前途はさらに閉ざされるように思われた。

実際、生活苦から路上強盗のような犯罪は増加した。この事態に、警察は警戒を強化する。ブリクストン暴動の起こる81年4月の初めには、大量の警察官をブリクストン地区に動員し、6日間で千人以上の黒人青年をSUS法の行使で拘束した。こうした強引な捜査と取り調べの一方で、白人排外主義者による、アフリカ系、アジア系住民への日常的な攻撃に対しては、安全を守るどころか、被害に耳を傾けることもほぼなかった。

そしてブリクストン暴動は起こった。4月10日、何者かに口論の末に刺された地元の黒人青年が、病院搬送されるタクシーから降ろされ、警察から事情聴取されたうえ適切な手当もなく拘留された。この件は瞬く間に拡散し、日頃からの軋轢や、事件直前に実施された警察による「地域犯罪一掃作戦」への怒りが一気に噴出する。警察はすぐ当局に増員を要請し、現地は暴力と混乱の修羅場となった。この事件で82人が逮捕され、市民45人と警官280人の負傷者を出し、61台のパトカーが損傷または破壊され、建物28棟が放火された。

ブリクストン暴動時に警備にあたる警察官と警察犬(1981年4月13日)(Keystone/Stringer/Hulton Archive：ゲッティイメージズ提供)

イギリス白人社会はこの事件をどう受け止めたのか。BBCニュースは、事件発生から四半世紀を経て、それは「国中に衝撃を与えた」と書く。なぜなら「黒人は表面上イギリス社会にうまく溶け込んでいると思われていたからだ」。その理由として同ニュースは、暴動に関わった者の多くが、第2次世界大戦後の「母国」の復興を手助けしにカリブ海からやって来た人々を親に持つ、「イギリス生まれの若者だった」ことを挙げている。
ＳＵＳ法は事件の４か月後、国会で廃止された。だが、ウィンドラッシュ世代を親に持つイギリス生まれの若者に対する敵対的姿勢は、法の廃止後も終わらなかった。それどころか、２０１７年には、「ウィンドラッシュ・スキャンダル」と呼ばれる事件が明るみになる（48章）。市民として歳を重ねてきた「イギリス生まれの若者たち」をまたも脅かす事態が、今度は政府の手で引き起こされていたのだ。

（堀内真由美）

46

ジョンソンの「ソニーの手紙」とSUS法

★非標準英語で書かれた新たな古典★

2019年、当時の駐日ジャマイカ大使にお会いしたときに印象的だったことの一つに、"Good Day"と挨拶されたことがある。一緒にお会いした方々とも、後で、そのことについて話題にした記憶もある。この表現は研究社の『新英和大辞典』では「今はやや堅苦しい表現」と書かれているし、『コウビルド英英辞典』でも「古風、形式ばった表現」と注記されている。

ブリクストン刑務所から母親に宛てた手紙という体裁のリントン・クウェシ・ジョンソンの代表作「ソニーの手紙」は"Dear Mama, Good day"という挨拶で幕を開けるが、この曲を教えてくれた年配のイギリス白人は、母親への手紙だから丁寧な挨拶をしていると語っていた。だが実情は、言葉の丁寧さの違いではなく地域差ということだろう。駐日ジャマイカ大使の"Good Day"も畏まったというよりは、親しげな印象だった。

ジョンソンは自分の詩のスタイルを口承詩と呼んでいるし、35章で見たようにレゲエのサブジャンルであるダブのビートに乗せた朗読も行っている。これらから、ジョンソンが詩において「音」の部分を重視していることは明らかなのだが、だからこそ詩という表現の別の要素にも注目すべきだ。彼の詩のユニークさは、むしろその音を文字で表記しようとしたことではないだろうか。ペンギン・モダン・クラシックスのジョンソン詩集に目を通すと、そのことがよくわかる。スペルや文法など英語のいわゆる正書法に基づいておらず、目で見るだけでもジャマイカン・クレオールの特徴が生き生きと伝わる。一方で、この言語に親しみのない英語話者には理解が難しいのだろう。ネット上にはジョンソンの詩の「英語訳」なども見つけられる。ここで実際に、ペンギン・クラシックスからの引用（27頁）とその「英語訳」の一つ（https://lyricstranslate.com/en/sonny's-lettah-sonnys-letter.html）を並べてみよう。本章冒頭で触れた「ソニーの手紙」の一節である。

Mama,	Mama,
I really did try mi bes,	I really did try my best,
But nondiless	but nonetheless
mi sorry fi tell yu seh	sorry to tell you so
poor likkle Jim get arres.	poor little Jim got arrest.

発音に合わせたスペリングに加えて、mi sorry や fi tell など、標準的な英語との違いは明らかだろう。興味深いのは、このような非標準的な英語詩が、伝統的なペンギン・モダン・クラシックスに収録され、その作者が現代においても伝説的詩人（ジョンソンは10年以上も詩を発表していない）として賞が与えられるという事実だろうか。35章で見た1979年のドキュメンタリーでの白人女性の感想では、

ジョンソンの詩は、この言語を操るカリブ系の人に向けられたものだとされていたが、その後、イギリス社会はジョンソンの言葉を英語として受け入れ、しかも未来に残すべき「古典」として認めたのである。これはイギリス社会の寛容さでもあると同時に、文化的貪欲さでもあるだろう。ジョンソンは詩作を始めたきっかけを、イギリスの学校で学んだ伝統的イギリス詩がつまらなかったからだと述べている。そのような動機で作られた、伝統から外れているはずの規格外の詩を拒絶するのではなく、新たな伝統として受け入れる文化のあり方には、見習うべきところがある。

２０１８年のガーディアン紙のインタビューでジョンソンは、イギリスに暮らしていたカリブ系移民がカリブを一時訪問したのちに帰国を許されなかった例をいくつも知っていると述べ、ウィンドラッシュ・スキャンダル（48章）が、今に始まった事ではないと主張している。35章で触れた１９７９年のドキュメンタリーで、祖国に戻りたいかと尋ねられ、ジャマイカもイギリスも自分の国だと答えたジョンソンにとって（事実、そうである）、イギリス保守党政権の移民への扱いは、70年代の極右政党と変わらないものに見えるようだ。このようなイギリスにおける移民への過酷な状況と自身の作品に対する高い評価とのギャップを、果たしてジョンソンはどのように感じているのだろうか。

最後に冒頭で触れた「ソニーの手紙」の続きを見てみよう。母親への手紙の中で語り手は、弟と思しきジムが逮捕された経緯を説明する。帰宅ラッシュで混雑するロンドンの夕方、バスを待っているところに突然警察が来て怪しいと言って逮捕されたのだという。これは当時、実際にしばしば起こっていた出来事で、その法的根拠はＳＵＳ法（45章）である。警察が疑わしいと認めた者を自由に尋問、捜査できる法律で、これにより、多くの黒人が不当に逮捕されている。１９８１年のブリクストン暴動においても警察はこの法律を「効果的に」活用した。もっとも、この悪法の犠牲者は黒人だけではない。当時のイギリス社会において黒人と同じくマイノリティであった同性愛者たちも「取り締まり」の対象となったのだ。1984年の炭鉱ストライキとゲイパレードの関係を描いた映画『パレードへようこそ』(2014年)で、不当に拘束逮捕される炭坑夫に、左翼崩れのゲイ、ジョナサンが法的知識を使っていかに警察と交渉するかを教える場面にあるのは、こういった背景だ。

SUS法は、20世紀後半という過去のことだとしても、考えられないほどに基本的な人権に反したものだが、それもそのはずでこの法律は1824年に成立したものである。廃止されたのはようやく1981年になってからという事実にも驚かされるが、人種差別やマイノリティへの差別とこの法律との親和性がそれだけ高かったことがわかる。疑いとは主観的なものであり、人の心の中にある偏見に過ぎないからだ。そういった心の中にあるもので、他者を不当に扱うことが差別以外になんであろうか。この点でSUS法と差別は同根のものである。「ソニーの手紙」には「反SUS詩」という副題がついているが、ペンギン・クラシックス版では、SUS法についての注釈がついており、現代では誰もが知っているようなものでないことが見て取れる。

「ソニーの手紙」の内容に戻ると、ジムの逮捕に抵抗した語り手は、誤って警官を殺してしまい、そのために収監されたことが非常に簡潔に描かれる。その簡潔さは、そのようなひどい出来事を母親に詳しく知らせたくないという語り手の想いを表しているとともに、ジョンソンの詩が持つ怒りの鋭さも示している。一方で、ジョンソンの詩が政治的プロパガンダに終わらない、劇的効果を高く備えた一級の芸術作品であることの証でもある。

(竹下幸男)

47

コルストン像、引き倒される!

★慈善家か、奴隷商人か★

ジョージ・フロイドの死を契機に急速に拡大したアメリカの「ブラック・ライブズ・マター(以下BLM)」運動(コラム11)は、イギリスでも若者たちの共感を広げ、コロナ禍の中、レイシズムに抗議するデモが各地で行われた。その渦中の2020年6月7日、そのブロンズ像は一気に引き倒された。イングランド西部の港町、奴隷貿易で栄えたブリストルの中心部にそびえたつエドワード・コルストン像である。レイシストと非難されたこの像は、BLM運動と関わってイギリスで引き倒された唯一の彫像である。なぜコルストン像は倒されたのか。コルストンとは誰か。

エドワード・コルストン(1636~1721年)は、17世紀後半に活躍したブリストル生まれの商人である。前代未聞の国王処刑(1649年)、10年余りで崩壊した共和政、王政復古(1660年)、議会による国王廃位と新国王の指名(名誉革命、1688~89年)といった政治的大事件が相次いだ激動のイングランド社会で、コルストンは、ロンドンを拠点に貿易商人として活躍した。事業引退後、故郷ブリストルに、学校の設立、教会の修復、孤児院や救貧院の創設、病院への募金、船員の寡婦救済といった慈善活動を積極的に行った彼は、ブリストルではもっぱら慈善家として知られていた。彼の死後、その慈善活動は彼の遺産を管理する「コルストン協会」（1726年設立）に継承され、コルストンの誕生日である11月13日（新暦）、通称「コルストン・デー」には、彼の墓地がある教会での追悼礼拝とともに、慈善募金活動が続けられた。

こうした活動が評価されて、ブリストルにコルストン像が設立されたのは1895年のことである。産業化、都市化が進む当時のイギリスでは、各地で公共空間のありかたが「市民の誇り（シビック・プライド）」と結びつけて議論されていた。それまでもっぱら国王や軍人に限られてきた彫像は、科学や文化、芸術など様々な分野で活躍した「偉人」へと広がり、19世紀末から20世紀にかけてのイギリスは彫像設立ラッシュに沸いた。グレートウェスタン鉄道の開通（1841年）でロンドン（パディントン駅）と直結したブリストルでも都市整備が本格化し、公共空間を彩る「町の偉人」として、コルストンの名が浮上した。目抜き通りもコルストン・ストリート、コルストン・アヴェニューに改称され、大規模な催し物会場はコルストン・ホールと命名された。

慈善家コルストンの業績が讃えられる一方、19世紀末にはさほど問題視されなかった疑惑が浮上してきたのは、一世紀後、1990年代のことである。コルストンの慈善資金はどこから来たのか、だ。そこに関わるのが、大西洋上で展開された奴隷貿易であった。

象牙や金、そして奴隷の売買は、王政復古後に王弟（のちのジェームズ2世）とロンドン商人が設立した特許会社、「王立アフリカ会社」の独占事業（1672～98年）であった。この会社のメンバー（出資者）には奴隷貿易の利益が集中した。コルストンは、父の跡を継いで1680年から王立アフリカ

キャロル・ドレイクの「記念日（コメモレイション・デー）」（出典：https://www.thebluecoat.org.uk/library/event/trophies-of-empire）

会社メンバーであり、1689年から2年間、副総裁（実質的なトップ）を務めている。コルストンがメンバーであった時期（1680〜92年）には、8万4千人ほどのアフリカ人（うち子どもは約1万2千人）が自分の意志に反して奴隷として取引され、2万人近くが大西洋上の中間航路で命を失ったと算定されている。セントキッツ島での製糖業にも共同出資していた。かくのごとくコルストンの慈善資金は奴隷貿易の巨富と深く関わっていたのである。

この事実が問題化するのは、「コロンブスによる新大陸発見」から500年目という節目を迎えた1992年前後のことだった。この歴史的出来事が南北アメリカ大陸やカリブ海域の先住民に虐殺、略奪、感染症の流行をもたらし、さらには奴隷貿易や植民地化を通じてアフリカやアジアにも「負の遺産」を残したことに、強い批判が集まったのである。

1992年、ブリストルでは、奴隷貿易で巨富を得たリヴァプールと連携して「帝国の戦利品《トロフィー》」と題する展覧会が行われ、この町出身のアーティスト、キャロル・ドレイクの「記念日（コメモレイション・デー）」と題する作品が耳目を集めた。インスタレーションとプロジェクションを重ねたこの作品では、ドレイクの出身校、コルストン・ガールズ・スクールの女生徒たちが「記念日」すなわちコルストン・デーを祝う映像の上に、ロープで首を吊られたレプリカのコルストン像が不気味な影を落としている。2020年の像の引き倒しを予言するかのようなこの展示以降、地元《ローカル》の慈善家コルストンをイギリスの《ナショナル》歴史である奴隷貿易の文脈の中で見直す動きが加速化した。

１９９７年には、ブリストルを舞台に18世紀の奴隷貿易を扱ったフィリパ・グレゴリーの歴史小説『お上品な商売（リスペクタブル・トレード）』がＢＢＣでドラマ化され、ブリストルで大規模なロケが行われた。翌年1月にはコルストン像の台座に「奴隷商人」と落書きされ、全国メディアで大々的に報道された。２００1年、国連主催の「ダーバン会議」（正式名称「人種主義、人種差別、排外主義、および関連する不寛容に反対する世界会議」）では、奴隷貿易、奴隷制度が「人道に反する罪」と明確に規定され、続く２００７年、奴隷貿易廃止２００周年を顕彰する行事で、「奴隷商人」コルストン像への関心は一気に高まった。２０1６年、ジャマイカ出身の父を持つマーヴィン・リースがブリストル市長となってのち、コルストンと奴隷貿易との関係を記した第2銘板の設置提案がなされたが、実現しなかった。市民たちの署名運動も、像の撤去には至らなかった。コルストンは慈善家か、奴隷商人か——地元ブリストルの世論はその間で揺れ続けた。揺れるコルストン像を、２０２０年、アメリカ発のグローバルなＢＬＭ運動が一気に引き倒したことになる。

海中投棄されたコルストン像は、４日後に市当局によって回収され、市の博物館に運ばれて、腐食防止など最低限の処置が施された。1年後、多くの損傷や落書きを残したまま、この像がどのように物議を醸し、倒されるに至ったかの解説を加えて、ブリストル市博物館では、その名も「コルストン、次は何？」という展示が始まった。ブリストルでは、市長の命を受けて、レイシズムの過去と関わる彫像や記念碑を調査する委員会が立ち上がり、報告書に向けた議論が進行中である。（井野瀬久美惠）

48

ウィンドラッシュ・スキャンダル

★移民と現代の奴隷制★

２０１９年９月５日、リヴァプールにある国際奴隷制博物館を再訪した。６年ぶりのことで、展示内容に大きな変化はないだろうと予想はしたものの、２０１７年来のウィンドラッシュ・スキャンダルについて、何か触れられているのか気になったのが訪問の動機だった。しかし、残念ながらウィンドラッシュ・スキャンダルについての言及を見つけることはできなかった。博物館の出口近くには、奴隷制に関わるタイムラインの展示があり、1948年のエンパイア・ウィンドラッシュ号による、カリブ諸島からの移民の大量受け入れについては書かれているものの、タイムライン自体が２００１年で終わっていたのである。

この博物館の存在意義を否定するものではないが、このような展示だと、奴隷制が過去のものである、という印象を来館者に与えかねないのではないかと危惧される。博物館の性質上、就学児童なども多く見学することから、余計に気がかりである。タイムラインの展示が２００１年までだからといって、奴隷制がその年に突然消滅したとは常識的には思わないだろうが、誤解を生まないためにも、この種の博物館の展示は常にアップ

国際奴隷制博物館の奴隷制に関するタイムライン。1948年のエンパイア・ウィンドラッシュ号による移民についての記述（写真の拡大部分）はあるものの、展示は2001年で終わっている。

デートされる必要があるのではないだろうか。

事実、奴隷制は現在にも存在する。例えば、奴隷制に対してイギリスでは、後に首相を務める当時の内務大臣のテリーザ・メイにより「現代奴隷制法２０１５」が制定・施行されている。これは、イギリスで事業を行う大企業に対し、奴隷状態の雇用を行っていないかなどの年次報告を求めるものだ。むろん、この法案は現代の奴隷制に対抗するために制定されたものだが、運用の結果、実は移民の数を減らし、不法移民に対する「敵対的環境」を醸成する役割を果たしたのではないかという指摘が、２０２０年になってガーディアン紙で紹介されている。すなわち、２０１２年にメイがテレグラフ紙に語った、内相としての自分の目的は「イギリスにおいて不法移民に対して敵対的な環境を作ること」であるという発言と関連づけるものである。このガーディアン紙の記事はエミーリア・ジェントルマンによって書かれたものだが、彼女はウィンドラッシュ・スキャンダルについての一連の記事で、英国ジャーナリズム賞において2018年のジャーナリスト・オブ・ザ・イヤーに選ばれている。

1948年、イギリスは第2次世界大戦による本国の労働力不足を補うため、旧カリブ植民地から大量の移民を受け入れ始める。彼らは、イギリスへの移動のために最初に使われた船、エンパイア・ウィンドラッシュ号にちなんでウィンドラッシュ世代と呼ばれている。今では、その2世や3世がイギリスに在住しているのだが、身分証の不備を理由に多くの人々が不法移民として扱われ、国外退去の処分を受けた、またはその危機にあったことが明らかになったのが、ウィンドラッシュ・スキャンダルと呼ばれる一連の政治スキャンダルである。

このスキャンダルは、2018年4月に担当大臣である内相アンバー・ラッドの辞任で、政治的には一応の決着を見るものの、補償問題や補償を受けられずに不法に強制退去させられて亡くなった人々(2019年11月の時点で14名が死亡、14名の所在がわからない)への対応に加え、身分証の不備を理由に社会保障を受けられない家族について、2019年12月になっても報道されるなど、いまだ終息していない。また、左派系のジャーナリストであるオーウェン・ジョーンズはテリーザ・メイの首相辞任についてスカイ・ニュースのインタビューを受けた際、メイがウィンドラッシュ・スキャンダルについて謝罪していないことを最初に非難している(2019年5月25日。このインタビューはジョーンズのフェイスブックなどで見ることができる)。

ウィンドラッシュ・スキャンダルに関わる報道が過熱するのは2018年4月以後のことで、英国会計監査院による報告でもそのように書かれている。しかし、それ以前に全国的に報じられた最初の事例は、おそらくジェントルマンによるガーディアン紙の記事(2017年11月28日)だと思われる。1968年に（すなわち1948年の「国籍法」のもとでイギリス市民として）、ジャマイカからイギリスに渡り、以後50年間にわたりイギリスで働き税金を納めてきた（市民としての義務を果たしてきた）ポーレット・ウィルソンが突然、不法滞在者として拘留され、ジャマイカへ強制送還されそうになったのだ。ウィルソンは10歳の時にジャマイカを離れて以来、一度もイギリスを離れたことはなかった。つまり、イギリス市民であることを示す書類であるパスポートを申請したことがなかった。

書類の不備を理由に正当なイギリス人である人を国外退去処分にするという「敵対的環境」の非人道性は言うに及ばず、この記事が考えさせるのは、次のようなウィルソンの言葉ではないだろうか。「自分がイギリス人でないかのように感じた。イギリス人なのに。ここで育って、知っているのはイギリスだけ。いったい自分をイギリス人以外のなんと呼べるのか」。イギリス人でなければ、いったい自分は何者なのか？　この問題は、単なる法律の問題ではなく、人間性に関わる問題、個人のアイデンティティに関わる問題であることがよくわかる。ウィンドラッシュ・スキャンダルの本当の罪深さは、単なる法解釈や制度の怠慢の問題ではなく、自国民の正当なアイデンティティを否定する点にある。

ウィルソンは、2018年1月に正式に移民局から謝罪を受け、イギリスに滞在する権利を回復した。その後、2019年にはジャマイカを訪問し、その様子を含めたドキュメンタリーが、ガーディアン紙のウェブサイトで公開もされている。一方で、すでに述べたように、ウィンドラッシュ・スキャンダルに関わる問題が解決したわけではまったくない。ウィルソンは、その後2020年に64歳で亡くなっている。ウィンドラッシュ・スキャンダルの公正な解決を求めて、首相官邸近くで有志とともに抗議を行ったわずか一月後のことである。

このような事態が起こってしまった原因の一つが、イギリス政府の不法移民に対する「敵対的環境」政策であり、その環境を作り出すためのステップの一つが、先に見たように「現代奴隷制法2015」であるならば、問題の本質はさらに根深いものとなる。なぜなら奴隷制を防ぐために政府によって制定された法律が、新たな現代の奴隷制を引き起こしてしまったといえるからだ。不当な強制送還と奴隷船による奴隷の輸送に違いを見出すことはできるだろうか。自由な個人の移動を制限し、住む場所を奪うことを奴隷制と呼ぶのではないか。ウィンドラッシュ・スキャンダルが、イギリス政府による立法と政策を通じて必然的に生じた結果であるならば、イギリス政府が新たな奴隷制を現代に生み出したということにほかならないのではないか。

（竹下幸男）

ウィンドラッシュを記憶する(1)
——ナショナル・モニュメント

コラム12

井野瀬久美恵

2018年春、ウィンドラッシュ・スキャンダル（48章）の衝撃の中で、ウィンドラッシュ世代を顕彰する動きが進められた。ウィンドラッシュ号の下船日、6月22日が「記念日」として公認されたことはその一つである。「ウィンドラッシュ・デー」は、バンクホリデー（イギリスの法定休日）ではないものの、政府の補助金で展示や討論会など各種イベントを実施し、この世代のイギリスへの貢献を様々に讃える日になることが期待された。

同じく2018年、ロンドンのウォータールー駅構内にウィンドラッシュ世代を顕彰する常設の彫像設置をめざして、政府の顕彰委員会が立ち上がった。ウォータールー駅は、西インド諸島からの定期船が到着するサウサンプトン港と鉄道でつながるロンドンの玄関口であり、移民の中には、ここからさらに地方都市に移動する者もいた。顕彰委員会の委員長を務めたフロエラ・ベンジャミン（俳優であり作家、2010年からは一代貴族）も、1960年、10歳の時にトリニダードから移民したウィンドラッシュ世代の一人である。

2021年10月、顕彰委員会が選んだ彫像は、まさしくこの駅に降りたった瞬間の移民家族の姿を想起させる。妻は一方の手で夫の手を握りしめ、もう一方の手を子どもの頭にそっと置く。この日のために用意した晴れ着《サンデーベスト》を身に着けた3人は、故郷から持参したスーツケースの上にすっくと立つ。このスーツケースの中に家族の想い出も故郷カリブも詰まっているのだと、制作者であるジャマイカのアーティスト、バジル・ワトソン（1958年〜）は語る。

バジル・ワトソンは屋外彫像の世界的なアー

ティストで、アメリカ、ジョージア州アトランタ近郊を活動拠点としている。有名なあのポーズをとるウサイン・ボルトをはじめ、ジャマイカ国立競技場の7人のアスリート彫像を手がけたことでも知られる。このブロンズ像がイギリスにおける彼の初めての作品である。

　バジルの父、画家のバリントン・ワトソン（1931〜2016年）は、ジャマイカで「モダンアート運動の父」と呼ばれる。1952年、ロンドンの王立美術学校で学ぶためにキングストンを発った父は、船上で母グロリアと出会い、ロンドンで結婚。1954年に兄レイモンドが生まれた。バジルを身ごもった母はジャマイカに里帰り出産し、その後ロンドンに戻った。バジルが生まれた1958年にはノッティングヒル人種暴動（60章）が起こり、ワトソン一家の

バジル・ワトソンによるブロンズ像
(Department for Levelling Up, Housing and Communities , Windrush Commemoration Committee, and Kemi Badenoch MP, OGL 3)

周辺でもカリブ系移民に対する人種差別が厳しさを増していた。そうした影響もあったのだろう、１９６２年、父がジャマイカ美術学校の初代校長に任じられたことで、一家はキングストンに戻った。

　当時のバジルは知らなかったかもしれないが、ウィンドラッシュ世代の子どもたちの多くは、先に渡英した父、あるいは両親が呼び寄せるまで、親戚などに預けられることが多かった。顕彰委員会委員長のベンジャミン自身、両親不在の15か月間、里親に虐待されるつらい日々を過ごし、その心の傷はその後も長く続いたと語る。妹弟４人でサウサンプトンの港に降りたった彼女は、暖かい衣服を準備して港で待っていた母に抱きしめられた瞬間を今も忘れないという。

　ブロンズ像に添えられた碑文にはこうある。

「あなたたちが呼んだから、私たちは来た」――「あなたたち」とは宗主国イギリスか。それとも……？

ウィンドラッシュを記憶する⑵
——ハックニー地区とヴェロニカ・ライアン

井野瀬久美惠

コラム13

その三つの奇妙なオブジェがロンドンのイーストエンド、ハックニー地区のナロウェイ広場に姿を現したのは、２０２１年10月1日、ブラック・ヒストリー月間《マンス》の初日であった。白い色のカスタードアップル（果実の形状が牛の心臓に似ていることから和名は牛心梨）、表面のトゲトゲが目立つのはサワーソップ、緑色はブレッドフルーツ（パンノキの名でも知られる）。いずれもカリブ海域を代表する果物だ。ブロンズと大理石でできた巨大なオブジェはどこかエキゾチックで、見る者の想像力をカリブ海へと誘う……かもしれない。

ハックニー区議会が選んだこのオブジェは、「イギリスの公共空間におけるウィンドラッシュ世代への初の常設のオマージュ」と紹介

ヴェロニカ・ライアンによるフルーツのオブジェ（Photo: Anne and David, CC0）

ウィンドラッシュを記憶する(2)

されている。とはいえ、住民の反応は賛否両論。アートとしてはおもしろいが、はたしてこれがウィンドラッシュ世代の心情を汲み、彼らの貢献を表現しているか、理解も検証もなかなかに難しい。

こうした声を予想してか、制作者の彫像アーティスト、ヴェロニカ・ライアン（1956年〜）は、「ここでこの果物を見ると幸せな気分になる。それが私と母との思い出だ」と語る。「ここ」とは、オブジェが置かれた場所にほど近いリドリー・ロード・マーケットのこと。モントセラトのプリマスで生まれたライアンは、10歳のとき、両親とともに渡英し、ロンドン郊外のベッドタウン、ワトフォードに暮らしたウィンドラッシュ世代の一人である。バースやロンドンのアートカレッジで学んだ彼女は、1980年代以降、イギリスのブラック・アート運動をリードする存在として注目を集めてきた。

それにしても、ウィンドラッシュの記憶がなぜ果物なのか。そのヒントは、「漂流する種子」と銘打ったライアンの作品展（2020年）にある。漁師の網に引っかかった茶色の大きな種子を象ったその作品について、彼女はこう説明する。「種子はメキシコ湾流に乗って移動し、遠く離れた場所にたどり着き、自身に適した生息環境を見つけて発芽する。私はこのメタファーがとても気に入っている」。

ライアンのこの言葉には、大西洋を舞台とする奴隷貿易、アフリカ系の人びとの離散《ディアスポラ》と転置《ディスロケーション》のメタファーが込められている。だが、三つの巨大なフルーツはこの理解を押しつけはしない。理解しなくていいから、このオブジェに乗ったり触れたりしてほしい——ライアンはそう語る。

ハックニー区議会は、2020年のブラック・ライブズ・マター運動を受けて、ここで暮らした王立アフリカ会社の株主ジョン・キャス（1661〜1718年）にちなむキャスランド・ロード・ガーデンを早々に改称し、区としてレイシズム反対を明示した。と同時に、この名称変更を「郷土の人物を知る機会」と捉え直して、それまで忘れられてきた「ジョン・キャスの物語」を地域の学校教育に取り入れた。引き倒されたブリストルのコルストン像（47章）とは対照的な「奴隷貿易の再記憶化」の手法といえよう。

ハックニー地区は、人口24万人余りの約4割がカリブ系やアフリカ系などで占められている。地元博物館によると、区内で話される言語の数は89を数えるという。この地区にとっては、ライアンの巨大フルーツ・オブジェもまた、歴史実践《ドゥーイング・ヒストリ》の一つに違いない。

49

陰謀論とレイシズム

★エリック・クラプトンの反ワクチン／反移民発言★

新型コロナウィルスのパンデミックは、音楽業界に経済的側面に限らぬ影響を与えた。イギリスのビリー・ブラッグは、2020年の母の日に合わせて「今年は会いに行けない」を発表し、2021年7月19日のほぼ全面的なイングランドの規制解除に合わせて、マスクを付けた写真をツイッターに投稿した。2021年10月発売の新作には、ワクチン接種のことを暗示していると想起せざるを得ない「あなたの盾になろう」というストレートなラブソングも含まれている。家族がパンデミック下で外科手術を受ける必要があったことも影響しているようだが、一貫して慎重な姿勢を示している。

一方で、ベルファスト出身の大御所シンガー、ヴァン・モリソンは、政府のロックダウン政策を厳しく非難し、2020年9月を皮切りに、一連のプロテストソングをリリースした。ロックダウンのために仕事を失った音楽業界で働く人々を支援するというポジティブな意味はあるにせよ、過激な政府批判に止まらず、「インペリアルカレッジなどいらない／科学者は歪んだ事実をでっち上げている」（「ロックダウンはもうたくさんだ」）とまで言ってしまっては、もはや陰謀論の領域である。202

1年11月には、モリソンの言動を批判した北アイルランドの保健相ロビン・スワンを「非常に危険」とステージ上で非難したため、名誉毀損で訴えられている。

モリソンによる一連の反ロックダウンプロテストソングのうち「スタンド・アンド・デリヴァー」（2020年）をエリック・クラプトンがリリースしている。クラプトンは2021年に最初のワクチン接種後、反ワクチンの姿勢を鮮明にしている。手足が痺れるなどの副反応が激しかったことが原因のようで、ギタリストであることを考えれば、その忌避感はわからなくもないが、2022年のインタビューで、ワクチン接種を肯定する人々が「集団催眠」にかかっていると述べるなど、こちらも陰謀論の領域に踏み込んでいるようだ。

クラプトンの歌う前掲曲には「自由な人間になりたいのか／それとも奴隷になりたいのか」という一節がある。作詞はモリソンではあるが、このフレーズをクラプトンが歌うのを聞けば、彼の過去の人種差別的発言が否応なく思い出される。1976年、酔った状態でバーミンガムのステージに上がったクラプトンは、当時、反移民政策で人気のあった保守政治家イーノック・パウエル（40章）への支持を表明し、極右政党ナショナル・フロント（40章）のスローガンだった「白いイギリスを守れ《キープ・ブリテン・ホワイト》」を繰り返し、差別語を使って移民はイギリスを去るべきだ、と言ったという（むろん後に謝罪している）。この発言が、ブルースやレゲエをイギリスポピュラー音楽に取り入れたミュージシャンのものであることは、問題をさらに複雑なものにする。果たして、彼の黒人音楽の利用は、文化の搾取なのかそれとも敬意や憧れの表れなのか。

もともとクラプトンは、政治的発言の多いミュージシャンではない。むしろ、政治的な意見を自分の音楽とは切り離し、口にする必要がないと考えるタイプのミュージシャンだった。そんな彼が、あからさまな人種差別を口にしたのは、一つには酔っていたからだろうが、そこがバーミンガムだったことも理由の一つではなかったか。

イギリス中西部の都市バーミンガムは、今でも人種構成が豊かなことで知られる街だ。1978年のBBCドラマ『エンパイア・ロード』(35章)の舞台でもあり、ジャマイカ出身でないレゲエバンドで、初めて高く評価されたスティール・パルスが結成されたのもバーミンガムだった。スティール・パルスの評価を決定的なものにした2作目のアルバムタイトルは、彼らの地元の名前をとった『ハンズワース革命』(1978年)だし、バルバドス出身の父親とジャマイカ出身の母親のもとに同地で生まれたダブポエト(34章)、ベンジャミン・ゼファニア(42章)は、ハンズワースを「ヨーロッパにおけるジャマイカの首都」とまで呼ぶ。

このような土地柄だからこそ、人種差別的な言葉が発せられたと思えてならない。だが、単に多様な人種が住む地域だから、と言いたいわけではない。それでは不十分で、そのような場所で、クラプトンの聴衆は白人ばかりだったに違いないからである。私は2010年代のある1年間に50ほどのギグをイギリス各地で見た経験があるが、たった二つの例外(スペシャルズ(43章、44章)とゴラン・ブレゴヴィッチ)を除いて、その観客はほとんどが白人だった。黒人音楽に強い影響を受けた音楽や演者が黒人の場合もだ。1976年であればその傾向はさらに強かっただろう。つまり、クラプトンの差別発言はホールの外の多文化混淆の現実とホール内の白人ばかりの現実とのギャップに根差したものだったのではなかったか。

クラプトンの差別発言がきっかけとなり、ポピュラー音楽と反レイシズム運動が結びついた社会文化運動ロック・アゲインスト・レイシズム（RAR。40章）が組織され、1982年まで活動を続ける。この運動では、白人労働者階級の反体制音楽だったパンクと英領カリブにルーツを持つレゲエが同じステージで演奏され、その両者の要素を昇華させたクラッシュがこの運動の象徴的なバンドになる。クラッシュのジョー・ストラマーは、真に政治的なメッセージを伝えることのできる音楽はレゲエしかないと当時述べている。重要な点は、片方が一方的にスタイルを借用したのではなく、お互いに混じり合ったことだ。このような白人音楽と黒人音楽の融合は、スペシャルズなどの2トーンブームへと受け継がれ、それは80年代には、例えばカルチャークラブのようなファッションにまでなる。それだけ、黒人音楽と白人音楽の融合や、黒人と白人が同じバンドに在籍することがイギリス社会で当たり前のものになったということだ。

RARが体現してみせた音楽と社会運動の融合は、観客として見ていたビリー・ブラッグに、社会変革のために音楽が持つ可能性を確信させ、80年代の炭鉱ストライキを支援する音楽活動やポール・ウェラーとともに労働党によるサッチャー政権打倒を目指す音楽活動レッド・ウェッジにつながる。ブラッグは、2021年12月のインタビューでクラプトンらの最近の言動について、年齢を重ね自分の意見が時代に追いつかなくなっていることに気がついていないことから生じると分析し、自身が苦しみながら自分の考えをアップデートしていくことをテーマにした曲として新作の「ミッド・センチュリー・モダン」を紹介している。差別発言でRARが活動するきっかけを作ったクラプトンと、その活動を見てキャリアをスタートさせたブラッグの関係は、今も変わらないようだ。

（竹下幸男）

VII

故郷喪失のカリブ

50

フィリス・オーフリーとドミニカ島

★白人女性と独立に向かう故郷との乖離★

英領西インド植民地生まれのクレオールが、故郷の島を離れる時期と理由にはジェンダーによる差異がある。中等教育や高等教育を受けるため本国イギリスに「帰国」する少年とは異なり、若いクレオール女性が生家を出るのはほぼ結婚時しかなかった。だが「純粋な白人」同士、同程度の経済水準の家同士の縁組しか想定しない白人支配層では、娘の結婚相手は白人の没落とともに激減していく。ドミニカは英領の島々の中で白人人口が少なかったうえ、1880年以降は主要産業である砂糖の価格暴落が白人地主層を脅かした。20世紀初頭、人口6万人に対して白人が100人ほどになった島で、白人家族は、娘たちを島以外の貰い手に引き取ってもらう必要に迫られた。

西インド連邦（25章）で、唯一の白人閣僚、唯一の女性閣僚だったフィリス・バイアム＝シャンド・オーフリーは、祖父の姉妹にあたる大叔母たちから英文学や詩を学んだ後、祖父と親交のあった米モルガン銀行一族の厚意で、19歳で単身ニューヨークに渡った。大恐慌と大戦間期の政治的危機の中で故郷の独立運動に共感し、西インド連邦の閣僚となるが、その連邦は崩壊する。帰郷後は、自ら設立した労働党党首として島の政治に関与できると思っていたが、「ブラック・パワー」の影響下で白人女性党首の出番はなくなっていた。短編「これで腑に落ちた」（1964年）は、フィリップ・ワーナーのペンネームで、夫とともに編集を引き継いだ地元紙『ドミニカ・ヘラルド』の1964年6月13日紙面に掲載された。労働党を除名され、政治活動の終焉から2年後に発表された作品である。

物語のあらすじはこうだ。語り手のフィリップは、叔母キャロラインに見送られ、二人の故郷であ
る島へと発つ。同郷詩人の評伝を書くための取材が旅の目的だ。詩人は、父方の本国フランスで学業を修め島に戻って生涯を終えたが、その人生は作品同様ほとんど知られていなかった。詩人は晩年、自分は忘れ去られていると訴えていた。詩人は、何か欠落したものを求め苦しんでいたようだったと聞いたフィリップは、その「欠落したもの」を探そうとする。

取材中、フィリップは幼い頃親しんだ島の邸宅街を訪れる。かつて叔母キャロラインが住んだ屋敷を訪ねた際、管理人である英系の老貴婦人が、詩人が亡くなるまで頻繁にこの屋敷を訪れていたと話す。フィリップはこの時、突然、詩人が求めていた「欠落物」とは恋ではなかったかと思いつく。屋敷の庭を記憶している自分に気づいたのだ。ハンモックに寝そべる若き叔母と彼女を見つめる詩人。屋敷を管理する老婦人に言う。屋敷を出た彼は、クリケットの試合に集まった一群と出会う。その中にいた幼なじみが彼に気づき、こんな大きな試合中に出歩いている彼を責め始めた。いいじゃないか、とフィリップはつぶやく。「彼がフランス人でもイギリス人でも、カラードでも白人でもいいじゃないか。彼の詩は偉大だった。彼の恋は成就しな
「ああ、これで腑に落ちました」とフィリップは屋敷を管理する老婦人に言う。
かったが、いつまでも我々とともにあるのだから」。

作中の詩人のモデルは、ダニエル・サリー（Daniel Thaly, 1879〜1950年）という実在の人物で、オーフリー最晩年のインタヴューでも「ドクター・サリーと呼ばれていたマルティニーク出身のおじいさん」で、幼い彼女に「たくさんの本を貸してくれた詩人だった」が、「忘れられた人物だった」と回想されている。ドミニカの著名人を紹介するウェブサイトには、サリーは仏領西インド・マルティニーク島出身の父と英領ドミニカ島出身の母のもとにドミニカで生まれ、マルティニークの中等学校に進学後、仏トゥールーズで医学を修めたとある。ドミニカ帰郷後は、首都ロゾーの博物館で学芸員を務める傍ら10冊の詩集を出版した。オーフリーは幼少期から、家庭教師でもあった大叔母マーガレットの友人であるサリーと親しく接していた。

この短編は「詩人の過去の恋の発見物語」を描いているようで、実はオーフリーの「故郷への叶わぬ思慕」を表してもいるようだ。まず考えられるのは、フィリップがオーフリーの投影であること。彼は、年月を経て生まれ育った島に帰郷する。この設定は、1953年オーフリー自身の17年ぶりの帰郷を想起させる。本国で政治修業はしたものの、故郷の政治改革に参画する不安と自負がない交ぜになったような気持ちだったオーフリー自身だ。他方で、詩人にもオーフリーとの重複が見られる。詩人の「忘れられることへの抗いと哀しみ」が、彼女の状況とも重なるからだ。

オーフリーは文芸と政治の2足のわらじを履いてきた。53年に長編『オーキッド・ハウス』が刊行され注目され始めるが、62年西インド連邦崩壊までのおよそ10年間は政治活動に専念。その後は、自身が立ち上げた地元紙に短編を数本掲載するが、本作の創作時点の彼女には、イギリス時代に雑誌発表した短編数本が「業績」としてあるだけだった。連邦崩壊と党除名によって「わらじ」のうち1足をもぎ取られてしまっても、文芸活動にシフトできれば良かった。だが、「政治がすっかり私から文芸の熱情を奪った」と後に語ったように、創作時間はできたが創作する情熱はオーフリーにはもう残っていなかった。

この短い物語で、フィリップの最後の「つぶやき」にオーフリーの政治的執念がまだ燃え残っていることが伺える。「人種など関係ない」というつぶやきは、詩人の「欠落」の正体が判明した物語の結びとしては明らかに唐突だ。「人種」とジェンダーの多様性ある「これからの西インド世界」は、オーフリーの西インド連邦閣僚時代からの一貫した政治理念だった。最後の「つぶやき」は、ブラック・ナショナリズムに傾倒して白人を排除した古巣の労働党指導部に向けられているようだ。本作掲載から1年前つまり党除名から1年後の63年に『ドミニカ・ヘラルド』に連邦時代をふり返って寄せたエッセイの中で、ブラック・ナショナリズムを「偏狭な思想」だと批判している。本作に、フィクションの形を借り、再度同じ主張を盛り込んだとも考えられる。

フィリス・バイアム＝シャンド・オーフリー
(*Phillis Shand Allfrey*, p.149)

ブラック・ナショナリズムを批判した一方、仏領西インドに広まった黒人固有の文化と文学を称揚する「ネグリチュード運動」には、白人敵視の要素がないという理由でオーフリーは共感を示した。詩人ダニエル・サリーも「ネグリチュード運動の先駆者の一人として仏系西インド人の研究対象になっている」という。物語の最後に、詩人が、唐突に再言及される理由と目的が分かったような気になる。「彼の愛は成就しなかったが、いつまでも我々とともにある」。作品最後の一文が示すように、オーフリーと故郷の政治的連帯も成就しなかった。高い理念を持ちながら、彼女のブラック・パワーへの偏見はなくならず、この島で「白人であること」の歴史的意味を追求した形跡もなかった。忘れ去られていくことを予感しながら愛すべき故郷で生きていく。オーフリー56歳の覚悟が読み取れる。

（堀内真由美）

51

ジーン・リースとドミニカ島

★カリブ生まれの白人女性と追憶の中の故郷★

欧州から再び本国イギリスに戻らざるを得なくなった直後の長編『暗闇の航路』で、「大嫌いなイギリス（白）人」に「西インド人のプライド」を表明したリース。66年に刊行され欧米でその名を知られるようになった『広い藻の海』では、本国人の西インド植民地および西インド人への無知と偏見を描き切った（32章）。本章では、「本国への復讐」を終えたリースが、貧困と老年による衰弱の中、決別したはずの故郷への「惜別の情」を最晩年の短編の中に込めたことを確かめる。「決別したはずの故郷」とは、１９３６年2月から数か月、最初で最後の帰郷をした際に、故郷と自己との埋められない距離をリースが悟ったことを指す。

32章で言及したように、離島から30年後、故郷の自治権要求運動の活発化、アフリカ系住民の政治意識の高揚、その一方で顕著な白人地主層の没落と、ムラートの階級上昇を目の当たりにする。独立へと向かう故郷の島にクレオール（カリブ生まれの白人）は必要とされない。島民から嫌われる存在でしかなくなる。リースはそう悟る。死後に出版された『自叙伝』には、帰郷時の挿話として、幼い頃の居場所だった図書館が、いまや

「貸し出し台で本を差し出す手がすべて黒人のものである」と、驚きを綴っている。黒人への教育機会も徐々に増え、図書館も彼らに開放されるようになったのだろう。他方で、帰郷時に島内をラバで周遊する際の、介助とガイドの仕事は黒人によって担われた。黒人労働者の存在感が増してきたとはいえ、彼らの職種はまだ限られていたはず。それでもリースは「この島はもはや黒人のもの」と漏らした。

帰郷から40年あまりが過ぎ、亡くなる前年のインタヴューで、「変わってしまった故郷よりも幼い頃の故郷を描きたい」とリースは語った。しかし実際には、インタヴューの3年前に脱稿した短編「私は昔ここに住んでいた」（1975年）が最後の故郷物語になった。本作はリース最後の作品集『もうお眠りなさい』（1976年）の最終ページに収められている、分量で言えば1頁と半分しかない作品である。

物語は、三人称 she が主人公の淡々とした情景描写で始まる。彼女は川のそばに立ち横たわる飛び石を見つめている。丸くて不安定な石、平らな石、飛び石の配置や特徴を思い出しながら川を歩く。次に道を歩く。しかし倒木でふさがれていた箇所はまだ復旧していない。それでも昔と同じ道を歩きながら幸福感に包まれる。さらに歩いていくと、かつて彼女が住んでいた家が近づいてくる。心臓が高鳴る。遠目にはスクリューパインの木がなくなっているが、丁子の木はまだあるようだ。彼女はなくなったものとまだあるものを確認しながら家に近づいていく。

ついに家の前に来る。車が1台家の前に止まっている。男の子と年少の女の子がマンゴーの木の下にいたので、「こんにちは」と言って手を振った。だが子どもたちは応答せず、こちらを向こうともしない。彼女は「とても色白の子どもたち」を観察して、「西インド生まれの欧系はたいていそうだけど。まるで白人の血統が、勝ち目のない闘いに一人自己主張しているみたいだ」と感想を漏らす。

彼女は再度子どもたちに声をかける。「私は昔ここに住んでいた」。応答はない。さらに近づいて3度目の声かけをした。自分の腕を彼らに触れられるくらい伸ばして。すると男の子がふり返り、表情も変えず彼女の方を見る。男の子は彼女に向かってではなく、妹と思しき女児に向かって「寒くなってきたから中に入ろう」と言う。家に入っていく子どもたちを見て、彼女は差し出していた腕を下ろす。「その時、彼女は初めてわかったのだ」。物語はこの一文で閉じられる。

リースも利用した「パブリック・ライブラリー」
（ドミニカ、ロゾー）

欧米文芸界での知名度が高いリースの場合、オーフリーと違って作品評論もかなりの数に上る。例えば、30を超す短編小説について複数の研究者が論じた『ジーン・リース短編研究』（1996年）は、各作品を多様な観点から分析した文字通り「短編研究」の決定版だ。だがこの書にも、本作への言及はほんのわずかしかない。「語り手が、長らく離れていた場所に戻った先で、自分が時代や道徳観によってその場から切り離されていることに気づく」、「死んでしまえばすっかり忘れられ、かつてあった場所について今居る人々とやりとりができないという悲痛な着想を、幽霊のイメージを用いて表明している」といった短い指摘が本作への主な論評だ。リースとドミニカとの関係を考えると、前者の論評の指摘は重要だが、「彼女」がどのような「時代や価値観によってその場から切り離された」のかという点には踏み込んでいない。だが、まさにこの点が本作のテーマだろう。

「彼女」すなわちリースが「どのような時代や価値観によってその場(故郷)から切り離されたのか」という問いに応えるなら、それは、自治権要求に始まる脱植民地へと進む「時代」、そして、支配された側が闘争過程でようやく承認させつつあった人種の平等という新たな「道徳観」である。この「時代と価値観」は、あくまでも支配された側から要求され積み上げられたものだ。ところが、支配した側が「時代と価値観」をリードしてきたかのような本国社会の変わり身の早さを、リースは察知していた。

実はこの作品の前に、帰郷時に抱いた故郷の変化への衝撃を、作品集『もうお眠りなさい』に掲載する予定で、リースは「インペリアル・ロード」という短編に描いていた。しかし編集サイドから却下される。リースが「ある」と信じ、帰郷時にたどった島の整備道路(Imperial Road)が半ばで途絶えていたのを、「管理を任された黒人たちのせいだ」と描いたことに人種差別的だとの声が上がったからだった。その後の調査で、道路はリースの離島時にはまだ完成していなかったことが判明する。子どもながらに「帝国植民地」に敷かれる「道」を誇らしく思っていた少女リースの心情が伺えるエピソードである。と同時に、「インペリアル・ロード」掲載不可の一件は、「支配国イギリス」が、反人種主義という「時代と価値観の変化」を、まるで独力で理解し、先取りして実行したかのような印象を後の人々に抱かせる効果も生んだ。

リース最後の作品集の編集作業が行われていた70年代半ばには、知識層を中心に反人種差別の思想は広まりつつあった。ただし、それは白人の発明品ではない。『暗闇の航路』『広い藻の海』「彼らにはジャズと呼ばせておこう」で、リースが告発した本国の負の歴史には反応しない一方で、「インペリアル・ロード」掲載をめぐっては「本国における人種差別コード」が適用された。却下された時のリースの怒りを想像する。結局、予備として用意された「私は昔ここに住んでいた」が作品集の最後のページを埋めることになった。

最晩年のリースは、戻れない故郷を、わずかな郷愁をも断ち切るように「幽霊」となって描いて見せた。究極の故郷喪失の表現である。

（堀内真由美）

52

忘却された クレオール女性政治家

★彼女が黒人男性政治家の「同志」になれなかった理由★

25章で西インド連邦の成立と瓦解までの経緯を見た。連邦首相を務めたバルバドスのアダムズら実力者は、自治権を付与された自島政府で引き続き活躍した。だが、ドミニカの白人女性閣僚フィリス・バイアム＝シャンド・オーフリーは、連邦崩壊後に自らの政治生命も終えることになった。彼女の政治家としての存在は長く忘却されていたが、作家ジーン・リースが亡くなる1979年に出版された未完の自叙伝をきっかけに、ドミニカへの注目が増し、同郷人で最晩年まで親交のあったオーフリーに、リースに関する取材を目的とした接触が始まる。そしてオーフリーに興味を寄せるジャーナリストが彼女の伝記を書いたことで、オーフリーという人物の生涯が多少なりとも知られることになった。

伝記からわかるのは、オーフリーが肌の色の異なる島民を同志と認識していたことだ。父方の始祖は、1640年代ピューリタン革命期にチャールズ1世の王党軍に参加し、敗北後ロンドン塔に収監され、西インド諸島バルバドスへ脱出した軍人だった。一族のこの歴史は、奴隷貿易に手を染め奴隷主として財を成した白人支配層の子孫ではないという彼女の自己認識のもととなった。また、先祖が、奴隷貿易で連行されてきたアフリカ系よりも「先にこの島に居た」との自負から、後に島を席巻する「ブラック・パワー」によって打倒されるべき白人支配層とは一線を画す存在だとの認識も、生涯持ち続けた。同じ「白い西インド人」のプライドと言っても、リースのそれは本国人に対抗して作動したが、オーフリーのそれは、独立運動過程において強い同胞意識として作動した。

英領西インドの政治指導者たちが一堂に会したドミニカ会議が行われたのは1932年。地元開催といっても、当時20代前半のオーフリーが会議の意義を認識していた形跡はない。36年夫の故郷でもあるイギリスに渡ってから53年のドミニカへの帰国までが、彼女にとっての政治修行の期間と言える。イギリスでは30年代後半から、ドイツを意識した反ファシズム運動とソビエト連邦の影響を受けた共産主義者たちによる反帝国主義運動が活発化する。オーフリーは、まさにその時期の本国に、経済衰退著しい植民地から恐慌さなかの北米を経て、生活再建のためやって来た。

1938年に貴族出身の社会主義者ナオミ・ミッチソンの秘書になり、サロンに集うインドのネルーら植民地指導者たちと知り合う。43年には、漸進的社会主義者の結社、フェビアン協会の植民地部会内に新設された西インド委員会に参加する。「植民地を自治国に」を目標に、植民地指導者たちの本国での活動拠点に身を置き、彼らとの知己も得た。45年労働党アトリー政権が成立してからは、労働組合運動を基盤とした政党活動の実態を学ぶ。故郷での政治実践の青写真が作られ始めた大切な時期に、彼女にとって強力な助っ人が現れる。後にドミニカ労働党をともに立ち上げるクリストファー・ロブラックである。ロブラックは30年代からすでに知られた人物だった。ドミニカ労働組合

（DTU）代表に就任してからは、人夫と家事使用人の労働時間の改善、港湾労働者の組織化を果たす一方、首都ロゾーに労組自前の会館を整備し夜間学校も開設するなどした、まさに辣腕活動家だった。

オーフリーは噂で聞くロブラックと、彼が国際自由労働組合総連盟総会にドミニカ代表で来英した際、初めて対面する。当時の印象を「50歳代の初めで漆黒の肌の情熱的な人物だった」と語っている。二人の出会いとその後の協力関係を、オーフリーは自身の唯一の長編小説『オーキッド・ハウス』（1953年）に描いた。ただし小説の中でロブラックと思われる男性は、オーフリーを映したと思われる旧家の次女で労働運動家「ジョアン」に仕える、「料理人の息子バプテスト」として登場する。作中、二人は肌の色と階級差を越えた同志の絆で結ばれていることが強調され、バプテストが主人でもあるジョアンに見せる忠誠心には、オーフリーのパターナリズムが垣間見える。

ロブラックにとっては、政治的手腕が未知数でしかも集金力もない白人女性を、故郷の独立へと進む同志としたことになるのだが、そこには彼の活動家としての戦略も見える。英労働組合会議（TUC）と英労働党との協力関係をモデルに政党を創ろうと考えていた彼には、オーフリーと英労働党党首となるヒュー・ゲイツケルとの親交は、彼女を同志とする最大の理由になった可能性はある。実際、53年の帰郷後、ロブラックほかDTU幹部と政党づくりに着手していたオーフリーは、党綱領作成についてはヒュー・ゲイツケルの助言を求めつつ、労働者に親和的な政党をめざした。

DTU幹部たちの中には、オーフリーが白人支配層出身であることの不満や疑念の声は常にあったうえ、島のカトリック勢力は、「フェビアン社会主義路線の政党」ができることを恐れオーフリーの活動を妨害した。だが、彼女は村々を回りDTU組合員に党設立の利点を説き続け、55年5月ドミニカ労働党（DLP）を結党、11月に党首に選出される。58年1月西インド連邦が成立し、党首を務めるDLPからエドワード・ルブランとオーフリーの2名が連邦議会議員に選出される。

オーフリーは西インド連邦の閣僚として、58年11月パリ・ユネスコ会議で演説する。「このアングロサクソンの小柄な女性が、主にアフリカからやって来た人々と彼らの混血から成る島々の310万人の代表である理由」を会場に問いかけ、「肌の色に根差した違いや歴史的偏見すら超越した寛容さの勝利」の証だと続けた。だがこの4年後に連邦の瓦解に伴い、「かつて支持してくれていた人々がいまや私を白人として見る」故郷に彼女は帰って来た。その背景には「ブラック・パワーの定着があった」と晩年のインタビューで語っている。ブラック・パワーは、50年代以降、在米アフリカ系住

オーフリーとルブラン（連邦議員選出選挙候補者ポスター）
（出所：*Phyllis Shand Allfrey*, p. 149）

人による市民権要求運動として広く知られた言葉だが、大半をアフリカ系島民が占めるドミニカで、ことさらブラック・パワーが叫ばれる理由をオーフリーは量りかねた。

彼女は、ブラック・パワー波及とともに島で「オーフリーはずし」が進行していたことを知らなかった。連邦存続が危ぶまれ始めると、オーフリーの同僚でDLPのルブランは、61年ドミニカ国政選挙に出馬するため連邦議員を辞職して故郷に戻り、ブラック・パワーを全面に出した選挙戦に勝利し、自治政府の主席大臣に就任する。ルブランほかDLP若手幹部らは、党内人事を刷新し党首オーフリーの権限を形骸化した。困惑した彼女は、地元紙にDLP幹部のブラック・パワーを「不寛容な人種分離」だとするコラムを書く。そのことが党への離反と見なされ62年9月に除名された。

ロブラックは最後までオーフリーを擁護した。彼も連邦首相だったアダムズも、「白人との協調」も必要ならば拒まず、排他的ナショナリズムとも距離を置く、オーフリーが胸を張った「寛容さ」を実践した。ただその寛容さは、1920～30年代の労働運動と自治権要求運動の渦中で、本国政府の狡猾さと粘り強く交渉し続けた果てに醸成されたものだったことに、オーフリーは思い至らなかった。彼女が同志になれなかった理由はこの辺りにもありそうだ。

（堀内真由美）

コラム14

「イギリス人」恩師の知られざる故郷

堀内真由美

23章で、第1次世界大戦後の本国の経済的混乱のさなか、カリブ海の島々にやってきた本国人の例に触れた。ドミニカ島出身の作家ジーン・リースは、島の歴史も知らない本国からの「新参者」への違和感を率直に綴った。同島出身で西インド連邦政府の閣僚となったフィリス・オーフリーは、連邦崩壊後に帰郷する際、本国生まれの夫が島民からの反感を買わないように気を配った。本国で生まれ育った「大人のイギリス人」が定住することを、島民が容易には受け入れないことが予測できたからだ。

島々で労働運動や自治権要求運動の成果が徐々に出始めた頃、本国は、かつてのような「富をもたらす植民地」でなくなった島々を、軋轢を最小限にしてどう手放すかに腐心するようになった。1930〜40年代には、主として農業分野での技術指導の目的で、少なくないイギリス人技術者たちが派遣された。筆者のイギリス留学時の恩師ダイアナ・レオナードの父親もその中の一人だった。

1941年、ダイアナが独立前のトリニダードに、農業技術指導者の父と師範学校教師の母の間に生まれたことは、彼女の死を悼む『ガーディアン』紙の記事から筆者は初めて知った。何歳までトリニダードに居たのかはわからない。はっきりしているのは、彼女はイギリスの名門女子パブリックスクールからケンブリッジ女子学寮を卒業したことだ。いったん中等学校（セカンダリー・スクール）で教えた後、ロンドン大学教育研究所（Institute of Education）へ。80年代半ば、そこに大学院「ジェンダーと教育」コースを立ち上げた。

教育研究所は、もとはアフリカ植民地への教育を実施するための「アフリカ研究」を主目的に、1920年代当時の植民地省の意向で設置されたカレッジだ。ダイアナの母親は、同研究所出身かは定かでないが、植民地で本国式の教育を担う人材を育成すべくトリニダードに赴いたことは間違いないだろう。その母と、植民地の農業技術指導のために赴任した父のもとに生まれたダイアナは、本国の優れた中等教育を受けるために、「まだ見ぬ本国」に帰国した白人少女だったことになる。

セクシュアル・マイノリティであり、フェミニストであり、ジェンダー・スタディーズを多角的に捉えて社会人院生を指導してくれたダイアナ。すでに各地で活動していた「ブラック・フェミニスト」院生には、自身の人種問題に対する知見は十分でないと、慎重に語っていたダイアナ。図書館の地下、「ジェンダーと教育」のコーナーに、なぜか「ジーン・リース特集」とでも呼べるくらい、リース関連図書を置いていたダイアナ。彼女の言動を振り返るとき、おそらく地元の島民からは歓迎されなかった英領西インドでの幼年期から少女期までの自身を、どう表現してよいか悩み、ついには「自身からは語らない過去」に閉じ込めてしまったのではないかと想像する。

どんな気持ちで「リース・コーナー」を設置したのか。心情を問わなかったことが、今でも悔やまれてしかたない。

53

ナイポールとトリニダード

★故郷を嫌うカリブ出身インド系ノーベル賞作家★

ヴィディアダハル・スラヤプラサド・ナイポールは、1932年に英領西インド諸島、トリニダード島に生まれた。ナイポールは中等教育までをトリニダードで終え、奨学金を得て宗主国イギリスに渡る。1950年、オックスフォード大入学以降は人生の大半をイギリスで過ごした。多数の小説や紀行文を著し、1990年にナイトの称号を与えられ、2001年にノーベル文学賞を受賞し、2018年に死去した。

ところで、ナイポールは生まれ故郷のトリニダードが嫌いだった。故郷を嫌って出ていく若者は決して珍しくないが、ナイポールの故郷嫌いは、この海域の歴史抜きには語れそうにない。彼の心情を、1962年初版の紀行文『中間航路』から読み解いていこう。

1960年に、当時の西インド連邦トリニダードの初代主席大臣エリック・ウィリアムズから、カリブ海域についてのノンフィクションを書くよう依頼されたのが始まりだった。『中間航路』初版のはしがきで、この依頼に戸惑ったと書いている。だが、小説家は自分でも気づかない結末に向かって書くのが常だから、自分がこの海域についてノンフィクションを書くのもいいかもしれないと思い直したという。「だからこの本は公認された書物ではないし、何かを宣伝するものでもない」。そう宣言した通り、本書には、トリニダード政府から3か月分の旅費と滞在費にあたる援助を受けながらも、遠慮もお愛想も一切ない辛辣さが目立つ。

大学進学で離島してからおよそ10年ぶりの帰郷だった。ナイポールを迎えたのは、離島前から見慣れていた家屋が連なる街並み、離島時の2千台から6千台には増加したと思われる車両の数、そしてスチールドラムの音。ナイポールは「この音色が嫌いだった」とさっそく故郷に一撃を与え、さらに続ける。イングランドに暮らして数年経ち、狭い下宿で電気ストーブをつけて眠りについたとき、「熱帯のトリニダードに舞い戻っているという悪夢にうなされ目覚めたことがある」。悲痛なまでのこの嫌悪の感情はどこから来ているのだろうか。

ヴィディアダハル・スラヤプラサド・ナイポール
(Faizul Latif Chowdhury, CC BY-SA 4.0)

ナイポールは、アメリカの雑誌や映画に席巻されているトリニダードの文化的状況を見て、この国の人々は「借り物の文化の中で暮らしている」と指摘する。そして、彼らには、「自分たちが何者でどこに居るのかを教えてくれる書き手が必要だ」と言う。この国の人々とは、ナイポールが‘Negro’

と表記するアフリカ系住民を指している。奴隷制が廃止され白人による支配が終了しても、解放された元奴隷たちは、自分たちの文化を構築できていないと言いたいのだ。

「借り物の国」になったのには歴史的背景がある。ナイポールはトリニダードが「発見されて300年」という歴史を次のように総括する。スペイン系入植者たちが、より富のありそうな南米などの土地に移動していった後、イギリス系入植者がやってきた。イギリス統治も「ゆるいスペイン式」のようなものだったので、「流血を見るような激しい奴隷による反乱もなかった」。奴隷制廃止後、解放されたアフリカ系がプランテーションでの労働を拒んだので、彼らに代わって年季契約労働者が導入された。ナイポールはここまで書きながら、その年季契約労働者の多くがインド植民地からやって来たという事実（12章）には触れない。自分の「出自」についても。

欧系入植者たちに打ち捨てられた島に導入されたインド系移民。それこそがナイポールの祖父たちの来歴だった。彼がこの島に生まれたのは、父方と母方の祖父が、それぞれ1880年代と90年代にサトウキビ・プランテーションの年季契約労働者としてやってきたからだ。故郷の島を、歴史も文化も言語も自前のものを持たない国だと書くナイポールにとって、諸悪の根源は、入植して支配しては見捨てていった側ではなく、奴隷から解放されたアフリカ系島民にある。彼らが「プランテーションでの労働を拒否した」から、祖父たちが来て自分がこの地に生を享けることになったのだ。

ナイポールは、さらに鬱憤をまき散らす。アフリカ系島民は、つい最近まで自分たちの過去を見ようとしなかった。なぜ西インドに居るのか、なぜ英語か仏語か蘭語を話し、欧州式マナーや宗教、食習慣を共有しているのか。彼らは当然視して疑わない、と。

ナイポールは、アフリカから連行された人々が西インド諸島に向かわされる「中間航路」の悲惨極まる様子も、奴隷となった彼らが生き延びるために独自の音楽や信仰を密やかに保持してきた歴史にも触れない。一方で、インド系である自身の優位性をあえて文字にすることもしない。その代わりに、国家も文化も言語も持ちルーツを明確にたどることのできる人々を先祖に持つ「私」ナイポールが、「彼ら」と対照を成す存在だと、読者にさりげなく、しかし何度となく繰り返す。

ノッティングヒル事件（33章、60章）から間もない時期に西インド諸島を訪れていたナイポールは、それを'the London race riots of 1958'と表記し、流血の騒動となった事件の背景には、団結しなければならない事態を前にして、西インド人が互いに疎遠になりたがったことを挙げている。黒人の中でもジャマイカ人が狙われると思っていた者、黒人の中でもより貧しい層が標的になると考えていた者。植民地では、集団への忠誠が醸成されなかったとナイポールは言う。彼の理解によれば、西インド人移民たちが狙われたのは彼らが一致団結できなかったからだ。一部の白人による暴力的な人種主義が原因ではなく。だが、帰郷で目撃した「ブラック・パワー」の衝撃は相当大きかったようだ。

今日、カリブ海域では黒人の自己肯定感が肥大し、ジャマイカでは白人、カラード、中国系、シリア系、ユダヤ系との、マルティニークでは白人とカラードとの、トリニダードではインド系との、それぞれ対立を生んでいる。（ナイポール、1962年、92頁）

にわかに隆盛してきたアフリカ系西インド人の自己肯定感を、決して賞賛しているわけではない。しかしナイポールが認めようと認めまいと、帰郷の島で遭遇したのは、自分と同じ頃に宗主国にやってきて「一致団結できなかった西インド人」ではなかったし、「自分たちが何者でどこに居るのかを教えてくれる書き手が必要」な人々でも、もはや、なくなっていた。北米経由で英領西インドに到達したブラック・パワーの波は、故郷嫌いなナイポールをさらに故郷から遠ざけたのだろう。それにしても、この「ノンフィクション」を、依頼者ウィリアムズはどう読んだのだろうか。アフリカ系カリブ人の一人として。

（堀内真由美）

54

ドミニカのブラック・ヒストリー月間《マンス》

――★本国から戻った黒人移民の故郷への違和感と責任感★――

「ウィンドラッシュ世代」と呼ばれた西インド移民たちの苦い経験は、少なくとも今日の本国イギリスでは折に触れ議論され、義務教育課程で使用される歴史テキストにも掲載される現代史の一断面にはなっている。だが故郷の島々には、必ずしも彼らの苦闘は伝わっていない。1950～60年代に海を渡った若者が本国で悪戦苦闘していた一方で、故郷に留まった同世代は、独立前後の混乱期を乗り切るのに精いっぱいだったからだ。同じ脱植民地時代を生きた彼らの間に「共有できない経験と記憶」が微妙な影を落とすことになった。特に、長年の本国暮らしの後、永住帰国した「帰国者」(returnees) が故郷で抱く疎外感や孤独感は、彼らの生活に少なからず影響を与えている。

この章では、ドミニカに永住帰国した人々の聞き取りをまとめた本（『故郷再び』2009年）の中から、2008年に妻と帰郷したフランクリン・ジョージズ（1937年～）の例を取り上げる。帰国後の日々感じる故郷への違和感と島の将来に対する懸念が、彼に故郷で果たすべき役割を認識させた。とりわけ若者を対象とするジョージズの歴史教育の実践を紹介し、彼の経験と取り組みを通じて、植民地支配がもたらした今日への影響を改めて考えたい。

ブラック・アクティヴィストと自称するジョージズは、奴隷制の歴史といまだ続く人種主義の現実を伝えることを、自身の役割だと認識している。若い世代が、独立後も続く島の経済的苦境——高等教育機関がないこと、島を出なければ仕事を見つけることは難しいこと——を、植民地主義や人種主義の過去と結びつけ理解していないことが、ジョージズに焦燥感を抱かせる。同時に、彼の本国での体験が共感を持って受け入れられないことへの落胆は、なかなか帰郷後の暮らしを心地良いものにしてくれない。島民が帰国者の「経済的豊かさ」を口にするとき、その裏側にあったきつい仕事や苛烈な差別の実態はおろか、彼らの故郷への変わらぬ愛着と、親族を通して続けた故郷への経済的支援の大きさについても、ほとんど伝わっていないことへの憤りがある。

もちろん、このような島の分断は本国イギリスによる支配がもたらしたものだということをジョージズは百も承知だ。だからこそ、この分断された島民の歴史認識を、次の世代に引き継がせてはいけないという責任感が増す。若者にとっては、独立後の「今」があるだけで、脱植民地過程はおろか、自分たちの祖先がどこからどのように、この海域に連れてこられたのかも正確には理解できていない。「私もイギリスで勉強したんだ」と語ってくれたジョージズは、イギリスで「我々の歴史」を一から学び直し、ロンドン郊外の彼の地元で、「ブラック・ヒストリー」を学校教育に導入させた先駆的西インド移民の一人だった。

ただ、ジョージズのいう歴史学習とは、学問的な議論を振りかざそうというものではない。2017年2月、筆者の4回目のドミニカ訪問時に彼の授業を体験する機会が訪れた。ホテルに到着するやいなやジョージズから電話があり、「明日9時図書館前に集合」とのこと。翌朝、ホテル隣の図書館前で待っていたら、ジョージズ運転の車が横付けされたと同時に窓から大きく朗らかな声がした。「早く乗って。これから島北部の学校へ出前授業に行くから」。かくして筆者は「特別講師フランクリン・ジョージズのティーチング・アシスタント」として、島北東部のW中等学校（セカンダリー・スクール）（仮名）に向かうことになった。

創立10周年のWセカンダリー・スクールは、ドミニカでは大規模な中等学校である。その日のレクチャー対象は4年生（15歳）だった。会場となる広場のステージに、ジョージズが持参した教材を並べる。広場を囲むように並んだ教室から生徒たちが集まる。3クラス60人ほどが参加。真面目な生徒、半分聞く気のない生徒など、いろいろである。授業も、いつも決まったパターンがあるわけではなく、その日の人数や生徒の様子を見てからアレンジするとのことで、この日も、初めは「探り探り」、イントロダクションに入るジョージズ。たいてい6種類の教材（話題）を準備して臨むと聞いていた通り、それらを使いながら彼は生徒への質問を始める。

「祖父母、曽祖父母のルーツを知ってる？」「この島に初めてもたらされた文明はどこから来たの？」「独立時にどのくらいの（金銭的）費用がかかったのか知ってる？」「卒業後どこへ行きたい？その目的は？」「黒人が発明したものには、どんなものがあるかな？」これらがこの日の質問だった。

独立時の費用については、植民地からの独立が、金銭的負担を「独立を求める側」に強いたかを想像させる狙いがある。「我々ドミニカの島民はもともと貧しいのだ」という生徒たちに共通する誤認を改めさせ、「貧困は歴史的に作られ今に至っている」という事実を理解させるためにも重要な問いだ。「黒人による発明品」については、スマートフォンで検索するようジョージズは促す。すると、会場のあちこちから驚きの声が上がってくる。筆者のすぐ近くで検索していたグループは、「点滴用具」だとの発見をした。ジョージズの妻をはじめウィンドラッシュ世代の移民女性は、看護師など医療従事者が多かった。自分たちの祖父母にあたる人々がイギリスで苦労しつつも、社会に役立つ仕事をしていたという歴史とリンクする。

授業の後半には、ローザ・パークスによる「黒人のバス乗車拒否」に対する抗議のエピソードを読んだアメリカ人少女の感想文を、生徒を指名して朗読させる。直接ローザ・パークスについての事実を知らせるのではなく、パークスの行動を知った、この日の生徒と同年代の少女の感想を読ませるこ

フランクリン・ジョージズ特別授業（2017年2月）

とで、アラバマ州からはるか離れたドミニカの学校で、21世紀初頭の生徒たちにパークスの行動と思想を想像させるという仕掛けである。それまで集中力に欠けていた生徒も朗読に聞き入る姿が印象的だった。

朗読が終わると授業も終盤だ。彼は生徒たちに、洗脳（brain wash）に気を付けなさいとメッセージを送る。生徒の多くが近い将来、故郷の島を離れ、周囲にブラックが居ることが当然ではない環境に身を置くことを前提としたメッセージだ。「黒人だから」、「黒人のくせに」と言われて仕方ないと思わされないよう自己認識を確立すること、自分のルーツを知ること、ブラックの歴史を知ることを大切にと。授業の最後は、「ブラック・アルファベット」の唱和である。「Aはappleのと言われてもピンと来ないよね、リンゴはドミニカでは栽培されないから」。講師の投げかけに生徒も笑って応じる。ブラック・アルファベットでは、「AはアフリカのA（A is for Africa)」「BはブラックのB（B is for Black)」だ。

長い格闘の後、本国から戻ってきた故郷で、孤独感や同胞との齟齬を経験した帰国者たち。彼らの苦悩を思うとき、等閑視されがちな「脱植民地のその後」に注目することが、宗主国の責任を問い続けることと同じかそれ以上に重要なことだと再認識させられた出前授業だった。

（堀内真由美）

コラム15

西インドへの永住帰国者たち

堀内真由美

コラム「ウィンドラッシュを記憶する(1)」の彫刻家バジル・ワトソン一家や、55章に登場するBBCラジオ番組「カリブの声」を始めたウナ・マーソンのように、本書に登場する「本国イギリスに渡った西インド人」の中には、中高年になって故郷の島に戻る、正確に言えば、「永住帰国する」人々も少なくない。

54章「ドミニカのブラック・ヒストリー月間」でも言及したが、帰国者の大半は、経済的には恵まれた状態で再出発できた。だが、ドミニカに60歳を過ぎて戻ってきた「ウィンドラッシュ世代」の黒人移民フランクリン・ジョージズが、「イギリスであれだけの差別を受け苦労して戻ってきて、まさかここで自分がイギリス人と呼ばれるとは」と漏らしたように、故郷の人々との齟齬を経験した帰国者は少なくない。

本国から故郷カリブへの永住帰国の理由も様々だが、黒人やカラードのカリブ出身者は、移民当初からいっこうに収まらない差別と抑圧に晒されていたところに、引き金となる事件や事情が重なりイギリスを去る人々が多かっただろうことは容易に想像できる。「ウィンドラッシュの娘」世代によるブラック女性運動組織OWAAD設立メンバーの一人、ベヴァリー・ブライアン（1949年〜）もその一人である。

1959年、10歳で両親と合流するためジャマイカからイギリスにやって来たブライアンは、編入先の小学校でいきなり差別の現実を知らされる。「島では服を着ていたのか」「木に登っていたのか」など、教室での質問攻めは日常茶飯のことだった。「標準英語」が使えないと「特別クラス」に押し込められ、何の援助もない本国の状況に直面し、食べていける道を模索した彼女は、黒人として快挙というべき、高等教育進学へのパスポートとなる「Aレベル」試験に合格した。その後、師範学校（現在の大学教育学部に相当）を卒業し、ロンドンの西インド人コミュニティで小学校教師となった。

ブライアンが就労年齢に達する頃のイギリスは、SUS法の恣意的運用による黒人青年たちへの暴力的取り締まりが横行していた（45章、46章）。78年に組織されたOWAADでも、SUS法廃止運動と、移民の子どもの教育支援活動が展開されていた。ブライアンはどちらの活動にも中心的役割を担った。10年ぶりの短い里帰りは、「私には自分に敵対的なイギリスに居る権利がある」と、本国への権利意識を強固にしたと語っている。

多くのブラック青年たちが嫌疑も不十分な中一斉検挙されるという1981年のブリクストン暴動の後、ほどなくSUS法は国会で廃案となった。だが、それでも移民2世、3世をターゲットにした暴力的な差別事件はなくならなかった。ブライアンは仕事に充実感を抱いていた一方で、彼女の二人の息子たちが苛烈な差別の対象にされる年頃に近づくにつれ、自身の移民コミュニティへの責任を果たすために、息子たちの人生を犠牲にするわけにはいかないと思うようになる。

1992年、ブライアンは夫と二人の息子と一緒にジャマイカに永住帰国した。彼女は、故郷の大学で教鞭を執るようになっても、「途中で逃げ出した」との自責の念に駆られたと言う。このような帰国者を生み出す「本国社会」とはいったい何なのだろうか。

55

ウナ・マーソン

——★BBCラジオ番組「カリブの声」を始めたジャマイカ人女性★——

ジャーナリストであり、フェミニズム、パン・アフリカ主義の活動家であり、詩人・劇作家としての著作もなしたウナ・マーソン（1905〜65年）のキャリアには「初の」が並ぶ。「ジャマイカ初の女性向け雑誌『コスモポリタン』の発行」、「黒人女性初のBBCプロデューサー」などである。本章ではこのジャマイカ人女性の活動を、ロンドン滞在時のBBCラジオ番組「カリブの声」と短編映画『西インドの呼びかけ』を中心に紹介する。ウィンドラッシュ世代以前にロンドンに滞在した英領カリブの知識人たちは、20世紀前半の英領カリブおよびブラックブリティッシュの知的、文学的基盤を作るのに大きく貢献した。ウナ・マーソンもそのうちの一人であった。

ウナ・マーソンはバプティスト教会の牧師の娘としてジャマイカ南西部のセントエリザベス教区で生まれ、キングストンで中等教育を受けた後雑誌編集に携わった。詩作や劇作も行う傍ら1928年には雑誌『コスモポリタン』を発行する。この雑誌は不況のため3年で廃刊となり、マーソンは1933年、ロンドンに移住した。ロンドンでは、ジャマイカ出身のハロルド・ムーディが1931年に設立した人権団体である有色人種連盟の活動に従事した。連盟の機関誌『鍵』の編集を担当し、自らも執筆している。

ロンドンでマーソンが直面した差別は、1933年7月の『鍵』に掲載された「ニガー」という詩に直截的な言葉で描かれている。70行からなるこの詩は次のように始まる。「彼らは私を『ニガー』と呼ぶ／あの白人の小僧たちが／笑いながら叫ぶのだ／私が通りを歩いていると／私に向かって投げつけてくる／『ニガー！　ニガー　ニガー！』と／その言葉が出てこないように彼らの首を絞めそうになる／この手を押しとどめたものは何か？／顔がかっと熱くなり／血が煮えくり返り／涙があふれるのはなぜか？／自分の部屋に駆け込んで／泣きはらすのはなぜか？／白人の小僧たちが／私をニガーと呼んだからといって」　最後の連では、こうした人々を憎ませないで下さいと神に祈りを捧げて終わる。パン・アフリカ主義運動、フェミニズム運動に深く関わり、詩作、劇作も続けながらマーソンがロンドンで活動したのは1932～36年、38～45年である。

1939年、BBCラジオは「西インドへの呼びかけ」という番組を始めた。カリブ海域からイギリスに来ている労働者や兵士たちの士気を高めるために、彼らの声をラジオを通じて故郷に届ける番組である。その前年、再渡英していたマーソンは、この番組を同じくカリブ出身の音楽家ルドルフ・ダンバーと担当することになった。1941年マーソンは「西インドへの呼びかけ」にフルタイム職員として取り組むことになる。そして、その後この番組を詩や小説などの文学作品の投稿と紹介を主とした「カリブの声」に再編成していくことになった。

1943年3月11日に始まり1958年9月7日に終わった「カリブの声」は、毎週日曜日の夕方6時半から25分間放送された。「カリブの声」は、カリブ地域の英語文学の発展に大きな役割を果たした。なお、番組名は英語では「カリビアン・ヴォイスィズ」であり「声」は複数形である。

マーソンは心身の不調から1945年再びジャマイカに帰国する。「カリブの声」は、アイルランド系イギリス人のヘンリー・スウォンジーが引き継いだ。スウォンジーは、カリブの英語文学の作家として今日名前を知られる多くの文学者たちの才能を見出し、奨励した。カリブ出身者初のノーベル文学賞受賞者であるセントルシア出身のデレク・ウォルコット（1930～2017年）、トリニダードの作家サミュエル・セルヴォン（1923～1994年）、バルバドス出身の詩人・歴史研究者カマウ・ブラスウェイト（1930～2020年）、日本でも多くの小説が翻訳されているトリニダード出身のノーベル文学賞受賞者V・S・ナイポール（1932～2018年）ほか、多くの文学者がこの番組を経て活躍の場を広げていった。「カリブの声」を文学的才能発掘の場として確立したのはスウォンジーであると一般的にみなされているが、ウナ・マーソンの培ったネットワークと基盤も、その後の番組の発展に貢献したことは間違いない。

ウナ・マーソンのBBCラジオ勤務時代の姿は、短編映画『西インドの呼びかけ』（1943年）の中で見ることができる。ラジオ番組「西インドへの呼びかけ」に対して『西インドの呼びかけ』と名付けられたこの映画は、英国情報省が、4千マイル離れたカリブ海域から大西洋を渡って戦時のイギリスを助けに来た人々の様子を、イギリス人たちに伝える目的で製作した。帝国戦争博物館のデジタルアーカイブおよび、英国映画協会（BFI）のユーチューブチャンネルで公開されている約14分のモノクロ映画である。

映画は、ロンドンにあるBBCスタジオに西インド諸島出身の人々が集まってくる様子を映し出

ウナ・マーソン
(ブリティッシュ・ライブラリーウェブサイトより)

す。「彼らは自らをウェストインディアン(西インド人)と呼ぶが、人種は様々である。新世界を切り拓いたイギリス人、フランス人、スペイン人たちの子孫、砂糖プランテーションで働くために連れて来られたアフリカの奴隷の子孫、中国人の商人たち、インドから来たヒンドゥー教徒、イスラム教徒など。今日、西インド諸島の人々は私たちと同じ市民権を持ち、同じ大義を抱いている」というナレーションとともに映る人々は、黒人、白人が同数程度で、黒人が大多数であるという英領カリブの実情とはかけ離れている。

導入ナレーションの後にウナ・マーソンが司会者としてスピーカーを順に紹介する。最初の話者はトリニダードのクリケット選手、レアリー・コンスタンティン(1901〜1971年)で、イングランド北部の工場で商業訓練を受けている人々の話をする。ここで身に付けた技能は戦後の復興にも役に立つだろうとも述べる。次に、トリニダードの外交官で英空軍で活躍していたアルリック・クロス(1917〜2013年)が、軍や病院等で働く人々について紹介する。これまでカリブ海島嶼間はアメリカ人パイロットが飛行していたが、空軍従軍によって飛行機操縦を学んだ人々には新しいキャリアが拓けているだろうと述べる。「コモンウェルスの国々、国際連盟の国々の男性女性とともに、西インド諸島の人々は我々が見たいと望む新しい世界のために戦っているのだ」というナレーションの後、黒人と白人の女性たちが卓球に興じる休憩時間が映る。最後は、スタジオで歌に合わせて優雅にダンスをする男女の姿が映される。

映画『西インドの呼びかけ』を見ていると、こうした戦時プロパガンダ映画の描いた「戦後」にこそウィンドラッシュ号での移住政策があったこと、そして移住者が実際に見たのはこれとは異なる待遇であったこと、それがどれほどの失望であったかということが思われる。映画の中で明るい色のスーツに身を包み、笑顔で司会をするウナ・マーソンの姿は威厳があり美しい。しかしマーソンはそのときは帝都ロンドンで、またその後、帰国したジャマイカでも、黒人差別に対して、女性差別に対して憤り戦っていた。

（山口美知代）

コラム16

カリブへの声

堀内真由美

BBCのラジオ番組「カリブの声」は、当時まだ英領だった西インド諸島の文化や文学を本国に紹介した（55章）。番組終了から約半年経った1959年4月、今度はトリニダードから6人の西インド人が島々へとメッセージを送った。58年に10島で成立した西インド連邦政府の首相と閣僚たちが、連邦政府が置かれたトリニダード島ポート・オブ・スペインから、連邦発足1年の実践と展望を述べたのだ（連邦については25章）。

西インド連邦は当初、カナダ連邦やオーストラリア連邦のように、自治権を有し本国から独立した一つの国家となることを目指した。だが、本国への不信感から、自島利益を最優先にする連邦懐疑派と、連邦の独立を目指し本国との調整を試みる連邦主義派が対立し、連邦は発足当時から不協和音を抱えていた。ラジオ放送で、連邦政府首相グラントリー・アダムズみずから「我々の力は強まり連邦政府は明白な多数派になっている」と宣言する必要があるほど、連邦域内と連邦議会内に連邦懐疑派の声が大きかった。

連邦の早期独立に向けた努力で放送を締めくくった首相の後、5番目に登場した厚生労働大臣のフィリス・オーフリーは、大臣就任の際、文学仲間から「もうこれで詩作はできないね」と言われたが、「この1年私が没頭したのは、新国家形成というまさに詩的なドラマの第1章だった」と語る。連邦発足から数か月後にノッティンガムとロンドンのノッティングヒルで起こった人種暴動については、在英西インド移民の待遇改善に、連邦として本国と連携し努力すると強調している。在英時代から、同胞移民のための住宅斡旋などに奔走していたオーフリーは、連邦の成功が、本国に西インドを対等な存在だと認識させ、そのことが在英西インド人の社会的地位の向上にもつながると考えていた。

　対立勢力を意識せざるを得なかった閣僚放送だが、オーフリーだけが故郷の島に言及している。「6日間の仕事と生活を精力的にこなしながらも、私は、誠実で飾り気のない友人や故郷で労働に汗を流す人々のことがとても恋しい。雨季と広大な森林、青くそびえる山々、峡谷を流れる水音が恋しい。書類と書籍と新しき親切な友人に囲まれているにもかかわらず、私はいまだ生まれ故郷の親しみある風景に恋焦がれている」と。

　バルバドスで自治権獲得運動の指導者として確固たる実力と知名度を備えていた首相アダムズほか、男性閣僚はみな、それぞれ故郷の島で政治経験を積んでいた。他方、島の労働組合のリーダーたちとドミニカ労働党を設立し、選挙で連邦議員になり、アダムズから閣僚指名されたオーフリーの政治指導力は未知数だった。閣僚による放送内容としては多少の違和感がある彼女の「故郷へのラブコール」には、島を留守にしている間に、島民が自分への関心を失っていくことへの懸念があった。連邦崩壊後、ドミニカ地元紙に綴ったオーフリーのエッセイから、当時の心境が確認できる。帰郷後の政治闘争に敗れ、政治の舞台から去ることを思えば、このとき連邦政府唯一の白人クレオール女性閣僚の発した「カリブへの声」は、故郷への叶わぬ恋心の表現のようで、切ない。

56

火山の島の災害文学

★モントセラトの詩人ハワード・ファーガス★

イギリスの海外領土モントセラト人として初めて英国ナイト爵に叙せられたハワード・ファーガスは歴史家であり政治家であると同時に、2013年に制定された国歌「マザーランド」の作詞を担当するなど、モントセラトを代表する詩人でもある。とりわけ、スフリエール・ヒルズ火山の度重なる噴火や、ハリケーンの被害に苦しむモントセラトの姿を伝えるファーガスの詩は読者を引き付ける。本章では、モントセラトの災害文学の担い手の一人であるハワード・ファーガスについて述べる。

ハワード・アーチボルド・ファーガスは、1937年モントセラトの南東部ロンググラウンド村で生まれた。スフリエール・ヒルズ火山の麓で、現在では噴火被害のために廃村となった地域である。モントセラト・グラマースクールを卒業後、バルバドスのアーディストン教員養成学校を経て、ジャマイカの西インド諸島ユニバーシティ・カレッジ（西インド諸島大学の前身）に進学した。卒業後モントセラトに戻り、教職や教育行政職に携わる。後に渡英し、ブリストル大学の後マンチェスター大学で教育学修士を得て帰国。西インド諸島大学から博士号を取得した。

ファーガスはモントセラトに住み、西インド諸島大学の生涯学習分校講師、のちに分校長として、公開講座を担当した。その傍ら、歴史家として『モントセラト　あるカリブ植民地の歴史』（1994年）ほか多くの書物を著してきた。一方、政治家としては、1975年から2001年までモントセラト立法府の議長を務めている。この期間に3度、総督代理を務めた。1990年から92年の間にはカリブ共同体の西インド委員会委員としても活動した。

詩作の発表は1970年代後半から始めた。初期の詩集『コットン・ライムズ』（1976年）、『グリーン・イノセンス』（1978年）、『ストップ・ザ・カーニバル』（1980年）を発表したのち、1980年代にはペンギンブックスのアンソロジー『ペンギンブック　カリブ海の英詩』所収の百余名（105人の詩人と匿名の詩人）中の一人として3篇の詩が収められるまでになった。4冊目の詩集『ララ・レインズ・アンド・コロニアル・ライツ』（1998年）は、イングランド北部のリーズにあるピーパル・ツリー・プレスから出版され、より多くの読者を得ることとなった。カリブ海域やアフリカ系イギリス人、南アジア系作家等の作品を手掛ける出版社である。

『ララ・レインズ・アンド・コロニアル・ライツ』は、トリニダード出身のクリケットの名選手ブライアン・ララが率いた西インド代表チームがイングランドに完勝した1994年4月の試合を主題としている。冒頭の詩「ララ・レインズ」ではアンティグアのスタジアムで、ララの猛攻が雨（レイン）のようにイギリスチームに降り注いだ様子を描きながら、イギリス帝国による植民地支配を象徴するスポーツにおいて、西インド代表が支配（レイン）することの象徴的な意味を描いている。一方で詩集の中では、イギリスのカリブ海域植民地支配の歴史が完全に断ち切れていないことも、テーマ

スフリエール・ヒルズ火山と噴火によって生じた廃墟（川分圭子撮影）

の一つとして繰り返し現れる。

１９９５年、97年のスフリエール・ヒルズ火山の大噴火は、モントセラトの風景と住民の生活を一変させる大災害であった。島民の約８０００人がイギリス、アメリカ、バルバドス等、島外に移住したが、ファーガスはモントセラトに残り、島の生活を詩の形で記録した。ファーガスは火山とともに生きる島民の記録を詩に綴り、『火山の歌　苦悩する島の詩』（２０００年）、『火山の詩』（２００３年）として発表した。

スフリエール・ヒルズ火山は、19世紀末から小規模な地震や噴火はあったものの３５０年近くほぼ休眠状態にあった。１９９５年７月の大噴火で噴出した溶岩や火山灰が首都プリマスを破壊した。活発な火山活動は何か月も続き、１９９７年６月にも大噴火があり、20人の犠牲者が出た。首都機能は島北西部のブレーズに移された。その後も断続的に噴火は続いている。

『火山の歌　苦悩する島の詩』の表紙は、噴煙の中で姿がほとんど見えないスフリエール・ヒルズ火山の写真である。中には立ち入り禁止区域を明示したモントセラト島の地図も示されている。筆者は、モントセラトを訪れたときに小さな土産物店でこの詩集を目にして購入し、初めてファーガスの詩に触れた。立ち入り禁止区域を監視の車に付き添われて見学した直後のことで、描かれた詩がまさに裏表紙に謳われているように「詩による火山日誌」であることを痛感した。

『火山の歌　苦悩する島の詩』に収められた最初の詩「噴火」には「１９９５年８月」と記されている。その後も噴火に関する詩が続く。「スフリエールとのクリスマス」は、１９９５年12月22日と記され、「スフリエールのチャンス峰が昨夜噴き上げた／大きなクリスマスツリーを／しかしそれを上まわって降りしきる夏の雪をいやというほど降らせるのだ／炎の果実を実らせて」と始まる。７月に始まった噴火が12月にもまだ続いている様子が描かれている。１９９６年1月3日の詩は「更年期」で、次のように始まる。「火山は更年期に入った／ホットフラッシュはあるが／月経が止まるわけではない／（ほとんどない）木を切ろうとして覗く者は／赤色を見る――そして硬い灰色の帯の下では／硫黄がまだ熱を帯びている」。

ハワード・A・ファーガス著『火山の歌　苦悩する島の詩』

ファーガスは論考「モントセラト災害文学の出現――序文」の中で、１９８９年に大型のハリケーン・ヒューゴの被害を受け、１９９５年以降スフリエール・ヒルズ火山の大噴火被害を継続的に被っているモントセラトには、災害文学が生まれつつあると述べた（『東カリブ海研究ジャーナル』第35巻第2号、２０１０年）。19世紀以来の文学作品に見られる火山やハリケーンの描写を引用した上で、ファーガスがモントセラトの災害文学の意識的な出発点とするのは、『ヒューゴ vs. モントセラト』（１９８９年）である。この本ではイギリスで活動するモントセラト出身の詩人・劇作家Ｅ・Ａ・マーカムとファーガスの共著で、１９８９年9月に島を襲ったハリケーン・ヒューゴの被害を、インタビューや創作を通じて、40点近い写真とともに描いている。ファーガスはこのほかにも、西インド諸島大学モントセラト分校でライティングワークショップを開き、災害を主題とする作品集を編纂している。

ファーガスは近年まで精力的に詩作を続けた。コロナ禍を主題とした『ロックダウンの詩』（２０２０年）、イヴォンヌ・ウィークスとの共著書『パンデミックの瞬間』（２０２１年）もまた、災害文学の系譜に位置付けられる。そして２０２３年3月23日、85歳の生涯を終えた。

（山口美知代）

コラム17

モントセラト島をネバーランドに見立てたピーター・パン映画『ウェンディ』

山口美知代

スコットランドの作家ジェームズ・バリーが著した戯曲『ピーター・パン――大人にならない少年』（1904年）や小説『ピーター・パンとウェンディ』（1911年）は、これまで幾度も映画化されてきた。ディズニーのアニメーション映画『ピーター・パン』（1953年）、スティーブン・スピルバーグ監督の『フック』（1991年）、ジョニー・デップがバリー役を演じて著者の伝記的側面を描いた『ネバーランド』（2004年）、前日譚を描いたが批評家受けは芳しくなかった『PAN～ネバーランド、夢のはじまり～』（2015年）などが並ぶピーター・パン映画のリストに、新しい映画が加わった。アメリカのベン・ザイトリン監督が、カリブ海の島、モントセラトをネバーランドに見立てて撮影した『ウェンディ』（2020年）である。

『ハッシュパピー　バスタブ島の少女』（2012年）で独立系映画のためのサンダンス映画祭グランプリ、第65回カンヌ国際映画祭新人賞を受賞し、米アカデミー賞最優秀作品賞、最優秀監督賞、最優秀主演女優賞、最優秀脚色賞にノミネートされたザイトリン監督であるが、『ウェンディ』の受けた評価はかんばしくなかった。キャストの演技が拙い、ネバーランドに行く経緯がわからない、製作者の思いが観客に伝わらない、前作と同じことの繰り返しであるなどの指摘がされた。『ハッシュパピー』は日本でも劇場公開され、DVDも販売されているが、『ウェンディ』はDVDやオンライン配信の予定も（2022年3月の時点では）ない。

それにもかかわらず、映画『ウェンディ』はモントセラト島の美しさを見るためだけにも一見の価値があると筆者は思う。アメリカ南部の食堂を営みウェンディと双子の息子ジェームズとダグラスを育てている母親は、生活に追われ疲れた中年女性として描かれている。家から逃れて窓の下を走る汽車の屋根に飛び乗った子どもたちは、黒人の少年ピーターに出会う。ピーターは彼ら3人を汽車から海に突き落とし、自分も海に飛び込む。そこに黒人の少女が乗った小さなみすぼらしいボートが流れ着き、彼らは皆で島に渡るのだ。

火山が白い蒸気を噴き上げる島を、5人はボートの上から遠景に認める。この場面がたいそう美しい。スフリエール・ヒルズ火山は度重なる噴火によってモントセラト島に甚大な被害をもたらした活火山である（56章）。その威容が高所から、また島に近づくボートから映される。未知の世界に入っていく子供たちの不安と期待に満ちた表情も素晴らしい。

島に上陸し、熱帯雨林を駆け抜ける子供たちは、長い白髪の老人に出会う。フックである。

ピーターを演じるのは、アンティグアのラスタファリアンの村で監督が出会ったという少年ヤシュア・マック。金髪をドレッドヘアにしている。演技は未経験だったというマックがモントセラト島で火山や海に対峙する様は、堂々としていて、まさにピーター・パンだという説得力がある。ウェンディ役のデヴィン・フランスは当時12歳のアメリカの女優である。

スフリエール・ヒルズ火山は島の中心にあり、映像的に加えられた地面の随所から噴き上がる蒸気とも相まって、映画の中で存在感を示し続けている。実際は火山周辺は立ち入りが制限されており、撮影も困難だったという。火山周辺から立ち退き、島内の他地域や島外へ移動しなければならなかったモントセラトの住民たちの窮状に思いを馳せる一方で、火山を抱くこの美しい島をネバーランドに見立てたザイトリン監督の慧眼に胸を打たれる。

VIII

カリブのカーニバル

57

カーニバルの広がり

★欧州から、西アフリカから、カリブ海へ★

カーニバルの名称ですぐ思い浮かぶのはブラジルの「リオのカーニバル」ではないだろうか。サンバのリズムときらびやかな装束をまとったダンサーたち、豪華で巨大なフロート（山車《だし》）。旧英領西インド諸島では、南米大陸により近いトリニダードのカーニバルが最も規模が大きく、華やかさでも他島のそれらを圧倒している。トリニダードが発祥とされる、石油ドラム缶から打ち出して作られるスチールドラムが奏でる音色も、カリブのカーニバルを連想させる。

しかし、カーニバルの起源はヨーロッパにある。それはローマカトリックのカーニバル（謝肉祭）に遡る。カーニバル後に、肉食を断つ期間であるレント（四旬節）に入ることから、その直前に、思い切り飲食と遊びに興じるというのが、カーニバルの起源だと言われている。筆者は学生時代、早春のヴェネチアを訪れた際、行き交う地元の人々の仮装に驚いた。両替してもらおうと銀行に入ったら仮面をつけた行員さんに囲まれ、「ドッキリカメラ」でも仕掛けられているのかと思ったものだ。カーニバルがマスカレード（仮面祭）とも呼ばれるゆえんである。

第57章

カーニバルの広がり

開催期間もよく知らずにイタリアを訪れ、たまたまカーニバルに遭遇した筆者だったが、後にこの開催日程の決定が、なかなかややこしいということを知る。まず、カーニバルは先ほど出てきたレントを基準にして決まる。そしてそのレントは、復活祭（イースター）を基準に決まる。イースターとは、春分の日から最初に迎える満月の次の日曜日である。直近の２０２３年を例にとると、イースターは4月10日。レントはイースター前の46日間で、カーニバルはレント初日の前日から遡っておよそ1週間を指す。となると、２０２３年のレントは2月23日から4月9日まで、カーニバルは2月22日から遡って1週間となる。

春分の日と満月の組み合わせに左右され、イースターが年によって変動することがもとで、カーニバル開催期間も早い年は2月の半ばから始まるし、遅い年は3月半ばにずれこむ。ちなみに旧英領、現英連邦ドミニカ政府の公式年間カレンダーを見ると、２０２３年のカーニバル祝日は2月20日と21日の月・火となっていた。国にもよるが、ドミニカの場合は、暦を正確に反映させるというよりは、暦に最も近いカーニバル開始日の月曜日と火曜日がカーニバル祝日となる。週末に行う国もあるだろう。次章で詳述するように、ドミニカでは、南北アメリカやカリブ海の他島から帰省する人々が家族や親戚、友人たちとカーニバルを楽しむので、この「月・火」の祝日は移動日も含めてうれしい設定だろう。

この、欧州カトリック世界におけるカーニバル、すなわちレントに入る前に祝宴を行う習慣をドミニカに持ち込んだのは、先行してこの島を支配したフランス系入植者たちだった。カラフルな仮面と踊りが、ドミニカに限らず、カリブ海域の仏系プランテーションにおけるカーニバルの特徴で、プランター（大農園主）家族が、「守護聖人」を祝う「聖名祝日」でお互いを訪問し合う際、奴隷たちが、邸宅の外で踊り屋敷内で音楽を奏でて主人一行を楽しませた。

19世紀半ばの奴隷解放後に「自由人」となった人々は、祝祭を街路へと移した。ドミニカでは中心都市ロゾーと島北部のポーツマスで、人夫、荷役、漁師、家内使用人たちが、村々から集まった。仮面祭が鼓笛隊を伴う以前は、各村で歌の「掛け合い」を楽しんだ。奴隷解放後の仮面祭は、「社会的障壁が崩れた時代」を象徴していたという説に対して、ドミニカの歴史家ホニチャーチは「それはずっと後になってからのこと」だと否定する。仮面祭は、ドミニカの民衆が、1年のほとんどは従属を余儀なくされる社会に対して、ほんの数日、反抗を示せるものだった。民衆が唱和する歌の主題が、このことを明確に示していた。社会の出来事や不正義を主題にした歌がよしとされたため、地元の名士たちが、歌詞から自分の名前をはずしてくれるよう、歌い手に賄賂を渡すこともあったという。

ホニチャーチによれば、民衆が参加するようになった奴隷解放後の仮面祭では、ヨーロッパ起源のものとは異なる要素が見られた。装束をとってみても、西アフリカの諸王国の祭りで使われたものが原形だったという。センセ（Sensay または Sennsé）と呼ばれたその装束は、20世紀に入るまで使用されていた。これは仮面と一緒に角も使われるのが特徴だった。「黒んぼ（darkey）」と「赤土色」という、仮面に施した色で2派に分けられた「軍団」が、ハイチや昔のトリニダードのカリンダ（Kalinda）のように、こん棒での打合いをしたものだ。

この習慣は暴力的だとして20世紀に入ると廃れたが、それでも、西アフリカ起源と見られる装束と仮面をつけた一群は、街路で「敵」の一群や、警官を相手に闘いを繰り広げた。また、ヴェランダにいる見物客向けに、出し物や曲芸も披露された。20世紀初頭には、20フィート（6メートル強）も高さのある「ボワ・ボワ」(bois bois) と呼ばれる竹馬に乗った男たちが、群衆の中で踊って見せた。

さらに時代が下ると、ドミニカでは多様な装束が登場する。輸入モノの針金でできた仮面にピンクに塗られた顔と赤く塗られた唇。そして、新しい傾向としては、それまで積極的には参加してこなかった島の上流層も加わるようになったことだった。彼らは、仮面という「安全」の後ろで、カーニバルの2日間を、彼らの「尊厳ある地位」からの逃避に費やすことができた。商人や役人が仮装して一団に加わり、祭りにクレオールのエリート層が参加するようになったことで、仮面祭は公式に休日となった。仮面祭を盛り上げる「一群」には、ご祝儀も与えられるようになり、様々な団体から雇われたりするようにもなった。

20 世紀初頭のカーニバル（出典 *The Dominica Story*, p. 168）

もとはフランス系のカトリック入植者から伝わり、奴隷解放後には西アフリカの要素も加わって形成されてきた伝統的仮面祭が、20世紀初頭から半ばにかけてドミニカ社会の多様な階層を取り込んでいくにつれ、より盛大なものへと変化していったのである。

1950年代になるとドミニカのカーニバルが「トリニ

ダード型」へと追随していく。もちろん、トリニダードでも、白人入植者によるヨーロッパ型カーニバルの時代があり、奴隷解放後の民衆参加による変化もあった。だが、25章でも見たように、1940年代末からの英領西インド連邦構想の中でも徐々に存在感を増し、ジャマイカとともに2強と呼ばれるようになったトリニダードでは、人民国家運動党（PNM）を率いるウィリアムズら、近い将来単独での独立も視野に入れ始めた指導者たちは、カーニバルを「国家の文化的ヘリテージ」と見なすようになっていく。

この経緯をドミニカから見ていた歴史家ホニチャーチは、「奇妙にもヨーロッパ型の祝祭への回帰だった」と断じる。カーニバル・クィーンの選出、仮装パレード、そしてカーニバルそのものの組織化などである。華やかさを全面に打ち出したカーニバルの陰で、仮面祭にあった権力者への皮肉や風刺といった要素がいつの間にか消えていった。カーニバルが「再ドミニカ化」するのは意外にも2000年代に入ってのことだった。

（堀内真由美）

58

ドミニカのカーニバル

★帰省と再会のしみじみとした祝祭★

筆者が初めてドミニカを訪れたのは２０１４年の2月。到着の翌日が「ブラック・ヒストリー週間」（２０１６年から「月間」に延長）の初日にあたった。滞在するホテルに隣接する図書館で、歴史家による出前授業が行われると聞いていたので参加させてもらった。図書館奥の部屋には、近隣のセカンダリー・スクール（イギリスと同じ中等教育課程で、11歳から16歳までの生徒が在籍する義務教育機関）から30人弱の生徒が担任に引率されすでに着席していた。

講師は歴史家レノックス・ホニチャーチ。１９３０年代初めにスコットランドから移住し40年には女性初の議員になったエルマ・ネイピア（23章）を祖母に持つ、ドミニカ生まれの白人である。独立への険しい道程を知る西インド人として本国の責任を忘れない彼は、奴隷制という過酷な歴史と現在の島の文化の土台となっているアフリカの影響を、ほとんど知ることなく成長していく若い世代に伝える作業を続けてきた。中でもカーニバルは、その目的に最も合致した「科目」の一つである。

この日、彼は、カーニバルに先立ち、その歴史を、生徒の大半を占めるアフリカ系カリブ人の来歴も含めて語った。彼は、最近のカーニバルしか知らない生徒たちに、それがいかに「トリニダード型」であるかを理解させることから始めた。映像を見せながら、「みんなの知っているスチールドラムもトリニダード発祥とされているよね」と語りかける。しかし、ドミニカが「トリニダード型」カーニバルを取り入れたのは1950年代になってからに過ぎないと、この日の学習会でホニチャーチは強調した。

前章でも紹介したように、ホニチャーチは1940年代末からより華やかで規模の大きいものへと変貌していくトリニダードのカーニバルに批判的だった。実際に、トリニダードのカーニバルは、それまでバラバラに、日本の祭りで言えば、例えば「阿波踊り」のように、大小様々な「連」が飛び入りも含めて自由に参加できるようなものから一変し、整然と組織化されたものになった。カーニバルのトリニダード化に辛辣な姿勢を取る彼は、この「組織化」を特に問題視してきた。組織化が政府の介入を可能にしたからだ。

ドミニカでの最大の政府介入は、伝統的なセンセ（57章）と呼ばれた西アフリカ起源とされる、角のある魔物のような仮面をつけた装束を禁止したことだ。この禁止措置への抗議は1963年の仮面祭で放火事件を起こす。抗議活動は抑圧され、楽団の自由な演奏は、トリニダードで同時期から導入されたスチールドラム・バンドをはじめとする小規模な楽団に取って代わられた。またトリニダード型の「カリプソ」という世情を組み込んだリズミカルな歌を取り入れたことで、各村から集まった「連」による踊りと鋭い風刺歌が衰退した。豪華に着飾ったバンドと仮装行列が街路に現れ、仮面祭にあった風刺や皮肉といった要素がいつの間にか消えていった。

事態が変化したのは1990年代に入ってからのことだ。2005年春のカーニバルを前に、*BBC*

Caribbean に掲載された記事が興味深い。「伝統にそくしたドミニカの仮装行列」という見出しの記事は、「他地域のカーニバルとの差異化を図るため、ドミニカのカーニバルは再ブランド化された」と伝える。この年のカーニバル実行委員長は、祭りの再ブランド化は10年ほど前のことだと語っている。同じ記事内ではホニチャーチも取材に応え、「何年もの間禁止されていた祭りの要素を復活させた」と話している。63年に禁止されたアフリカ色の濃いセンセ装束も復活した。

ドミニカ、首都ロゾーのカーニバル（2015年2月）

ホニチャーチは「仮面の顔」をカーニバルの重要な要素だと語り、「祭りの2日間、特に伝統的なアフリカン・クレオールの装束をまとったとき、仮面の下で新しい別の人間になれることを人々は好ましいと思うのだ」と語る。一方、彼はなぜアフリカ色の強い装束がかつて禁止されたのか、その理由は説明していない。しかし筆者は、「仮面の下で新しい別の人間になること」を30年にわたって禁じてきた為政者の懸念が想像できる。人は相手の顔の表情が見えないと不安に駆られる。2020年早春以降、「マスク着用」が世界的に呼びかけられたが、着用に普段から慣れている日本ではほとんど見られないような、世界各地の人々の抵抗や違和感をニュースは伝えた。

ドミニカ、首都ロゾーのカーニバル（2015年2月）

1960年代初頭のドミニカでは、西インド連邦の瓦解後、労働党（DLP）と統一人民党（DUPP）とによるドミニカ自治政府の主導権争いと、そこに北米からの「ブラック・パワー」も到来していた。島民の大多数がアフリカ系西インド人とはいえ、過去の白人支配者との間に生じた「肌の色のグラデーション」とも呼べるような混血の度合いが作り出す、島民の中での分断や相互牽制は、宗主国という重しがはずれていくにつれ、かえって生々しいほど可視化された。それが、20世紀末になって、「仮面の下でどんな表情をしているのか」を不安に思うことなく、「仮面の下で解放される自己」を楽しめる、そんなカーニバルがドミニカに戻って来たのだ。

ドミニカ訪問2回目となる2015年2月半ば。筆者にとって最初で最後のカーニバルで出会った人々を思い出す。ホテルを出て海沿いを北に少々歩いた先にある「オールド・マーケット」と呼ばれる、土産物ブースが並ぶ一角のベンチに腰を下ろした。午後の仮装行列に参加する人々も、それぞれ準備や仲間とのおしゃべりに興じている。

その中で話しかけてくれたのはナイジェル（仮名）。1953年生まれの家具職人は、孫娘が翌日の

第58章

ドミニカのカーニバル

パレードを見に来てくれると、とてもうれしそうに話す。79年8月島を襲い40名近い死者を出したハリケーン・デイヴィッドのこと、81年に初の女性首相ユージニア・チャールズ政権を転覆させようとしたクーデタ（未遂）のことなど、筆者が予習してきた島の現代史を昨日のことのように話してくれた。そろそろ仲間との打ち合わせに行くと言いつつ、彼はベンチの前の通りを指でさしたかと思うと、その指を海に向かってなぞるような動作をして「昔、おやじの兄貴たちが、この道を通ってフェリー埠頭《ふとう》に向かった」。何のことか分からないでいる筆者の表情を読み取って、「イギリスの戦争に駆り出されたんだ。西インド連隊として。大勢の西インド人が死んだと、おやじから何度も聞かされた」と説明してくれた。

翌日の午後、街の東西を横切る「インディペンデント通り」を練り歩く「連」の中に、近所のみんなで毎年参加すると言っていたナイジェルの姿もあった。通りをはさむ建物のヴェランダは見物客でいっぱいだ。ヴェランダから降りてきた少女がナイジェルに近づきキスをした。彼の孫娘だ。鈍感な筆者も、パレードが往来する通りに面した建物のヴェランダにいる「客」のほとんどが、帰省してきた島民であることに気づいた。通りのあちこちで再会を喜び合う抱擁と、拳と拳を軽くぶつけ合う若者の笑顔が見られる。ドミニカのカーニバルはそのようなカーニバルである。

（堀内真由美）

59

モントセラトの聖パトリックの日の祝祭

★島外移住者が再会する日★

2018年3月17日、私たちはモントセラトにいた。その日は聖パトリックの祝日で、モントセラトでは公的な休日としてフェスティバルが行われていた。ロンドンに住む旧知の教授たちがモントセラトの別荘で休暇を過ごしているのを訪ねて、島を訪れたのだった。

何か緑のものを身につけてくるようにということだったので、緑のワンピースを着て出かけた。モントセラト出身でロンドン在住のエミリーさんと一緒にフェスティバルを見物しながら歩いていると、たくさんの人たちがエミリーさんに声をかけてくる。「ハウアーユー?」「アイム・グッド!」というやりとりが続くので、知り合いかと尋ねると、知り合いではない、すれ違っただけの人も多いという。確かにそう言われてみていると、知り合いならば、立ち止まってハグをし、挨拶以上の会話をするという流れになるのだった。カリブ諸島の中でもとりわけフレンドリーなモントセラト気質だそうだ。

聖パトリックは、アイルランドにキリスト教を広めた聖人で、アイルランド共和国ではその命日が祝日として祝われている。アイルランド系移民の多い地域でもフェスティバルが行われ、人々はアイルランドを象徴する緑色のものやシャムロック（三つ葉）を身に着けてフェスティバルに参加する。しかしアイルランド共和国以外で、聖パトリックの祝日を公的な休日としているのは英領モントセラトのみである。しかも、3月17日だけではなく、それに先立って10日間フェスティバルは続くのである。

3月7日に、カジョーヘッドという村で松明が灯され、フェスティバルが始まる。展覧会や講演会が開かれる。野外ステージで、カリブ海の音楽、ソカやレゲエが演奏される。近隣の島々からフェスティバルを訪れる人も多く、私たちが訪れたときは、グアドループ島の子どもたちがモントセラトを訪れていた。パレードには、緑色を基調にしつつも、アフリカに起源をもつ竹馬や仮面による仮装も加え、賑わいを見せる。

なぜ、カリブ海の島でこの日が祝われているのだろうか。モントセラトで私たちが受けた説明、また、インターネット上で得られる観光案内ウェブサイトの説明は以下の通りである。つまり、モントセラトには、アイルランド系白人のプランターや労働者が多く、彼らは聖パトリックの祝日を祝う習慣があった。そして、白人たちが聖パトリックの祝日を祝っているときに、そのすきを狙って黒人奴隷たちは反乱を起こした。解放を求めた祖先たちを称え祝うのが、3月17日を祝う意味だ、ということである。この反乱で9人の奴隷が命を落としたのは1768年3月17日のことであった。カジョーヘッドという地名となって名前が残っているカジョーは、その反乱の主導者であった。私たちの訪れた2018年は、反乱の250周年を記念する特別な年でもあった。

しかしながら、聖パトリックの日が国の祝日になったのは1985年、1週間かけて祝祭イベン

黒人奴隷たちが反乱を起こした1768年から250年目を祝う2018年の聖パトリックの日

トをするようになったのは１９９５年と比較的新しい。モントセラトの歴史家・詩人のハワード・Ａ・ファーガス（56章）の２０２１年の著作『モントセラトにおける聖パトリックの日の祝賀』に基づいてその経緯を記しておこう。モントセラトのジョゼフ・イーストン・テイラー＝ファレル総督の命を受けて書かれモントセラト政府から出版されている、いわば公式見解ともいえる記述である。

１９７１年、ファーガスは「３月17日が国の祝日にならんことを」という論説を『モントセラト・ミラー』紙に発表した。それが現実になったのは、１９８５年のことであった。１９７０年代には、西インド諸島大学モントセラト分校との協力のもとで、モントセラトの中等教育において「自分の過去を知る」プロジェクトが始まった。その中で、１７６８年３月17日の反乱について生徒たちが学び、調べ、展示を行ったのが１９７２年３月17日のことであった。その後、３月17日を祝日にする運動の中心は、西インド諸島大学モントセラト分校から島南部のセントパトリックス村へ移った。１９８１年聖パトリックの日を祝日にし、祝祭を行うための実行委員会が設置され、１９８４年、イギリスによる奴隷解放から１５０周年を記念する行事がモントセラトの首都プリマス（当時）で行われた。３月17日を祝日とする法案の通過により、１９８５年３月17日が第１回の祝日となった。

元来カリブ海の他の英語圏の島々が持つようなカーニバルがモントセラトにはなく、島の人々が祝う大きなイベントはクリスマスのみであった。そこに、聖パトリックの祝日のフェスティバルが登場したのである。聖パトリックの祝日のフェスティバルは、モントセラト島に人々が来る観光資源として大きな役割を果たすようになった。

これはカリブ海の他の島々のように、リゾート地として観光客を誘致するというのではない。むしろスフリエール・ヒルズ火山の噴火が原因で島を離れ、北米やイギリスなど海外に移住した元モントセラト住民が、島に戻ってくる機会を提供することになった。観光局の資料によると、観光で島を訪れた人数は2015年には3月1939人、12月3100人であったが、翌年から3月の方が多くなり、コロナ禍前の2019年には3月4509人、12月3605人となっている。

もちろん、海外に移住した元島民以外の観光客を呼び込む狙いもモントセラト政府にはある。アイルランド共和国の観光業界への働きかけもなされ、モントセラトとアイルランドとの結びつきを再確認するための動きもあった。また、アイルランド系アメリカ人を聖パトリックのフェスティバルの観光に呼ぼうという流れもあった。

一方で、聖パトリックの祝日が、観光資源として活用されていくことは、モントセラトならではの聖パトリックの日の祝賀を忘れることにつながるのではないかという心配もある。

冒頭に述べた教授たちは、コロナ禍においても毎年3月にモントセラトを訪ねているという。1997年の火山大噴火で別荘を引越すことになり、今度はコロナ禍でモントセラトに着いた後、自主隔離期間があったという。しかし、聖パトリックの祝日の頃に島に戻れば、また友人に会えるとも語った。そのように島に帰ってくる人々がいるのである。

（山口美知代）

60

ノッティングヒル人種暴動とカーニバル

★ここでともに生きるために★

1958年夏、イングランド中部の都市ノッティンガム。カリブ系移民が集まって暮らすセントアン地区周辺では非白人住民へのいやがらせが続き、不穏な空気が立ち込めていた。8月23日、テディーボーイ（略称テッズ）と呼ばれる白人労働者階級の若者たちが、「黒人狩り」と称する襲撃を開始した。断続的に2週間ほど続くことになるノッティンガムでの出来事は、すぐさまロンドンのカリブ系移民地区、ノッティングヒルに飛び火する。白人の若者たちは、鉄パイプや肉切り包丁、重くて長い革ベルトや自転車チェーンなどを手に、街を行く非白人移民たちを次々と襲った。

ノッティングヒル暴動が抑制不能になる状況が生まれたのは、8月29日夜、連れだって歩く白人女性と黒人男性――スウェーデン人のマブリット・モリソンとジャマイカ人の夫レイモンドとのささいな口論であったとされる。夫婦の言い合いに複数の白人若者グループが絡んで話がエスカレートし、真夜中の乱闘へと発展。翌日、顔を覚えられていたマブリットが白人の若者たちに中傷、襲撃されて負傷する頃には、すでに300人を超える白人の若者がノッティングヒル地区の路上を暴れまわっていた。その後、数千人にふくれあがった白人の若者らは、「白いイギリスを守れ《キープ・ブリテン・ホワイト》！」「すべての黒人野郎《バスタード》を殺してやる！」「黒人《ニグロ》はジャングルに帰れ！」などと叫んでノッティングヒル地区の家々に押し入り、非白人住民を見つけては殴りかかった。こうした言葉からは、カリブ系移民が「黒人（ブラック）」と一枚岩で捉えられていたことは明らかであった。

９月５日の暴動鎮圧までに、ノッティングヒルで暮らすカリブ系住民５人が殺された。１９５１年にローズ奨学生として渡英し、暴動当時ロンドンで教師をしていたステュアート・ホール（37章）が戦慄を覚えたのは、暴動を仕掛けた白人労働者階級の若者と自己防衛する非白人移民とを同列に置いて報道する当時のメディアだった。ホール曰く、「奇妙な論理によって、被害者が加害者へと変貌を遂げたのだ。恐ろしい時代だった」（『親密なるよそ者』３１９頁）。

実際、１４０名を数えた逮捕者のうち、傷害、暴行、暴動、凶器所持などの罪で起訴された１０８人の内訳は、白人72名、非白人36名。暴動抑止のため、その多くに罰金５００ポンドという重い処分が課された。

だが、40年余りのちの２００２年、解禁時期より早めに公開された当時の報告書が、驚くべき警察の「嘘」を暴露した。ロンドン警視庁は、この暴動が「人種主義（レイシズム）」に基づくものであることを明確に否定していたのである。白人の若者たちから「黙れ、警官野郎！ 黒人《ニガー》どもは俺たちのやりかたで片をつける！」などの言葉を浴びせられたと語る現場警官の多くの証言は無視され、問題の本質は隠蔽された。１９９３年、ロンドンで起こったカリブ系移民2世の高校生、スティーヴン・ロレンス暴行殺害事件に関する「マクファーソン報告」（１９９８年）が指摘し、２０２０年初夏のイギリスを席巻したブラック・ライブズ・マター運動が糾弾した、警察機構内部の「制度的人種主義」は、すでに1950年代のこのとき、明らかであった。

ノッティングヒルでの人種暴動の経験を通じて、カリブ系移民たちの中には、イギリスへの「同化」は不可能であり、ここで生きていくためには抜本的な意識変革、カリブ系コミュニティとしての戦略が必要だと悟る人たちも出てきた。イギリス初の黒人紙『ウェスト・インディアン・ガゼット・アンド・アフロ・カリビアン・ニューズ』を創刊し、編集長を務めたクラウディア・ジョーンズ（コラム18）もその一人である。この暴動直後にカリブ海域から駆けつけ、移民への連帯を示したジャマイカの主席大臣ノーマン・マンリーやトリニダード・トバゴの主席大臣エリック・ウィリアムズ、西インド連邦のフィリス・バイアム＝シャンド・オーフリー（50章）らが頼ったのも、彼女、ジョーンズであった。

暴動から数か月後の1959年1月末、ジョーンズの提案により、セントパンクラス・タウンホールで「カリビアン・カーニバル」が開催された。この時期の寒さを考慮して屋内で行われたカーニバルは、「人びとの芸術、それは人びとの自由の起源」をスローガンに、歌と踊りで構成され、その模様はBBCによりイギリス全土に伝えられた。ジョーンズの故郷トリニダードのカーニバルを再現したこのイベントが、ノッティングヒル人種暴動から直接発想されていたことは、この日のパンフレットの表紙に明らかであった。曰く、「このパンフレットの売り上げの一部は、ノッティングヒルでの出来事と関わった非白人・白人の若者の罰金支払いに使われます」――1964年以降、毎年開催され、今なお路上のカーニバルとしてヨーロッパ最大を誇るノッティングヒル・カーニバルは、こうして始まった。

とはいえ、暴動からカーニバルへ、イギリスへの同化ではなく、自分たちの文化的アイデンティティ発信への道のりは、決して平坦ではなかった。「カリビアン・カーニバル」から4か月後の1959年5月には、ノッティングヒル暴動の記憶がまだ新しい街頭で、アンティグア出身の32歳の大工、ケルソ・コクランが白人のレイシストに刺殺された。殺人とレイシズムの関係を否定する警察に、移民たちは憤りと不信感を募らせた。その一方で、コクランの葬儀が行われた教会から墓地までの道のりを棺とともに静かに歩く人びとの中に、非白人と肩を並べる白人の姿も数多く認められた。

（井野瀬久美惠）

クラウディア・ジョーンズ

コラム18 井野瀬久美惠

「ノッティングヒル・カーニバルの生みの親」として知られるその女性の本名は、クラウディア・ヴェラ・カンバーバッチ（1915～1964年）という。トリニダードに生まれた彼女は、9歳のとき、両親とともにアメリカ、ニューヨークに移住し、黒人が集住する街ハーレムで育った。貧しい生活環境の中、肺に致命的な損傷を負ったものの、黒人の人権や黒人女性の抱える問題、そしてレイシズムやファシズム、帝国主義や植民地主義を批判するジャーナリストとして、彼女は精力的な活動を展開した。「ジョーンズ」はもともと、こうした活動のための偽名であった。

アメリカ共産党に入党したジョーンズは、リーダー的存在と目されるようになったが、反共産主義運動、いわゆる「赤狩り」で1948年に逮捕されて以後、非アメリカ人（外国人）による「反米行為」で逮捕・投獄を繰り返した。1952年制定のマッカラン＝ウォルター法（31章）に伴い、過去の反米行為で1955年にアメリカ国外追放となるが、彼女の受け入れを故郷トリニダードが拒否したため、人道的理由から、同年12月、宗主国であるイギリスに送還された。

ロンドンで静養して体調を回復した彼女は、黒人女性に対するイギリス共産党の敵対感情から、共産党に籍を置きつつも、自らの情熱を傾ける対象を地元ロンドンのカリブ系移民コミュニティへと向けた。1958年3月、ノッティングヒルと並ぶカリブ系移民地区であるブリクストンで、イギリス初の黒人誌『ウェスト・インディアン・ガゼット・アンド・アフロ・カリビアン・ニューズ』を創刊し、編集長となる。この雑誌は、西インド諸島の独立のみならず、カリブ系、アフリカ系、南アジア系といった非白人移民をつなぐネットワーク構築の核となっていく。

1958年夏のノッティングヒル人種暴動（60章）を受けて、カリブ系コミュニティの根本的な立て直しを模索する彼女は、1959年1月末、セントパンクラス・タウンホールで「カリビアン・カーニバル」の開催を提案した。故郷トリニダードで1月から3月の間に開催される伝統のカーニバルの再現こそ、毎年8月下旬のバンクホリデーに開催されるノッティングヒル・カーニバルの原形である。

ジョーンズの故郷、トリニダードにカーニバルが伝わったのは、英領化以前の18世紀後半、スペイン統治時代だとされる。当初黒人奴隷らの間で密かに行われていたカーニバルは、奴隷制度廃止の1834年を期に、街頭で公然と行われるようになった。白人の奴隷主に扮して顔を白く塗り、歌い踊りながら解放を祝ったカーニバルは、その後、凝った衣装、スチールドラム、カリプソ音楽が彩る彼ら独特の祝祭空間へと発展した。そこに、イギリスで生きる故郷喪失者らの息吹も宿った。

ジョーンズは、レイシズムやセクシズム、植民地主義の重圧と闘う世界各地の活動家と交流をもっていた。1964年秋、ノーベル平和賞授賞式典に向かうマーティン・ルーサー・キング牧師はロンドンに立ち寄り、彼女と喜びを分かち合った。そのわずか2週間後のクリスマスの日、自宅で死亡している彼女が発見された。死因は心臓発作。49歳の早すぎる死であった。

現在彼女は、ロンドン北部、ハイゲート墓地で、敬愛するカール・マルクスの左隣に眠っている。

コラム19

カーニバルの雰囲気

竹下幸男

先日（2022年3月）、日本の某コンビニのサンドイッチコーナーで「ジャークチキンサンド」を見つけて驚いた。袋には「ジャマイカ風スパイシーチキン」と説明が書かれている。ジャークチキンを作るためのスパイシーなソースは、イギリスではスーパーでも売られているほどポピュラーなもので、ノッティングヒル・カーニバルにも欠かせない味だ。カーニバルが近づくと、新聞などでもよくレシピが紹介される。開催日が夏のバンクホリデー（法定休日）でもあることから、そのレシピはバーベキューにも応用が効くのだ。私が見たのは2009年のことだが、カーニバルを楽しみながら、沿道で食べ終えたジャークチキンの骨をそこいらに投げ捨てる人が多くいた。道路に溢れかえった様々なゴミは、翌日の午後にはロンドン市により見事に一掃されていた。

ジャーク・チキン

ジャークは様々なスパイスで味付けされたチキンやポークを直火で炙る料理法だが、起源はタイノ人に遡る。タイノ人はカリブ地域の先住民族で、辞書などでは、絶滅したという記述も多い。ジャマイカでは、山中に逃亡した奴隷（マルーン）と混血し、その子孫が現代にも続いているという調査もある。タイノ人のジャークは、スパイスの木を燃やした火で食材に風味をつけていたようだが、カリブの黒人奴隷たちにより、現在のような肉にスパイスをつけて焼く方法に変わったという。つまり、この料理には、カリブの先住民と黒人奴隷の文化が混ざり合って存在しているのだ。

ノッティングヒル・カーニバルについて知り合いのイギリス人は、1日目の子どもが出演するカーニバルは良いけれど、2日目の大人のカーニバルはドラッグなども横行し、暴力沙汰も起こるので勧められない、と語っていた。実際、カーニバル翌日の新聞には、その2日間で何人が逮捕されたのかが報じられていた。とはいえ、明るいうちに危険な雰囲気になることはない。警察の警備も穏やかで、一緒に歩くほどに友好的なプライドパレードほどではないにせよ、敵対的な様子は感じられなかった。

カーニバルは、グループごとに衣装を揃えて、音楽に合わせて踊りながら道路を練り歩く。周辺道路は封鎖され、一般車両は通ることができない。それぞれのグループは、トラックに先導されて歩くのだが、このトラックにサウンドシステムが積まれて音楽が流され、後ろに続くグループがそれに合わせて踊りながら進む。サウンドシステムは、移動式のＤＪブースと考えればわかりやすいだろうか。サウンドシステムに加えて、実際の楽器を使うグループもある。サウンドシステムから流れる録音された音楽に生の演奏を組み合わせる、というやり方である。

サウンドシステムと合わせる楽器として、印象深かったのはスチールドラムだ。トリニダード・トバゴ発祥の金属製の打楽器である。通常の（胴が木製の）ドラムよりも高く、鋭い音がする。イギリス政府によりドラムの使用を禁止された黒人たちが、身近にあったドラム缶を切断して打楽器にしたものが起源だとされている。戦後の沖縄で物資が手に入りにくい中、米軍が捨てた空き缶を使って作られたカンカラ三線が思い出される。音楽への限りない渇望に共感を禁じ得ない。というのも、カーニバル当日、会場の少し離れた周辺にはホイッスルを売る人が多くいた。カーニバルの音楽に合わせて吹き鳴らすための、1ポンド程度の安い笛だ。要らないと思っていたのだが、カーニバルを見ているうちに買わなかったことを後悔する気持ちになったのだった。

上／スチールドラム
下／サウンドシステムの DJ ブース

ノッティングヒル・カーニバルとポール・スミスのメッセージ

コラム20

竹下幸男

生産と流通の効率が極限にまで高まった現代、多くのファッションブランドでは、売れる商品を戦略的に作るマーチャンダイザーの役割がデザイナーよりも大きくなっているように感じられる。そんな中で創業者でもあるデザイナーが存命で今でも大きな影響力を持っているように見えるイギリスのファッションブランドにヴィヴィアン・ウェストウッドとポール・スミスがある（本稿執筆後、2022年12月にウェストウッドは逝去）。ヴィヴィアン・ウェストウッドを象徴するのがロンドン、キングスロードの旗艦店であれば、ポール・スミスといえば、やはり1976年に初めてロンドンにオープンしたコヴェントガーデンの店舗が象徴的だ。だが、ポール・スミスにはもう一つ特別な店舗がある。ノッティングヒルにあるウェストボーンハウスだ。

ウェストボーンハウスは閑静な住宅街にある立派な邸宅だ。他の店舗とは異なり、ここではビスポークで洋服を仕立てることができる。邸宅全体が美術館のようでもあり、贅沢で優雅な雰囲気が他の店舗よりも際立っている。そんな店舗のすぐ近くでノッティングヒル・カーニバルは開催される。

2007年夏のカーニバルの少し前にこのウェストボーンハウスを訪れたのだが、残念なことに改修工事の最中で中に入ることはできなかった。しかし改装中の建物を取り巻くピンク色の防護壁にはポール・スミスのロゴと同じ字体で"Happy Carnival! Love Paul"と書かれており、企業としてカーニバルを歓迎している様子が窺えた。だが、果たして手放しで歓迎しているだけなのだろうか。

例えば、２０１８年のミラー紙の記事では、前年に３００人がカーニバル中に逮捕されたことに触れながら、近隣で営業する店舗や住人の住居が、破壊や落書きを恐れて、建物の周りを防護壁で囲まざるを得ない状況になっていることを報じている。コラム19に書いたように、カーニバルで大量に出るゴミは翌日にはロンドン市当局がきれいに片付けてくれる。しかし、落書きの除去や破壊されたものの修理まではしてくれない。カーニバル自体は平和的に行われるものであっても、そこに多くの人が集まった場合に、その地域が何らかの被害を受けるのはあり得ることだ。逮捕者の数を見るだけでも、どの程度の迷惑行為があるのか容易に想像がつくだろう。とはいえ、多文化共生の観点から、カーニバル自体を否定することは現代では憚られることだ。

Happy Carnival! のメッセージがある防護壁と改装工事中のウェストボーンハウス（2007 年）

　同記事では、ウェストボーンハウスのスタッフに取材し、カーニバル中は店を閉めなければならず、防護壁で建物を囲っていても時に被害が及ぶことがあると報じている。ポール・スミスのカーニバルを歓迎するメッセージが防護壁に書かれている、という事実が、多文化共生を称揚しながら、異なる文化を持つ人々がすぐ近くに住むことにより生じる軋轢をも同時に示唆しているように見えるのは穿ちすぎだろうか。

あとがき

本書を読み終えてくださった皆さんには、あとがきなど必要ないかもしれない。実際、既刊の「エリア・スタディーズ」には、基本的にあとがきはない。しかし、最後に、刊行までのいきさつと、旧英領カリブという本書のタイトルが示す海域のこれからについて、少々書き足すことをお許し願いたい。

本書の編者で近世・近代史の専門家である川分が代表者を務める研究会に、もう一人の編者堀内が途中参加したのは２０１８年秋だった。同研究会には、英国近現代史・帝国史を専門とする井野瀬、英語圏における英語学研究の専門家である山口、英語圏文学を中心に、音楽、映画評論も展開する竹下が参加していた。一方、「クレオール女性」に、日本の植民地支配下で、国策の非道さをおそらく深くは考えずにいた日本人女性の存在を重ね合わせていた堀内は、２０１４年頃からクレオール女性の「思考の旅」をたどるためドミニカ島を訪れていた。一人で現地調査をすることに不安はなかったが、見聞したことを共有する仲間がいないのは寂しかった。同研究会から声をかけられたときの喜びは一言では表せない。

研究会では充実の時間を共有し、２０１９年6月には日本西洋史学会の小シンポジウムで報告した。同年7月、「ラテンアメリカ協会」主催の講演会にリカード・アリコック駐日ジャマイカ大使（当時）が来られた際、山口と堀内が、研究会メンバーのジャマイカ訪問のため、極めて私的な質問をするという無礼をはたらいたにもかかわらず、大使は、翌月にメンバーを東京・麻布の大使館に招いて下さり、ジャマイカ訪問のための助言や訪問地への照会の労もとってくださった。本書には19年9月のジャマイカ訪問の成果も反映されている。アリコック前大使には心からの感謝を捧げたい。また、ジャマイカ訪問時に案内役をしてくれた現地在住経験者、押切、中村という若き研究者の参加を得て、本書は完成へと一気に歩みを進めることができた。

パンデミックが一段落した2023年5月、新国王チャールズの戴冠式が挙行された。新聞には、21年のバルバドスの共和制移行のほか、ジャマイカが立憲君主制から共和制への移行を目指していること、アンティグア・バーブーダ、ベリーズの両首相も王室離脱に言及したことが掲載された。本書に登場する日本ではほぼ知られていなかった島々の名が、新英国王の登場で日本の人々の目に触れることとなった。

現在も英連邦に属するカリブの島々の、連邦離脱の勢いは今後も増すだろう。一方では、「英連邦」というくくりがあってこそ、人々は「この島はかつてイギリスに支配されていた」との歴史に思いが至ることもあるだろう。この先、島々の多くが英連邦を離脱するに伴い、イギリス支配の影響を窺い知ることは難しくなるだろう。苦闘続きだった島々と島民の歴史、そして島々がイギリス文化に与えた影響の大きさ。これらにまた新たな考察が加えられるとき、本書が再び手に取られることを願ってやまない。

最後に、執筆者のわがままを最大限に許容してくださり刊行まで導いてくださった、明石書店の長島遥さんに心から御礼申し上げる。ありがとうございました。

2023年8月

堀内真由美

Equals, *Black Skin Blue Eyed Boy*, Cantare, 1999.
Johnson, Linton Kwesi (Poet and the Roots), *Dread Beat An' Blood*, Front Line, 1978.
Marley, Bob, *Burnin'*, Island, 1973.
———, *Rastaman Vibration*, Island, 1976.
———, *Babylon by Bus*, Island, 1978.
O'Connor, Sinead, *Sean-Nós Nua*, Vanguard, 2002. ※日本語タイトル『永遠の魂』
———, *Throw Down Your Arms*, Chocolate and Vanilla, 2005.
Rose, Calypso, *So Calypso!*, Because, 2018.
Specials, *The Specials*, 2 Tone, 1979.
———, *More Specials*, 2 Tone, 1980.
———, *Encore*, Island, 2019.
———, *Protest Songs 1924–2012*, Island, 2021.
Steel Pulse, *Handsworth Revolution*, Island, 1978.
Sting, *The Last Ship*, A&M, 2013.
Various, *Common Ground*, EMI, 1996.　※オコナーの「ラグラン・ロード」収録。

❖ 映画、動画、テレビ放送

ウォーチャス、マシュー（監督）『パレードへようこそ』2015年（2014年公開）、イギリス。

オボロ、パスカル（監督）『カリプソ・ローズ』、2011年、トリニダード・トバゴ、フランス。

グリーヴ、アンディ（監督）『サヴァイヴィング・ザ・ポリス』、2020年（2012年公開）、アメリカ。

ザイトリン・ベン（監督）『ウェンディ』（*Wendy*）2020年、アメリカ。※日本未公開。

シャー、ルビカ（監督）『白い暴動』、2021年（2019年公開）、イギリス。

ブラック、ステファニー（監督）『ジャマイカ　楽園の真実』2001年、アメリカ。

フランクリン、アリソン・ソーンダース（監督）『ヒット・フォー・シックス』（*Hit for Six*）2007年、バルバドス。※日本未公開。

ヘンゼル、ペリー（監督）『ハーダー・ゼイ・カム』2014年HDリマスター版、2014年（1972年公開）、ジャマイカ。

マックフィー、グラント（監督）『ティーンエイジ・スーパースターズ』、2017年、イギリス。

ロッソ、フランコ（監督）『ドレッド・ビート・アンド・ブラッド』、2006年（1979年公開）、イギリス。※日本でのソフト化（2006年、Pヴァイン）が世界で初めて（おそらく唯一）。

ロッソ、フランコ（監督）『バビロン』、1980年、イギリス、イタリア。

Galofre, Miquel（監督）『ボルトはなぜ速いのか』2009年、ジャマイカ、スペイン。

BFI, “West Indies Calling (1944)”, *YouTube*, 9 September 2009. https://www.youtube.com/watch?v=ViGwxJloI70（『西インドの呼びかけ』）

Cultural Divition, “Sennsé Domnik”, *YouTube*, 4 August 2016. https://www.youtube.com/watch?v=yAgZ8M2UzCQ（2023年７月16日最終閲覧）

NHK、ETV特集『パンデミックが変える世界　ブラック・ライヴズ・マターが与える衝撃』初回放送日：2020年8月22日

❖ CD

Bomb the Bass, *Clear*, 4th & B’way, 1995.

Bragg, Billy, *Bridges Not Walls*, Cooking Vinyl, 2017.

———, *The Million Things That Never Happened*, Cooking Vinyl, 2021.

Clark, Gary, Jr., *This Land*, Warner, 2019.

Clash, *The Clash*, CBS, 1977.

❖ 文学作品

エデュジアン、エシ（高見浩訳）『ワシントン・ブラック』小学館、2020年。

オースティン、ジェイン（新井潤美、宮丸裕二訳）『マンスフィールド・パーク』上下、岩波書店。

ブロンテ、シャーロット（遠藤寿子訳）『ジェイン・エア』上・下巻（岩波文庫）、岩波書店、1957年。

ラミング、ジョージ（吉田裕訳）『私の肌の砦の中で』月曜社。

Allfrey, Phyllis Shand, *The Orchid House*, Virago Press, 1990 (first published by Constable, 1953).

———, *The Orchid House*, Papillot Press, 2016.（初版Constable & Co. Ltd., 1953.）

Fergus, A. H., *Lara Rains & Colonial Rites.* Leeds: Peepal Tree, 1998.

———, *Volcano Song: Poems of an Inland in Agony.* Macmillan Education Ltd, 2000.

———, *Volcano Verses.* Leeds: Peepal Tree, 2003.

———, *Lockdown Poems.* Fergus Publications Ltd, 2020.

Johnson, Linton Kwesi, *Selected Poems*, Penguin, 2006.

Marshall, Paul, *The Chosen Place, the Timeless People*, Vintage Books, 1992.（初版Harcourt, Brace & World, Inc., 1969.）

Naipaul, V. S., *The Middle Passage*, Picador, 1995 (first published by André Deutsch, 1962).

Paravisini, G. L. (ed.), *It Falls into Place: the Stories of Phyllis Shand Allfrey*, Papillote Press, 2004.

Paravisini, G. L., *Love for an Island: the Collected Poems of Phyllis Shand Allfrey*, Papillote Press, 2014.

Rhys, J., *Tigers are Better-Looking with a Selection from The Left Bank*, Penguin Books, 1972 (first published by André Deutsch, 1968).

———, *Wide Sargasso Sea*, Penguin Books, 1984 (first published by André Deutsch, 1966).（篠田綾子訳『広い藻の海――ジェイン・エア異聞』河出書房新社、1973年；小沢瑞穂訳『サルガッソーの広い海』みすず書房、1998年）

———, *The Collected Short Stories*, Norton, 1987.

———, *Voyage in the Dark with an Introduction by Carol Angier*, Penguin Books, 2000.

Sorsby, Victoria Gardner, British trade with Spanish America under the Asiento 1713–40. Ph. D Thesis, University of London, 1975.

'Special Issue on Claudia Jones', *Newsletter* 44, Black and Asian Studies Association, Jan. 2006.

Springer, H. W., *Reflections on the Failure of the First West Indian Federation*, Occasional Papers in International Affairs, No. 4, July, Harvard Univ., 1962.

Starkey, Arun. "What Junior Murvin Really Thought of The Clash Cover of 'Police & Thieves.'" *Far Out*, 2 December 2021. Web. https://faroutmagazine.co.uk/what-junior-murvin-really-thought-of-the-clash-cover-of-police-thieves/

Tandoh, Ruby, 'The artist celebrating the Windrush generation', *Royal Academy Magazine*, Sept. 2021. https://www.royalacademy.org.uk/article/veronica-ryan-sculptor

Vreeland, E., 'Jean Rhys: The Art of Fiction LXIV', *Paris Review*, 76, Fall, 1979.

Wallace, E., *The British Caribbean: from the Decline of Colonialism to the End of Federation*, Univ. of Toronto Press, 1977.

Watts, David, *The West Indies. Patterns of Development, Culture and Environmental Change since 1492*. Cambridge University Press, 1987.

Weekes, Y & H. W. Fergus., *Pandemic Moments*. Fergus Publications Ltd, 2021.

Wells, J. C., *Accents of English: Volume 3: Beyond the British Isles.* Cambridge University Press, 1982.

Williams, Eric Eustace, *History of the People of Trihidad and Tobago,* Frederick A. Praeger, 1964.

Wilson, John James. "Samuel Campbell and the Birds of Jamaica: Campbell's Significant Contribution to European Knowledge of the Biodiversity of Jamaica." *National Museums Liverpool.* Web. https://www.liverpoolmuseums.org.uk/stories/samuel-campbell-and-birds-of-jamaica

Wimbush, Antonia, 'The Windrush and the BUMIDOM: The memorialization of Caribbean migration', *Memory Studies*, Sept. 2022. (https://journals.sagepub.com/doi/full/10.1177/17506980221122247

Zacek, Natalie A., *Settler Society in the English Leeward Islands, 1670–1776*, Cambridge University Press, 2010.

Zephaniah, Benjamin, *The Life and Rhymes of Benjamin Zephaniah*, Scribner UK, 2019. ※ゼファニア自伝

Ramchand, K., *The West Indian Novel and its Background*, Ian Randle Publishers, 2004 (first published by Faber & Faber, 1970).

Rhys, J., *Smile Please: An Unfinished Autography*, Penguin Books, 1981(first published by André Deutsch, 1979).

———, (selected by Wyndham, F. & Melly, D.), *Letters 1931–1966*, Penguin Books, 1985 (first published by André Deutsch, 1984).

Robin, M., *Glimpses of the Past: a Story of the Newspapers Published in Dominica from 1765–1977*, Archives Unit, Library and Information Service, Dominica, 2010.

Sanderson, F. E., "The Liverpool Abolitionists", in R. Anstey and P. E. H. Hair (eds.), *Liverpool, the African Slave Trade, and Abolition,* Chippenham, 1989, pp.196–238

Savory, E., *Jean Rhys*, Cambridge Univ. Press, 1998.

Schomburgk, Robert Hermann, *The History of Barbados*, Longman, 1847.

Scruggs, Gregory, "Barbuda Fears Land Rights Loss in Bid to Spread Tourism from Antigua", 28, December, 2017, *The Guardian.*

Senior, C. & Manley, D. (ed. By Mackenzie, N.), *The West Indian in Britain*, Fabian Colonial Bureau (Fabian Research Series 179), 1956.

Sherlock, P., Bennett, H., *The Story of the Jamaican People*, Ian Randle Publishers, 1998.

Simmonds, K. R., "Anguilla: An Interim Settlement", *The International and Comparative Law Quarterly*, 21(1), 1972, pp. 151–157.

Six Broadcasts (by Ministers of the Federal Government of the West Indies), *The First Year*, 1959.

Sluyter, Andrew & Potter, Amy E., "Renegotiating Barbuda's Commons: Recent Changes in Barbudan Open-range Cattle Herding", *Journal of Cultural Geography*, 27(2), 2010, pp. 129–150.

Smith, S. D., *Slavery, Family and Gentry Capitalism in the British Atlantic*, Cambridge University Press, 2006.

Snaith, A., *Modernist Voyages: Colonial Women Writers in London*, 1890–1945, Cambridge Univ. Press, 2014.

Sorhaindo, C. & Pattullo, P. (compiled by), *Home Again: Stories of Migration and Return*, Papillote Press, 2009.

Newman, Joanna, *Nearly the New World. The British West Indies and the Flight from Nazism, 1933–1945*, Berghahn Books, 2019.

O'Connor, Sinéad, *Rememberings*, Penguin, 2021.

Oliver, Vere Langford, *The History of the Island of Antigua.* 3 vols, 1894–99.

O'Neill, Gail, 'Basil Watson on public art, his family connection to MLK and his latest sculpture', *ART ATL*, Kennesaw State University, Feb. 2021. https://www.artsatl.org/basil-watson-on-public-art-his-familys-connection-to-mlk-and-his-latest-sculpture/

Paravisini, G. L., *Phyllis Shand Allfrey: A Caribbean Life*, Rutgers Univ. Press, 1996.

———, 'Jean Rhys and Phyllis Shand Allfrey: the Story of a Friendship', in *Jean Rhys Review* 9, 1998.

Parker, Matthew, *The Sugar Barons*, Walker & Co. New York, 2011.

Partridge, Christopher, *Dub in Babylon*, Equinox, 2010.

Pennock, Lewis & Tom Davidson. "Notting Hill Carnival: Streets on Lockdown as Mansion Owners and Businesses Put up Barricades Ahead of Mass Party." *Mirror*, 25 August 2018. Web. https://www.mirror.co.uk/news/uk-news/notting-hill-carnival-streets-lockdown-13139121

Pennybacker, S., *From Scottsboro to Munich: Race and Political Culture in 1930s Britain*, Princeton, 2009.

Phillips, Mike & Phillips, Trevor, *Windrush: The Irresistible Rise of Multi-Racial Britain*, Harper Collins Publishers, 1998.

Pilgrim, I., *CCSLC English. Book 1 Modules 1–3.* Oxford University Press, 2017.

Pollard, V., *From Jamaican Creole to Standard English: A Handbook for Teachers.* Jamaica: University of the West Indies Press, 2002.

Potter, Amy E., "Fighting for the Rock at Home and Abroad": Barbuda Voice Newspaper as a Transnational Space", *Historical Geography*, 43, 2015, pp.129–157.

Poulton, Lindsay. "After Windrush: Paulette Wilson Visits Jamaica, 50 Years on." *Guardian*, 10 October 2019. Web. https://www.theguardian.com/news/2019/oct/10/after-windrush-paulette-wilson-visits-jamaica-50-years-on

Ramchand, K., 'Terrified Consciousness', *The Journal of Commonwealth Literature*, No. 7, July, 1969.

James, S., *The Ladies and the Mammies: Jane Austen & Jean Rhys*, Falling Wall Press, 1983.

Johnson, H & Watson, K. (eds.), *The White Minority in the Caribbean*, Ian Randle Publishers, 1998.

Johnson, Linton Kwesi. "It Was a Myth that Immigrants Didn't Want to Fit into British Society. We Weren't Allowed." Interview. By Decca Aitkenhead. *Guardian*, 27 April 2018. Web. https://www.theguardian.com/books/2018/apr/27/linton-kwesi-johnson-brixton-windrush-myth-immigrants-didnt-want-fit-british-society-we-werent-allowed

Johnson, Richard, 'Watson's Windrush: Jamaican sculptor wins UK monument commission', *Jamaica Observer*, Oct. 17, 2021. https://www.jamaicaobserver.com/art-culture/watsons-windrush/

Jonnard, Claide M., *Islands in the Wind. The Political Economy of the English East Caribbean*, iUniverse, 2010.

Knights, A. B. & Honychurch, L., *Women in Parliament in Dominica: Past and Present*, Cornerstone, 2012.

Ligon, Richard, *A True & Exact History of the Island of Barbados* (1st ed.), 1657.

Long, Edward, *History of Jamaica*, 3 vols, 1774.

Maingot, Anthony P., *Sons of the Soil: The Maingots and French Creoles in Trinidad History* , CreateSpace Independent Publishing Platform, 2018.

Malcom, C. and Malcom, D., *Jean Rhys: A Study of the Short Fiction*, Twayne Publishers, 1996.

Markham, E. A. and Howard A. Fergus, *Hugo versus Montserrat.* Londonderry: Linda Lee Books, 1989.

Matthews, David, *Voices of the Windrush Generation: The Real Story Told by the People Themselves*, Blink Pub, 2019.

Melchers, G., P. Shaw and P. Sundkvist., *World Englishes*. Routledge, 2019.

Midgett, Douglas, "Cuckoo Politics Revisited: The Failure of the St. Kitts-Nevis Constitution", *Social and Economic Studies* , 60(2), 2011, pp. 41–66.

Momsen, J., *Women & Change in the Caribbean: A Pan-Caribbean Perspective*, Indiana Univ. Press, 1993.

Morgan, Kenneth, "Edward Colston and Bristol", The Bristol Branch of The Historical Association Local History Pamphlets, 1999.

Morris, Mervyn. *Making West Indian Literature.* Ian Randle Publishers, 2005.

———, "Home Office Broke Equalities Law with Hostile Environment Measures." *Guardian*, 25 November 2020. Web. https://www.theguardian.com/uk-news/2020/nov/25/home-office-broke-equalities-law-with-hostile-environment-measures

Gentleman, Amelia and Lucy Campbell. "Windrush Campaigner Paulette Wilson Dies Aged 64." *Guardian*, 23 July 2020. Web. https://www.theguardian.com/uk-news/2020/jul/23/windrush-campaigner-paulette-wilson-dies-aged-64

Gibbens, Sarah. "Two-Headed Porpoise Found for First Time: Fished from a Trawl Net, Dutch Fisherman Stumbled upon the Extremely Rare Catch in the North Sea." *National Geographic*, 15 June 2017. Web. https://www.nationalgeographic.com/animals/article/two-headed-porpoise-found-first

Grant, Colin, *Homecoming: Voices of the Windrush Generation*, Vintage, 2020.

Hall, Douglas, *Five of the Leewards, 1834–1870: The Major Problems of the Post-emancipation Period in Antigua, Barbuda, Montserrat, Nevis, and St. Kitts*. Caribbean Universities Press, 1971.

Hall, S., *Myths of Caribbean Identity*, The Walter Rodney Memorial Lecture, Oct., 1991.

Higham, C. S. S. "The General Assembly of the Leeward Islands", *English Historical Review* , 41(162), 1926, pp. 190–209.

———, "The General Assembly of the Leeward Islands (Continued)", *English Historical Review* , 41(163), 1926, pp. 366–388.

Higman, B. W. and Hudson, B. J., *Jamaican Place Names,* University of the West Indies Press, 2009.

Holm, John A., *English in the Caribbean Cambridge History of the English Language,* Vol V., Cambridge University Press, 1994, pp. 328–381.

Holt, Thomas C., *The Problem of Freedom, Race, Labor, and Politics in Jamaica and Britain, 1832–1938.* Johns Hopkins University Press, 1992.

Honychurch, L., *The Dominica Story: A History of the Island*, Macmillan, 1975.

Howard-Hassmann, Rhoda E., *Reparations to Africa*, University of Pennsylvania Press, Philadelphia, 2008.

Hulme, P., 'Islands and Roads: Hesketh Bell, Jean Rhys, and Dominica's Imperial Road', *Jean Rhys Review* 2, 2000.

Jackson, N. M., 'A Nigger in the New England: 'SUS', the Brixton Riot, and Citizenship', in *African and Black Diaspora*, Vol. 8, No. 2, 2015.

Deuber, D., *English in the Caribbean: Variation, Style and Standards in Jamaica and Trinidad.* Cambridge University Press, 2014.

De Verteuil, Anthony. *The De Verteuils of Trinidad, 1797–1997,* The Litho Press, 1997.

Devonish, H and O. G. Harry, "Jamaican Creole and Jamaican English: phonology", *Varieties of English 2: The Americas and the Caribbean.* ed. E. W. Schneider. Berlin: Mouton de Gruyter, 2008.

Drescher & Engerman (eds.), *A Historical Guide to World Slavery,* Oxford University Press, 1998.

East, Ben. "In Brief: Washington Black; The Men on Magic Carpets; This Paradise Sun." *Guardian,* 7 April 2019. Web. https://www.theguardian.com/books/2019/apr/07/in-brief-washington-black-esi-edugyan-men-magic-carpets-this-paradise-review

Edugyan, Esi. "At School in Canada, Slavery Was Never Mentioned." Interview. By Kadish Morris. *Guardian,* 19 February 2022. Web. https://www.theguardian.com/books/2022/feb/19/esi-edugyan-at-school-in-canada-slavery-was-never-mentioned

Fergus, H., "The Emergence of a Montserratian Disaster Literature: An Introduction", *Journal of East Caribbean Studies.* Vol. 35, No. 2, 2010, pp. 20–37. https://original-ufdc.uflib.ufl.edu/AA00088162/00004

Friedenwald, Herbert, "Material for the History of the Jews in the British West Indies", *Publications of the American Jewish Historical Society*, No. 5, 1897, pp. 45–101.

Flood, Alison. "'Living legend' Linton Kwesi Johnson Wins PEN Pinter Prize." *Guardian*, 7 July 2020. Web. https://www.theguardian.com/books/2020/jul/07/living-legend-linton-kwesi-johnson-wins-pen-pinter-prize

Gentleman, Amelia, *The Windrush Betrayal*, Guardian Faber, 2019.

———, "'I Can't Eat or Sleep': The Woman Threatened with Deportation after 50 Years in Britain." *Guardian*, 28 November 2017. Web. https://www.theguardian.com/uk-news/2017/nov/28/i-cant-eat-or-sleep-the-grandmother-threatened-with-deportation-after-50-years-in-britain

Brathwaite, E., *Contradictory Omens: Cultural Diversity and Integration in the Caribbean*, Savacou Publications, 1974.

Brinkhurst-Cuff, Charles, *Mother Country: Real Stories of the Windrush Children*, Headline, 2019.

Bryan, B., 'From Boston to Brixton: an Auto-ethnographic Account of Schooling from Jamaica to the UK', *Changing English*, Vol. 17, No. 2, Routledge, 2010.

———, 'From Migrant to Settler and the Making of a Black Community: an Auto-ethnographic Account', *African and Black Diaspora*, Vol. 13, No. 2, Routledge, 2020.

———, 'Homesickness as a Construct of the Migrant Experience', *Changing English*, Vol. 12, No. 1, Routledge, 2005.

Bryan, B., Dadzie, S., and Scafe, S. (eds.), *The Herat of the Race: Black Women's Lives in Britain*, Verso, 2018 (first published by Virago, 1985).

Burrell, Ian. "Reggae Singer Junior Murvin Dies Aged 64: 'Police and Thieves' Became an Anthem in British Inner Cities of the Late Seventies." *Independent*, 2 December 2013. Web. https://www.independent.co.uk/arts-entertainment/music/news/reggae-singer-junior-murvin-dies-aged-64-8978615.html

Chalmin, Philippe, *The Making of a Sugar Giant. Tate & Lyle 1859–1989*. Harwood Academic Publishers, 1990 (originally published in French in 1983 as *Tate & Lyle, Géant du sucre*, Paris).

Chamberlain, M. (ed.), 'Phyllis Shand Allfrey talking with Polly Pattullo', in *Writing Lives: Conversations between Women Writers*, Virago, 1988.

Cooper, Carolyn. "Cornell takes a leaf out of UWI's book." *The Gleaner*, 11 Oct. 2020, https://jamaica-gleaner.com/article/commentary/20201011/carolyn-cooper-cornell-takes-leaf-out-uwis-book. Accessed 14 July 2022.

Couacaud, Leo. "Begging as Reciprocity in Jamaican Urban Low-Income Communities." *Social and Economic Studies* 66, no. 3/4 (2017): 33–63.

Cundall, F. (ed.), *Lady Nugent's Journal: Jamaica One Hundred Years Ago*, Cambridge Univ. Press, 2010.

Curtin, Philip D., *The Atlantic Slave Trade. A Census*, University of Wisconsin Press, Madison, 1969.

Davies, K. G. *The Royal African Company*, Longmans, 1957.

Davis, David Brion. *The Problem of Slavery in Western Culture*. Cornell University Press, 1966.

松本八重子「西インド諸島の脱植民地化と地域主義」『ラテンアメリカ・カリブ研究』第６号、1990年、43–50頁。

―――「脱植民地の国際規範と憲法改正 ― 英領西インド諸島の事例を中心に、1941–62年」『国際政治』第147号、2007年1月。

本橋哲也『ポストコロニアリズム』（岩波新書）、岩波書店、2005年。

森口舞「カリブ諸国における奴隷制と植民地支配に対する賠償運動」『大阪経済法科大学21世紀研究』(8), 27–43, 2017年。

ラバ、ジャン＝バティスト（佐野泰雄訳）『仏領アンティル諸島滞在記』（17・18世紀大旅行記叢書／中川久定、二宮敬、増田義郎編集、第2期5）岩波書店、2003年。

❖ 外国語文献

Abbott, George C. “Disintegration: The Lessons of Anguilla”, *Government and Opposition*, 6(1), 1971, pp. 58–74.

Adamson, Alan H. *Sugar without Slaves. The Political Economy of British Guiana, 1838–1904,* Yale University Press: New Haven, 1972.

Allsopp, R., *Dictionary of Caribbean English Usage.* Jamaica: University of the West Indies Press, 2003.

Angier, C., *Jean Rhys: Life and Work*, Little, Brown and Company, 1990.

―――, *Jean Rhys*, Penguin Books, 1985.

Anonimous. *Antigua & Antiguans: A Full Account of the Colony and its Inhabitants from the Time of the Caribs to the Preset Day*, Saunders and Otley, 1844.

Athill. D., *Stet: an Editor’s Life*, Grove Press, 2000.

Baugh, Edward. “English Studies in The University of The West Indies: Retrospect and Prospect.” *Caribbean Quarterly*, vol. 16, no. 4 (1970), pp. 48–60.

Bennet, L., *Jamaica Labrish.* Kingston: Sangster’s Book Stores Ltd, 1966.

―――, *Selected Poems.* Kingston: Sangster’s Book Stores Ltd, 1982.

―――, *Aunty Roachy Seh.* Kingston: Sangster’s Book Stores Ltd, 1993.

Besson, Gerard A., *The Cult of the Will*, Paria Publishing Company Ltd., Trinidad, 2010.

Boyce Davies, Carole and Mukoma Wa Ngugi. “Decolonizing the English Department.” *Brittle Paper*, 5 Oct. 2020, https://brittlepaper.com/2020/10/decolonizing-the-english-department/. Accessed 14 July 2022.

Bragg, Billy, *The Progressive Patriot*, Black Swan, 2007.

―――「クリオール女性の脱植民地経験――「西インド連邦」閣僚フィリス・オーフリー」、イギリス女性史研究会『女性とジェンダーの歴史』第３号、2015年11月、21–31頁。

―――「クリオール女性の脱植民地理念をめぐる困難――フィリス・S・オーフリーと西インド植民地」、愛知教育大学『研究報告』第65輯（人文・社会科学編）、2016年3月、61–69頁。

―――「「サフラジェット」の記憶を読む――ジーン・リース初期と後期の２作品から」、大阪大学西洋史学研究室『パブリック・ヒストリー』第14号、2017年2月、17–32頁。

―――「クリオール女性の帰郷――英領西インド諸島ドミニカとフィリス・オーフリー」、日本女性学研究会『女性学年報』第38号、2017年11月、27–57頁。

―――「郷愁と確執と、クリオール女性の描く「故郷」――ジーン・リースとフィリス・オーフリーのドミニカ島」、愛知教育大学『研究報告』第67輯（人文・社会科学編）、2018年3月、11–19頁。

―――「島民になれなかった「植民者」――フィリス・オーフリー「正確なドミニカ理解」の果て」、愛知教育大学『研究報告』第68輯（人文・社会科学編）、2019年3月、15–23頁。

―――「OWAADとウィンドラッシュの娘たち――「旧宗主国」における移民女性運動「史」」、イギリス女性史研究会『女性とジェンダーの歴史』第７号、2020年3月、82–94頁。

―――「イギリス移民女性運動「史」―― 1970年代「ブラック女性」の避妊薬禁止運動」、愛知教育大学『研究報告』第70輯（人文・社会科学編）、2021年3月、1–9頁。

―――『女教師たちの世界一周――小公女セーラからブラック・フェミニズムまで』筑摩書房、2022年２月、270頁。

―――「「カリブ海人の歴史」を求めて―― *Caribbean Quarterly* 創刊号（1949）を中心に」、愛知教育大学『研究報告』第72輯（人文・社会科学編）、2023年3月、1–9頁。

マーク・セバ（田中孝顕訳）『接触言語――ピジン語とクレオール語』きこ書房、2013年。

前川一郎「イギリス植民地問題終焉論と脱植民地化」永原陽子編『「植民地責任」論――脱植民地の比較史』青木書店、2009年。

牧野直也『レゲエ入門――世界を揺らしたジャマイカ発リズム革命』アルテスパブリッシング、2018年。

杉浦清文「(旧）植民地で生まれ育った植民者――ジーン・リースと森崎和江」『言語文化研究』第24巻、4号、2013年。

鈴木美香『トリニダード・トバゴ：カリブの多文化社会』論創社、2018年。

「総特集：ステュアート・ホール――カルチュラル・スタディーズのフロント」『現代思想』1998年3月臨時増刊号、青土社、2014年。

ソーン、トレイシー（浅倉卓弥訳）『安アパートのディスコクイーン』Pヴァイン、2019年。

トッド、ロレト（田中幸子訳）『ピジン・クレオール入門』大修館書店、1986年。

内藤雅雄「カリブ海地域における『東インド人』社会――特にトリニダードを中心に」古賀正則・内藤雅雄・浜口恒夫編『移民から市民へ――世界のインド系コミュニティ』東京大学出版会、2000年。

並河葉子「イギリス領西インド植民地における「奴隷制改善」と奴隷の「結婚」問題」『史林』第99巻、1号、2016年。

パナイー、パニコス（浜井祐三子・溝上宏美訳）『近現代イギリス移民の歴史――寛容と排除に揺れた二〇〇年の歩み』人文書院、2016年。

半澤朝彦「国連とイギリス帝国の消滅――1960–63年」、『国際政治』第126号、2001年。

ヒューム、P（岩尾、正木、本橋訳）『征服の修辞学』法政大学出版局、1995年。

ブラッグ、ビリー「炭鉱労働者のストで得た視点とは違う社会活動を考えるようになった」中川敬によるインタビュー、『TURN』2021年12月16日、ウェブ。https://turntokyo.com/features/interview-billy-bragg/

プロクター、ジェームス（小笠原博毅訳）『スチュアート・ホール』青土社、2006年。

ベルナベ、シャモワゾー、コンフィアン（恒川邦夫訳）『クレオール礼賛』平凡社、1997年。

ホール、スチュアート（吉田裕訳）『親密なるよそ者』人文書院、2021年。

星野妙子「1970年代における世界砂糖市場の変容とカリブ諸国」『アジア経済』24(6), 56–73、1983年。

堀内真由美「英領西インド・白人クリオールの「植民地責任」――ジーン・リースの作品から」、愛知教育大学『研究報告』第63輯（人文・社会科学編)、2014年3月、73–81頁。

―――「植民地主義の再発見――ジーン・リースの描くノッティンヒル「人種暴動」」、大阪大学西洋史学研究室『パブリック・ヒストリー』第12号、2015年2月、29–45頁。

参考文献・資料

❖ 日本語文献

赤尾光春、早尾貴紀編『ディアスポラの力を結集する――ギルロイ・ボヤーリン兄弟・スピヴァク』松籟社、2012年。

アンチオープ、ガブリエル（石塚道子訳）『ニグロ、ダンス、抵抗 ―― 17 ～ 19 世紀カリブ海地域奴隷制史』人文書院、2001年。

石塚道子編『カリブ海世界』、世界思想社、1991年。

井野瀬久美惠「帝国の逆襲――ともに生きるために」井野瀬編『イギリス文化史』昭和堂、2010年。

―――「コルストン像はなぜ引き倒されたのか――都市の記憶と銅像の未来」『歴史学研究』第1012号、2021年。

ウィリアムズ、E（川北稔訳）『コロンブスからカストロまで』Ⅰ、Ⅱ、岩波書店、1978年。

臼井雅美『ブラック・ブリティッシュ・カルチャー』明石書店、2022年。

小笠原博毅「文化と文化を研究することの政治学――ステュアート・ホールの問題設定」『思想』873号、岩波書店、1997年3月。

川分圭子「減税か賠償か――イギリス議会と奴隷制廃止をめぐる議論1823–33年」『イギリス近世・近代史と議会制統治』吉田書店、2015年、223–249頁。

―――『ボディントン家とイギリス近代　ロンドン貿易商1580–1941』京都大学学術出版会、2017年。

―――「長期的不況の中の存続――奴隷制廃止以降現代までのイギリス領カリブ諸島の砂糖生産」『科学研究費研究成果報告書 基盤 C 2017–19』2020年、pp. 3–57.

―――「ガイアナの砂糖生産の盛衰と社会の変容 ―― 1840年代から現代まで」『京都府立大学学術報告　人文』74号、2022年12月、53–84頁。

ガンスト、ローリー『ボーン・フィ・デッド――ジャマイカの裏社会を旅して』森本幸代訳　善通寺市：MIGHTY MULES' BOOKSTORE、2006年。

北原靖明『トリニダード・トバゴ――歴史・社会・文化の考察』、大阪大学出版会、2012年。

ギルロイ、ポール（田中東子他訳）『ユニオンジャックに黒はない』月曜社、2017年。

薩摩真介『海賊の大英帝国　掠奪と交易の四百年史』講談社、2018年。

シーコール、メアリー（飯田武郎訳）『メアリー・シーコール自伝』彩流社、2017年。

ショダンソン、ロベール（糟谷啓介、田中克彦訳）『クレオール語』白水社、2000年。

＊川分圭子（かわわけ・けいこ）［1–16、27–29］
編著者紹介参照。

竹下幸男（たけした・ゆきお）［コラム 7、34–36、39–44、46、48、49、コラム 19、コラム 20］
畿央大学教育学部教授。文学博士（大阪市立大学）。英語文学専攻。
主要著作：「隠蔽と告発の構図――ふたつの *The Floating Opera*」（『関西アメリカ文学』38、2001 年）、『都市のフィクション』（共著、清文堂、2006 年）、「多文化社会イギリスにおける Mary Seacole 評価」（『コルヌコピア』26、2015 年）「希望と夢の国、アメリカン・ユートピア――ブルース・スプリングスティーンとデイヴィッド・バーンの 2021 年」（*Queries* 54、2021 年）

中村 達（なかむら・とおる）［38］
千葉工業大学教育センター助教。博士（文学、西インド諸島大学）。専門は英語圏を中心としたカリブ海文学・思想。
主要著作："'Maybe Broken Is Just the Same as Being': Brokenness and the Body in Kei Miller's Short Stories"（in *Caribbean Quarterly*, 68 (3): 382–401, 2022）、"Peasant Sensibility and the Structures of Feeling of 'My People' in George Lamming's *In the Castle of My Skin*"（in *Small Axe: A Caribbean Journal of Criticism*, 27 (1): 34–50, 2023）など。

＊堀内真由美（ほりうち・まゆみ）［コラム 1、コラム 2、コラム 4、23–26、コラム 6、32、33、コラム 10、45、50–52、コラム 14、53、54、コラム 15、コラム 16、57、58］
編著者紹介参照。

山口美知代（やまぐち・みちよ）［コラム 3、17–22、コラム 5、コラム 9、55、56、コラム 17、59］
京都府立大学文学部教授。文学博士（京都大学）、言語学修士（ケンブリッジ大学）。英語学専攻。
主要著作：『英語の改良を夢みたイギリス人たち――綴り字改革運動史 1834–1975』（開拓社、2009 年）、『世界の英語を映画で学ぶ』（編著、松柏社、2013 年）、『World Englishes 入門――グローバルな英語世界への招待』（共著、昭和堂、2023 年）

〈編著者〉

川分圭子（かわわけ・けいこ）
京都府立大学教授。文学博士（京都大学）。
イギリス近世・近代史専攻、ロンドン商人、西インド貿易を主に研究。
主要著作・翻訳書：『ボディントン家とイギリス近代　ロンドン貿易商 1580–1941』（京都大学学術出版会、2017 年）、『商業と異文化の接触』（編著、吉田書店、2017 年）『歴史の転換期 7、1683 年　近世世界の変容』（山川出版社、2018 年）、『フランス革命を旅したイギリス人』（翻訳、春風社、2009 年）。

堀内真由美（ほりうち・まゆみ）
愛知教育大学教育学部准教授。博士（文学、大阪大学）。
イギリス近現代女性史、ジェンダー論、ポストコロニアル研究、ブラック・フェミニズム専攻。
主要著作:『大英帝国の女教師――イギリス女子教育と植民地』（白澤社、2008 年）、『女教師たちの世界一周――小公女からブラック・フェミニズムまで』（筑摩書房、2020 年）、『イギリス近現代女性史研究入門』（河村貞枝・今井けい編、青木書店、2006 年）、『ジェンダーで考える教育の現在《いま》』（木村涼子・古久保さくら編、解放出版社、2008 年）、『アニメで読む世界史』（藤川隆男編、山川出版社、2011 年）、『イギリスの歴史を知るための 50 章』（川成洋編、明石書店、2016 年）ほか。

〈執筆者〉五十音順。＊は編著者。［　］内は担当箇所

井野瀬久美惠（いのせ・くみえ）［31、コラム 8、37、コラム 11、47、コラム 12、コラム 13、60、コラム 18］
甲南大学文学部教授。文学博士（京都大学）。専門はイギリス近現代史・大英帝国史。
主要著作:『大英帝国はミュージックホールから』（朝日新聞社、1990 年）、『黒人王、白人王に謁見す』（山川出版社、2002 年）、『植民地経験のゆくえ』（人文書院、2004 年）、『大英帝国という経験』（講談社、2007 年；講談社学術文庫、2017 年）、『「近代」とは何か』（かもがわ出版、2023 年）、『イギリス文化史』（編著、昭和堂、2010 年）など。

押切 貴（おしきり・たか）［30］
西インド諸島大学モナ校歴史考古学科レクチャラー。哲学博士。ロンドン大学東洋アフリカ研究学院卒業。専門は、近代日本文化史。
主要著作：*Gathering for Tea in Modern Japan: Class, Culture and Consumption in the Meiji Period*（Bloomsbury Academics, 2018 年）。

エリア・スタディーズ　197

カリブ海の旧イギリス領を知るための60章

2023年 9月15日　初版第1刷発行

編著者　川分圭子
　　　　堀内真由美
発行者　大江道雅
発行所　株式会社 明石書店
〒101-0021 東京都千代田区外神田6-9-5
電話 03-5818-1171
FAX 03-5818-1174
振替 00100-7-24505
https://www.akashi.co.jp/

装幀　明石書店デザイン室
印刷／製本　日経印刷株式会社

（定価はカバーに表示してあります）　ISBN978-4-7503-5632-7

エリア・スタディーズ

1 現代アメリカ社会を知るための60章
明石紀雄、川島浩平 編著

2 イタリアを知るための62章【第2版】
村上義和 編著

3 イギリスを旅する35章
辻野功 編著

4 モンゴルを知るための65章【第2版】
金岡秀郎 著

5 パリ・フランスを知るための44章
梅本洋一、大里俊晴、木下長宏 編著

6 現代韓国を知るための60章【第2版】
石坂浩一、福島みのり 編著

7 オーストラリアを知るための58章【第3版】
越智道雄 著

8 現代中国を知るための52章【第6版】
藤野彰 編著

9 ネパールを知るための60章
日本ネパール協会 編

10 アメリカの歴史を知るための65章【第4版】
富田虎男、鵜月裕典、佐藤円 編著

11 現代フィリピンを知るための61章【第2版】
大野拓司、寺田勇文 編著

12 ポルトガルを知るための55章【第2版】
村上義和、池俊介 編著

13 北欧を知るための43章
武田龍夫 著

14 ブラジルを知るための56章【第2版】
アンジェロ・イシ 著

15 ドイツを知るための60章
早川東三、工藤幹巳 編著

16 ポーランドを知るための60章
渡辺克義 編著

17 シンガポールを知るための65章【第5版】
田村慶子 編著

18 現代ドイツを知るための67章【第3版】
浜本隆志、髙橋憲 編著

19 ウィーン・オーストリアを知るための57章【第2版】
広瀬佳一、今井顕 編著

20 ハンガリーを知るための60章【第2版】 ドナウの宝石
羽場久美子 編著

21 現代ロシアを知るための60章【第2版】
下斗米伸夫、島田博 編著

22 21世紀アメリカ社会を知るための67章
明石紀雄 監修 赤尾千波、大類久恵、小塩和人、落合明子、川島浩平、高野泰 編

23 スペインを知るための60章
野々山真輝帆 著

24 キューバを知るための52章
後藤政子、樋口聡 編著

25 カナダを知るための60章
綾部恒雄、飯野正子 編著

26 中央アジアを知るための60章【第2版】
宇山智彦 編著

27 チェコとスロヴァキアを知るための56章【第2版】
薩摩秀登 編著

28 現代ドイツの社会・文化を知るための48章
田村光彰、村上和光、岩淵正明 編著

29 インドを知るための50章
重松伸司、三田昌彦 編著

30 タイを知るための72章【第2版】
綾部真雄 編著

31 パキスタンを知るための60章
広瀬崇子、山根聡、小田尚也 編著

32 バングラデシュを知るための66章【第3版】
大橋正明、村山真弓、日下部尚徳、安達淳哉 編著

33 イギリスを知るための65章【第2版】
近藤久雄、細川祐子、阿部美春 編著

34 現代台湾を知るための60章【第2版】
亜洲奈みづほ 著

35 ペルーを知るための66章【第2版】
細谷広美 編著

36 マラウィを知るための45章【第2版】
栗田和明 著

37 コスタリカを知るための60章【第2版】
国本伊代 編著

38 チベットを知るための50章
石濱裕美子 編著

39 現代ベトナムを知るための63章【第3版】
岩井美佐紀 編著

40 インドネシアを知るための50章
村井吉敬、佐伯奈津子 編著

41 エルサルバドル、ホンジュラス、ニカラグアを知るための45章
田中高 編著

エリア・スタディーズ

42 パナマを知るための70章【第2版】 国本伊代 編著
43 イランを知るための65章 岡田恵美子、北原圭一、鈴木珠里 編著
44 アイルランドを知るための70章【第3版】 海老島均、山下理恵子 編著
45 メキシコを知るための60章 吉田栄人 編著
46 中国の暮らしと文化を知るための40章 東洋文化研究会 編
47 現代ブータンを知るための60章【第2版】 平山修一 著
48 バルカンを知るための66章【第2版】 柴宜弘 編著
49 現代イタリアを知るための44章 村上義和 編著
50 アルゼンチンを知るための54章 アルベルト松本 著
51 ミクロネシアを知るための60章【第2版】 印東道子 編著
52 アメリカのヒスパニック＝ラティーノ社会を知るための55章 大泉光一、牛島万 編著
53 北朝鮮を知るための55章【第2版】 石坂浩一 編著
54 ボリビアを知るための73章【第2版】 真鍋周三 編著
55 コーカサスを知るための60章 北川誠一、前田弘毅、廣瀬陽子、吉村貴之 編著
56 カンボジアを知るための60章【第3版】 上田広美、岡田知子、福富友子 編著
57 エクアドルを知るための60章【第2版】 新木秀和 編著
58 タンザニアを知るための60章【第2版】 栗田和明、根本利通 編著
59 リビアを知るための60章【第2版】 塩尻和子 編著
60 東ティモールを知るための50章 山田満 編著
61 グアテマラを知るための67章【第2版】 桜井三枝子 編著
62 オランダを知るための60章 長坂寿久 著
63 モロッコを知るための65章 私市正年、佐藤健太郎 編著
64 サウジアラビアを知るための63章【第2版】 中村覚 編著
65 韓国の歴史を知るための66章 金両基 編著
66 ルーマニアを知るための60章 六鹿茂夫 編著
67 現代インドを知るための60章 広瀬崇子、近藤正規、井上恭子、南埜猛 編著
68 エチオピアを知るための50章 岡倉登志 編著
69 フィンランドを知るための44章 百瀬宏、石野裕子 編著
70 ニュージーランドを知るための63章 青柳まちこ 編著
71 ベルギーを知るための52章 小川秀樹 編著
72 ケベックを知るための54章 小畑精和、竹中豊 編著
73 アルジェリアを知るための62章 私市正年 編著
74 アルメニアを知るための65章 中島偉晴、メラニア・バグダサリヤン 編著
75 スウェーデンを知るための60章 村井誠人 編著
76 デンマークを知るための68章 村井誠人 編著
77 最新ドイツ事情を知るための50章 浜本隆志、柳原初樹 著
78 セネガルとカーボベルデを知るための60章 小川了 編著
79 南アフリカを知るための60章 峯陽一 編著
80 エルサルバドルを知るための55章 細野昭雄、田中高 編著
81 チュニジアを知るための60章 鷹木恵子 編著
82 南太平洋を知るための58章 メラネシア ポリネシア 吉岡政德、石森大知 編著
83 現代カナダを知るための60章【第2版】 飯野正子、竹中豊 総監修 日本カナダ学会 編

エリア・スタディーズ

84 **現代フランス社会を知るための62章**
三浦信孝、西山教行 編著

85 **ラオスを知るための60章**
菊池陽子、鈴木玲子、阿部健一 編著

86 **パラグアイを知るための50章**
田島久歳、武田和久 編著

87 **中国の歴史を知るための60章**
並木頼壽、杉山文彦 編著

88 **スペインのガリシアを知るための50章**
坂東省次、桑原真夫、浅香武和 編著

89 **アラブ首長国連邦（UAE）を知るための60章**
細井長 編著

90 **コロンビアを知るための60章**
二村久則 編著

91 **現代メキシコを知るための70章【第2版】**
国本伊代 編著

92 **ガーナを知るための47章**
高根務、山田肖子 編著

93 **ウガンダを知るための53章**
吉田昌夫、白石壮一郎 編著

94 **ケルトを旅する52章** イギリス・アイルランド
永田喜文 著

95 **トルコを知るための53章**
大村幸弘、永田雄三、内藤正典 編著

96 **イタリアを旅する24章**
内田俊秀 編著

97 **大統領選からアメリカを知るための57章**
越智道雄 著

98 **現代バスクを知るための60章【第2版】**
萩尾生、吉田浩美 編著

99 **ボツワナを知るための52章**
池谷和信 編著

100 **ロンドンを旅する60章**
川成洋、石原孝哉 編著

101 **ケニアを知るための55章**
松田素二、津田みわ 編著

102 **ニューヨークからアメリカを知るための76章**
越智道雄 著

103 **カリフォルニアからアメリカを知るための54章**
越智道雄 著

104 **イスラエルを知るための62章【第2版】**
立山良司 編著

105 **グアム・サイパン・マリアナ諸島を知るための54章**
中山京子 編著

106 **中国のムスリムを知るための60章**
中国ムスリム研究会 編

107 **現代エジプトを知るための60章**
鈴木恵美 編著

108 **カーストから現代インドを知るための30章**
金基淑 編著

109 **カナダを旅する37章**
飯野正子、竹中豊 編著

110 **アンダルシアを知るための53章**
立石博高、塩見千加子 編著

111 **エストニアを知るための59章**
小森宏美 編著

112 **韓国の暮らしと文化を知るための70章**
舘野晳 編著

113 **現代インドネシアを知るための60章**
村井吉敬、佐伯奈津子、間瀬朋子 編著

114 **ハワイを知るための60章**
山本真鳥、山田亨 編著

115 **現代イラクを知るための60章**
酒井啓子、吉岡明子、山尾大 編著

116 **現代スペインを知るための60章**
坂東省次 編著

117 **スリランカを知るための58章**
杉本良男、高桑史子、鈴木晋介 編著

118 **マダガスカルを知るための62章**
飯田卓、深澤秀夫、森山工 編著

119 **新時代アメリカ社会を知るための60章**
明石紀雄 監修　大類久恵、落合明子、赤尾千波 編著

120 **現代アラブを知るための56章**
松本弘 編著

121 **クロアチアを知るための60章**
柴宜弘、石田信一 編著

122 **ドミニカ共和国を知るための60章**
国本伊代 編著

123 **シリア・レバノンを知るための64章**
黒木英充 編著

124 **ＥＵ（欧州連合）を知るための63章**
羽場久美子 編著

125 **ミャンマーを知るための60章**
田村克己、松田正彦 編著

エリア・スタディーズ

126 カタルーニャを知るための50章 立石博高、奥野良知 編著

127 ホンジュラスを知るための60章 桜井三枝子、中原篤史 編著

128 スイスを知るための60章 スイス文学研究会 編

129 東南アジアを知るための50章 今井昭夫 編集代表 東京外国語大学東南アジア課程 編

130 メソアメリカを知るための58章 井上幸孝 編著

131 マドリードとカスティーリャを知るための60章 川成洋、下山静香 編著

132 ノルウェーを知るための60章 大島美穂、岡本健志 編著

133 現代モンゴルを知るための50章 小長谷有紀、前川愛 編著

134 カザフスタンを知るための60章 宇山智彦、藤本透子 編著

135 内モンゴルを知るための60章 ボルジギン・ブレンサイン 編著 赤坂恒明 編集協力

136 スコットランドを知るための65章 木村正俊 編著

137 セルビアを知るための60章 柴宜弘、山崎信一 編著

138 マリを知るための58章 竹沢尚一郎 編著

139 ASEANを知るための50章 黒柳米司、金子芳樹、吉野文雄 編著

140 アイスランド・グリーンランド・北極を知るための65章 小澤実、中丸禎子、高橋美野梨 編著

141 ナミビアを知るための53章 水野一晴、永原陽子 編著

142 香港を知るための60章 吉川雅之、倉田徹 編著

143 タスマニアを旅する60章 宮本忠 著

144 パレスチナを知るための60章 臼杵陽、鈴木啓之 編著

145 ラトヴィアを知るための47章 志摩園子 編著

146 ニカラグアを知るための55章 田中高 編著

147 台湾を知るための72章【第2版】 赤松美和子、若松大祐 編著

148 テュルクを知るための61章 小松久男 編著

149 アメリカ先住民を知るための62章 阿部珠理 編著

150 イギリスの歴史を知るための50章 川成洋 編著

151 ドイツの歴史を知るための50章 森井裕一 編著

152 ロシアの歴史を知るための50章 下斗米伸夫 編著

153 スペインの歴史を知るための50章 立石博高、内村俊太 編著

154 フィリピンを知るための64章 大野拓司、鈴木伸隆、日下渉 編著

155 バルト海を旅する40章 7つの島の物語 小柏葉子 著

156 カナダの歴史を知るための50章 細川道久 編著

157 カリブ海世界を知るための70章 国本伊代 編著

158 ベラルーシを知るための50章 服部倫卓、越野剛 編著

159 スロヴェニアを知るための60章 柴宜弘、アンドレイ・ベケシュ、山崎信一 編著

160 北京を知るための52章 櫻井澄夫、人見豊、森田憲司 編著

161 イタリアの歴史を知るための50章 高橋進、村上義和 編著

162 ケルトを知るための65章 木村正俊 編著

163 オマーンを知るための55章 松尾昌樹 編著

164 ウズベキスタンを知るための60章 帯谷知可 編著

165 アゼルバイジャンを知るための67章 廣瀬陽子 編著

166 済州島を知るための55章 梁聖宗、金良淑、伊地知紀子 編著

167 イギリス文学を旅する60章 石原孝哉、市川仁 編著